ILS SE BATTENT COMME DES
# SOLDATS
ILS MEURENT COMME DES
# ENFANTS

**DU MÊME AUTEUR**

*J'ai serré la main du diable*, Libre Expression, 2003

# ROMÉO DALLAIRE
avec Jessica Dee Humphreys

## ILS SE BATTENT COMME DES
# SOLDATS
## ILS MEURENT COMME DES
# ENFANTS

Pour en finir avec le recours aux enfants soldats

Traduit de l'anglais par Lori Saint-Martin et Paul Gagné

Libre Expression

Une compagnie de Quebecor Media

Catalogage avant publication de Bibliothèque et Archives nationales du Québec et Bibliothèque et Archives Canada

Dallaire, Roméo A.

Ils se battent comme des soldats, ils meurent comme des enfants : pour en finir avec le recours aux enfants soldats

ISBN 978-2-7648-0356-1

1. Enfants soldats. 2. Enfants et guerre. I. Titre.

UB418.C45D34 2010                 355.0083                 C2010-942022-5

Édition : Johanne Guay
Traduction : Lori Saint-Martin et Paul Gagné
Révision linguistique : Emmanuel Dalmenesche
Correction d'épreuves : Marie Pigeon Labrecque
Couverture : CS Richardson
Grille graphique intérieure : Axel Pérez de León
Mise en pages : Hamid Aittouares et Louise Durocher
Photo de l'auteur : Jean-Marc Carisse
Photo de couverture : Georges Gobet/AFP/Getty Images

**Remerciements**
Les Éditions Libre Expression reconnaissent l'aide financière du gouvernement du Canada par l'entremise du Fonds du livre du Canada pour leurs activités d'édition. Nous remercions le Conseil des Arts du Canada et la Société de développement des entreprises culturelles du Québec (SODEC) du soutien accordé à notre programme de publication. Gouvernement du Québec – Programme de crédit d'impôt pour l'édition de livres – gestion SODEC.
Nous remercions le gouvernement du Canada de son soutien financier pour nos activités de traduction dans le cadre du Programme national de traduction pour l'édition du livre.

Publié avec l'accord de Random House Canada, a division of Random House of Canada Limited, Toronto, Canada
Titre original : *They Fight Like Soldiers, They Die Like Children*
© Roméo A. Dallaire, L. Gen (ret) Inc., 2010
© Random House Canada, 2010, pour la version originale en langue anglaise
© Ishmael Beah, 2010 (avant-propos)
© Ben Weeks, 2010 (illustrations)
© Les Éditions Libre Expression, 2010, pour la traduction en langue française

Les Éditions Libre Expression
Groupe Librex inc.
Une compagnie de Quebecor Media
La Tourelle
1055, boul. René-Lévesque Est
Bureau 800
Montréal (Québec) H2L 4S5
Tél. : 514 849-5259
Téléc. : 514 849-1388
www.edlibreexpression.com

Dépôt légal – Bibliothèque et Archives nationales du Québec et Bibliothèque et Archives Canada, 2010

ISBN : 978-2-7648-0356-1

**Distribution au Canada**
Messageries ADP
2315, rue de la Province
Longueuil (Québec) J4G 1G4
Tél. : 450 640-1234
Sans frais : 1 800 771-3022
www.messageries-adp.com

*À la dérobée, l'enfant, les mains et le visage maculés de terre rouge, vêtu d'une tenue de combat sale et mal ajustée, une croix accrochée à la chaîne qu'il portait autour du cou, a pointé sa mitrailleuse sur moi. Au moment où le canon crachait les premiers projectiles, la haine a embrasé ses yeux. Où est-il aujourd'hui, cet enfant ?*

# SOMMAIRE

## AVANT-PROPOS

Je suis à la fois reconnaissant et profondément bouleversé à l'idée d'écrire l'avant-propos de cet ouvrage capital, qui jette un éclairage nouveau sur les mesures à prendre pour mettre un terme à l'utilisation des enfants dans les guerres. Reconnaissant d'être en vie, d'avoir eu la chance de survivre à la guerre civile de mon pays, la Sierra Leone, où, à treize ans, je me suis battu comme enfant soldat, et de pouvoir, ayant survécu, donner un visage humain à toute cette expérience. Reconnaissant aussi des quelques mesures que la communauté internationale a prises pour soustraire les enfants à la guerre. C'est à elles que je dois de pouvoir rédiger ces lignes aujourd'hui.

Cependant, je suis aussi profondément bouleversé parce qu'on continue de recourir aux enfants dans les guerres et que les mécanismes nationaux et internationaux adoptés pour abolir cette pratique inadmissible (et obliger les responsables à répondre de leurs actes) restent timides. Bouleversé parce qu'il serait possible de mettre fin à ce phénomène, qui a marqué ma jeunesse et qui continue de détruire la vie de nombreux enfants. À ce jour, on n'a pourtant rien fait de concret.

Au moment où vous lisez ces lignes, un enfant de huit, neuf, dix ou même dix-sept ans, en Amérique latine, en Asie, en Afrique et au Moyen-Orient, est sur le point de perdre son enfance au profit de la guerre, et conclura bientôt que la violence est un aspect acceptable de la vie. Je n'ai encore jamais rencontré de père ou de mère qui rêve d'un tel avenir pour son enfant. Au nom de quoi le monde devrait-il fermer les yeux sur un problème fondamental qui sapera à coup sûr les fondements moraux et éthiques d'une majorité des représentants de la prochaine génération? Comment expliquer cet aveuglement devant les innombrables vies d'enfants perdues, amputées, les innombrables enfants traumatisés et dépossédés de leur famille? Je n'en sais rien. Ce que je sais, c'est que la question suscite de l'intérêt et que, depuis quelques années, on a appris beaucoup de choses sur les enfants mêlés à la guerre. Les populations sont de plus en plus conscientes du problème, et les appuis en faveur de la création de normes internationales ont crû de façon exponentielle. Bien qu'admirables, ces deux facteurs – sensibilisation du public et pressions relatives à l'adoption de normes internationales juridiques et non juridiques – ont eu des effets limités, voire inexistants, sur le terrain, là où il y a des conflits et des enfants susceptibles d'être happés par eux.

C'est en 1996, dans la foulée du rapport de Graça Machel intitulé *L'Impact des conflits armés sur les enfants*, que la communauté internationale a commencé à s'intéresser à la question. Depuis, ont vu le jour des instruments internationaux comme le Protocole facultatif à la Convention relative aux droits de l'enfant concernant l'implication d'enfants dans les conflits armés, ainsi que les résolutions 1612 et 1882 du Conseil de sécurité des Nations unies (adoptées pour assurer le suivi et le contrôle du recours aux enfants soldats de même que pour obliger les recruteurs à rendre des comptes). En outre, aux niveaux régional et infrarégional, des déclarations et des principes soutiennent les instruments internationaux et les bonifient. Malheureusement, il n'existe pas, à mon avis, de mécanismes pratiques qui permettent l'application de ces instruments sur le terrain. Tandis que les outils de mise en œuvre restent faibles, les risques de retrouver des enfants sur les théâtres de guerre augmentent.

Ayant moi-même fait l'expérience des effets de la guerre sur les enfants, je suis sans cesse à la recherche d'idées nouvelles pour éliminer ce fléau. Je suis fermement convaincu que l'Initiative Enfants soldats (IES), conçue et dirigée par l'honorable Roméo Dallaire, lieutenant-général (à la retraite), en association avec le Centre d'études de la politique étrangère de l'Université Dalhousie, est un projet novateur qui s'attaque à la racine du problème. Il réunit l'ensemble des intervenants et des secteurs qu'intéresse le recours aux enfants dans les conflits armés, et son objectif est non seulement de mettre un terme à leur recrutement et à leur utilisation, mais aussi de supprimer la notion même d'« enfant soldat » et de susciter, au niveau mondial, la ferme volonté politique qui fait aujourd'hui défaut.

Dans les pages de cet ouvrage remarquable, vous découvrirez des idées révolutionnaires sur l'établissement de partenariats et de réseaux qui renforcent le mouvement mondial en faveur de l'élimination du recours aux enfants soldats. L'auteur y définit de façon nouvelle et holistique la notion d'enfant soldat ; il lève le voile sur le phénomène des jeunes soldates, dont il a jusqu'ici été peu question, présente des méthodes qui permettent d'influer sur les politiques nationales et la formation des forces de sécurité et, enfin, énumère des moyens pratiques d'assurer une meilleure coordination entre les forces de sécurité et les groupes humanitaires.

Je vous incite fortement à lire cet ouvrage capital, qui tombe à point nommé. Il montre que nous tous, en tant qu'êtres humains, de même que les nations et la communauté internationale, avons la capacité d'éliminer l'exploitation des enfants dans les guerres. Dans ces pages, la marche à suivre est clairement indiquée. Nous devons nous atteler à la tâche sans plus tarder.

Ishmael Beah,
auteur du *Chemin parcouru. Mémoires d'un enfant soldat*

# INTRODUCTION

*Ce ciel était bleu. D'un bleu pur. Trop pur. [...] Mais à ce bleu pur*
*se mêlait, plus que jamais, cette lueur de couteau aiguisé. [...]*
*Cette pureté même du ciel me gênait. Dans les orages bien noirs, l'ennemi*
*se montre. On mesure son étendue, on se prépare à son assaut.*
Antoine de Saint-Exupéry[1]

maginez-vous à flanc de colline, dans la tourmente et la confusion de la guerre, imaginez, derrière vous, une marée d'innocents que votre devoir, votre honneur, vos ordres et votre éthique vous commandent de protéger. Votre arme à la main, vous êtes prêt à attaquer. Du sommet de la colline, droit devant vous, émerge une troupe de soldats rebelles en maraude, armés de carabines et de machettes. Vous soulevez votre arme et vous braquez le viseur grossissant sur le chef.

Avec stupeur, vous vous rendez compte que le soldat n'est ni un homme ni un professionnel, et que, du point de vue de l'âge, de la force, de la formation et de la compréhension, il n'est pas votre égal. C'est un enfant, habillé des vestiges en lambeaux d'un uniforme militaire, suivi par des dizaines d'autres enfants.

Devant ce spectacle, vous vous revoyez soudain à l'âge de dix ans, en train de jouer à la guerre dans les bois. Pendant une fraction de seconde, vous vous transportez dans le monde de

---

1. Appendice à *Terre des hommes*, *Œuvres complètes I*, édition publiée sous la direction de Michel Autrand et de Michel Quesnel, Éditions Gallimard, Bibliothèque de la Pléiade, 1994, p. 288.

l'enfance, avec son imagination, ses merveilles, son potentiel. Et, au cours de cette fraction de seconde, vous devez décider de votre sort, mais aussi du sort des villageois placés sous votre protection et de celui des enfants qui foncent vers vous. Ce garçon qui brandit son arme, devez-vous le traiter comme un soldat ou comme un enfant ? Si vous ne faites rien, des dizaines de personnes seront massacrées et vous risquez vous-même d'y laisser votre peau. Si vous faites feu dans l'intention d'effrayer l'ennemi ou de le forcer à déposer les armes, vous déclencherez à coup sûr une fusillade sanglante. Si vous ripostez dans le dessein de tuer, comme si vous aviez affaire à des adultes, vous sauverez un village. Mais à quel prix ?

\* \* \*

J'ai été soldat. Casque bleu. Général. Il y a des années, je me suis trouvé au milieu des cadavres d'un massacre humain qui n'avait d'égal que les plus horribles inventions de Dante. Dans ma psyché, grâce à un recours constant à la psychothérapie et aux médicaments, les odeurs, les visions et les terribles cris d'agonie du Rwanda ne forment plus qu'un rugissement sourd.

Mais aucune intervention comparable ne m'a affranchi du dilemme éthique auquel j'ai trop souvent été confronté pendant la catastrophique période d'inhumanité qu'a connue le Rwanda : pendant cent jours, en 1994, huit cent mille êtres humains ont été massacrés. Et personne, au sein de la communauté internationale, n'a trouvé la volonté d'arrêter ce génocide.

Le rebelle sur la colline était-il un soldat ou un enfant ? Agissait-il de son plein gré ? Était-il contraint ou endoctriné ? L'enfant qui braque une arme sur votre poitrine est-il encore un enfant ? Dans les yeux grands ouverts et brillants de ces enfants soldats, on lisait la souffrance, l'angoisse, la peur et la haine. Qu'avaient-ils donc vu, ces enfants ? Quelles séquelles leurs âmes avaient-elles subies ?

Fait ironique, nous qualifions de « civiles » les guerres dont la population est la première cible et où la domination de celle-ci est l'enjeu principal. Dans ces guerres, les combattants se mêlent aux civils et les utilisent comme boucliers, comme moyens de camouflage, comme appâts et comme recrues pour la « cause ». Dans les États en déliquescence et dans les régions ravagées par la guerre de la planète, les jeunes recrues s'offrent en nombre illimité à qui veut s'en servir.

L'existence même des enfants soldats peut vous paraître inimaginable. Lorsque j'en ai rencontré pour la première fois, j'ai moi aussi été sidéré qu'on puisse abuser de l'enfance de façon si éhontée. Et pourtant, la réalité de nombreux chefs de bandes et de rebelles, voire de certains gouvernements nationaux, c'est que l'enfant soldat est le système d'armes le plus complet de tout l'arsenal des machines de guerre. Dans plus de trente conflits sur la planète, les enfants soldats, qui n'exigent qu'une technologie limitée et des frais de subsistance minimes, possèdent une polyvalence inégalée dans toutes les facettes des combats de faible intensité et se montrent volontiers capables de barbarie ; ils sont l'arme de choix des gouvernements comme des acteurs non gouvernementaux. L'homme a ainsi créé l'arme humaine suprême, bon marché, facilement remplaçable et pourtant raffinée, au prix de l'avenir de l'humanité : ses enfants.

Grâce à la prolifération des munitions et des armes légères aux quatre coins du monde, de même qu'au nombre illimité d'enfants dont disposent de nombreux pays en développement surpeuplés, notamment en Afrique, il n'y a pas, de nos jours, d'armes plus faciles d'accès, rentables et abondantes. Les enfants désespérés, garçons et filles, se contentent de peu et ignorent la peur. Trop jeunes pour avoir acquis le sens de la justice, arrachés aux leurs et contraints de se débrouiller seuls au sein de la nouvelle famille pervertie des forces armées, ils sont faciles à manipuler ; au moyen de la drogue et de l'endoctrinement, on peut leur faire faire presque n'importe quoi.

Les enfants sont vulnérables et faciles à attraper, un peu comme des menés dans un lac, en particulier là où les familles sont détruites par la famine, les épidémies, le sida, les factions en guerre. Ils forment une armée anonyme et renouvelable à volonté. Les armes ne sont pas trop lourdes pour les enfants, et des armes, il y en a à profusion. On trouve quantité de trafiquants d'armes illicites qui se montrent des plus accommodants (en échange de diamants du sang, en particulier). Aux fins des tueries, les enfants, qu'ils creusent des mines ou prennent part aux forces armées, constituent des outils aisément remplaçables. Les filles sont encore plus utiles, car elles peuvent faire tout ce que font les garçons, et beaucoup plus encore. Elles organisent les campements, préparent les repas et s'occupent des plus jeunes ; on les exploite comme esclaves sexuelles et femmes de brousse.

Les enfants servent de combattants, d'appâts dans les embuscades et de chair à canon. Ils sont légers et faciles à déplacer, mais leur poids est suffisant pour provoquer l'explosion des mines antipersonnel. Les adultes peuvent donc passer en toute sécurité dans leur sillage.

À l'heure actuelle, il y a sur terre des enfants privés de jeunesse, de mondes imaginaires, de joie, d'amour, de chaleur humaine. Ce ne sont pas vraiment des enfants, sinon au sens biologique du terme. Mais, bien sûr, ce sont quand même des enfants, non ? Les conflits, la pauvreté abjecte et l'abandon auraient-ils fait d'eux des mutants, ni enfants ni adultes ? Une catégorie d'êtres à part ne correspondant à aucune définition de ce que, au fil de milliers d'années de civilisation, on a appelé l'« enfance » ?

De quoi l'humanité a-t-elle donc accouché ? Qu'avons-nous permis par notre inaction ? Dans des contrées pas si lointaines subsistent des centaines de milliers d'êtres humains qui ont la forme d'enfants, mais qu'on a dépossédés de l'esprit, de l'innocence, de l'essence même de l'enfance.

Pour ma part, j'ai beaucoup de mal à croire que, au XXIe siècle, après la Renaissance, les Lumières, la modernité et l'essor des droits de la personne, il existe des centaines de milliers d'enfants soldats. Que faire à présent ?

\* \* \*

Ainsi que je le raconterai plus loin, ma première rencontre avec les enfants soldats date de 1993, au Rwanda. Je commandais alors la Mission des Nations unies pour l'assistance au Rwanda (MINUAR), qui, en principe, n'avait rien de compliqué. Avec le soutien de troupes minimales, je devais m'assurer que toutes les parties concernées respectent l'accord de paix intervenu entre le gouvernement et le Front patriotique rwandais (FPR), armée rebelle composée principalement de réfugiés tutsis de la deuxième génération, qui avait remporté d'importantes victoires militaires contre le régime. J'avais également pour tâche de préparer le terrain en vue des élections démocratiques qui devaient définir le partage du pouvoir entre la majorité hutue et la minorité tutsie. Dans l'exercice de mes fonctions, j'ai été témoin des signes avant-coureurs de ce qui allait devenir un génocide visant l'annihilation d'un groupe ethnique, les Tutsis, de même que les Hutus modérés et les opposants politiques. Malgré les appels à l'aide de plus en plus pressants que j'ai lancés et les preuves accablantes que j'ai présentées, la communauté internationale a statué que je ne devais ni contrecarrer ces préparatifs, ni organiser des raids dans les caches d'armes, ni prendre d'autres mesures. Je n'étais pas là pour faire la guerre ; ma mission consistait à assurer le maintien de la paix.

Cent jours. Huit cent mille innocents massacrés.

Tout au long du génocide, qui a débuté le 6 avril 1994, je suis resté en poste, en compagnie d'un petit contingent de soldats canadiens et africains (en majorité ghanéens) qui avaient décidé de demeurer avec moi et de faire ce qu'ils pouvaient, ce qui n'était jamais assez.

Encore aujourd'hui, il arrive que des sensations, des odeurs en particulier, me replongent au cœur du massacre. J'entends un bruit visqueux et poisseux et, le temps d'un éclair, je vois des corps en décomposition grouillant comme des poissons dans la nasse d'une fosse collective. Pendant ce bref instant, je suis impuissant à m'extirper des sables mouvants de la mémoire.

Malgré les responsabilités et les postes de plus en plus importants que j'ai acceptés à mon retour au Canada, en septembre 1994, j'ai passé les six années suivantes à revivre avec intensité le génocide rwandais, tant en pensée que dans les tribunes du monde entier et au Tribunal pénal international pour le Rwanda. Je ne faisais aucun progrès sur la voie de la guérison. Au contraire, je maintenais un rythme effréné sur la route de l'autodestruction. Étant donné ma part de responsabilité dans l'inaction de la communauté internationale, je croyais ne devoir rien de moins aux Rwandais.

Puis, en avril 2000, les Forces canadiennes m'ont rendu à la vie civile pour des raisons médicales et m'ont demandé de vider mon bureau du quartier général de la Défense nationale.

Avril, évidemment, marque l'anniversaire du début du génocide. C'est un mois difficile pour quiconque a été mêlé à ces
événements horribles. Je me rendais compte que je n'étais plus
en mesure d'exercer mes fonctions de sous-ministre adjoint
(Ressources humaines – Militaires) à la Défense nationale,
mais j'avais du mal à m'imaginer dissocié de la vie militaire,
mon premier amour. Je suis le fils d'un sous-officier de l'Armée
canadienne et j'ai été militaire pendant trente-six ans. N'ayant
aucune idée de ce que je pourrais (ou voudrais) faire dans la vie
civile, j'ai vécu des journées et des nuits encore plus tumul-
tueuses, que les médicaments étaient impuissants à calmer. Je
ne m'imaginais pas « à la retraite », avec la psychothérapie pour
seul moyen d'arrêter la roue du regret, du doute et de l'auto-
flagellation qui ne me laissait aucun répit. En effet, je remet-
tais sans cesse en question les mesures que j'avais prises et les
ordres que j'avais donnés pendant mon affectation à Kigali.

Un matin, pendant les formalités préalables à ma libération des Forces, j'ai eu droit, de la part de l'officier des affaires
publiques du groupe, à l'habituelle séance d'information. Par
hasard, il a mentionné que sa femme travaillait, au ministère
des Affaires étrangères, à l'organisation d'une conférence sur
les enfants affectés par la guerre qui devait avoir lieu en septembre à Winnipeg. Peu de temps après, nous avons discuté,
elle et moi, et nous avons décidé qu'il serait utile que j'y présente une communication. À ma grande surprise, son patron
a accepté la proposition.

J'avais prononcé des centaines d'allocutions et écrit des
milliers de mots sur le Rwanda, mais je m'étais toujours gardé
d'explorer en profondeur une des réalités du génocide. Il était
bon de rappeler aux autres et de me rappeler à moi-même
que la guerre fait des orphelins, des mutilés et des morts
chez les enfants. L'image mentale que suscite généralement

l'expression « enfants affectés par la guerre » a trait aux victimes des conflits, et j'en avais vu de nombreux exemples saisissants et déchirants.

Mais qu'en est-il des autres enfants touchés par la guerre, de ceux qui, contraints de s'armer d'une machette ou d'un fusil, deviennent des rouages essentiels de la machine de mort ? Au Rwanda, j'avais vu quantité d'enfants de ce genre et j'avais été témoin des conséquences de leurs actions : ils hantaient mes cauchemars.

À titre de commandant militaire, j'ai dû accepter cette réalité : au Rwanda, les enfants ont été les fantassins à la fois du génocide et de la résistance, même si je préférais continuer de les considérer comme une aberration, un phénomène historique unique. Cette connaissance, je l'avais refoulée. Il y avait tant d'horreurs, tant de choses inconcevables. J'ai décidé que j'allais enfin parler des enfants. De tous les enfants.

Ce que je ne savais pas, en acceptant de préparer une communication et de participer à un groupe d'« experts » sur les enfants affectés par la guerre, c'est que j'étais sur le point de découvrir une vocation qui remplacerait mon long engagement militaire : la volonté d'agir en faveur des enfants affectés par la guerre, des enfants attirés dans les zones de combat pour faire office de soldats. Encore aujourd'hui, cet engagement est le moteur de mon action humanitaire et la raison d'être du présent livre.

* * *

Dès 2000, les humanitaires, les organisations non gouvernementales (ONG) et les gouvernements avaient fait des progrès considérables : ils avaient mesuré la portée de la crise que vivaient nos enfants et mis la question des enfants soldats au

centre des préoccupations internationales. En 1989, l'ONU
a adopté sa Convention relative aux droits de l'enfant, marquant ainsi un tournant. Jusque-là, les travaux les plus notables
dans ce domaine avaient été l'œuvre de Graça Machel, veuve
du président mozambicain Samora Machel (tué dans un accident d'avion survenu en Afrique du Sud en 1986), chargée par
l'ONU de diriger une étude ciblée sur les dangers vécus par les
enfants mêlés à la guerre, à titre de victimes ou d'agresseurs vic-
timisés. Son rapport, intitulé *L'Impact des conflits armés sur les
enfants*, déposé devant l'Assemblée générale des Nations unies
en 1996, sommait la communauté internationale non seulement de prendre acte de ces dures réalités, mais aussi d'y réagir.
Dans une certaine mesure, elle l'a d'ailleurs fait en nommant
un représentant spécial de l'ONU pour les enfants et les conflits
armés et, à peu près à l'époque où j'ai été libéré des Forces canadiennes, en adoptant un protocole facultatif de la Convention
relative aux droits de l'enfant, dont les signataires s'engagent à
limiter l'utilisation des enfants à des fins militaires.

Porté par une vague d'optimisme à propos de sa capacité à
jouer un rôle de premier plan dans les questions humanitaires
et relatives à la sécurité humaine, le gouvernement canadien a
participé activement aux efforts diplomatiques déployés dans
ce domaine, notamment à l'ONU. C'était plus que de l'optimisme, en fait, puisque, dans le traité d'Ottawa (Convention
sur l'interdiction des mines antipersonnel), le Canada avait
montré qu'il pouvait contribuer à changer le monde. Lloyd
Axworthy, à l'époque ministre des Affaires étrangères, et Maria
Minna, alors ministre responsable de l'Agence canadienne de
développement international (ACDI), s'efforçaient d'attirer
l'attention sur les lacunes des efforts internationaux visant
à protéger les enfants affectés par la guerre. La conférence à
laquelle j'ai été invité fut la première conférence ministérielle

mondiale consacrée à cette question. Cent trente-deux pays, cent vingt-six ONG, des représentants de l'ONU, du secteur privé et des universités y ont participé, ainsi que cinquante jeunes délégués qui, pendant deux journées consacrées à ces discussions, ont donné voix aux enfants soldats et aux enfants victimes.

Nous nous sommes retrouvés à Winnipeg le 10 septembre 2000, et je devais intervenir au cours de la deuxième journée du volet de la conférence dédié aux « initiés ». La salle relativement petite dans laquelle nous avons pris place était remplie à craquer de participants et de journalistes. Comme c'était ma première sortie publique en civil, je me doutais bien que la plupart des représentants des médias s'intéresseraient surtout à mon rôle de commandant de la mission au Rwanda, et les questions posées pendant la mêlée de presse précédant ma communication ont confirmé mes soupçons. En un sens, l'expérience s'est révélée positive : pour la première fois, j'ai pu exprimer le fond de ma pensée sans que des représentants du gouvernement m'aient au préalable informé de ce que je pouvais dire et de ce que je devais taire.

Les autres conférenciers ont décrit les enfants affectés par la guerre comme des victimes des circonstances et désigné les différentes régions du monde où des États en déliquescence se montraient impuissants à freiner la commission de crimes contre l'humanité, y compris les enlèvements d'enfants et l'exploitation de ces derniers par les parties belligérantes. Lorsque j'ai pris la parole, je me souviens d'avoir serré très fort le micro en racontant l'endoctrinement des jeunes Rwandais par des idéologues extrémistes. Emportés par l'hystérie collective chargée de racisme et de haine, ils s'étaient littéralement taillé une place au sein de la nation à coups de machette, en participant au carnage encouragé et stimulé par des adultes et des émissions de radio racistes. Au Rwanda, certains enfants avaient été enlevés par l'une ou l'autre des forces en présence et d'autres avaient été d'innocentes victimes. Mais il y avait aussi parmi eux des jeunes déshérités attirés par le pouvoir, par le machisme lié aux armes et par l'idée d'appartenir à une organisation qui inspire la crainte. Au bout d'une vingtaine de minutes, j'étais en nage, bouillant du désir que ces gens comprennent qu'il était inconcevable d'utiliser des enfants de cette façon. Je garde peu de souvenirs de la période de questions qui a suivi, mais je me rappelle qu'un silence absolu régnait dans la salle quand est venu mon tour de répondre, comme si les participants savaient que je les entraînerais là où ils n'avaient aucune envie d'aller. À regret, j'ai répondu à cette attente en décrivant d'atroces scènes du génocide. Pourtant, je voulais simplement dire qu'il fallait empêcher des adultes extrémistes de transformer des enfants en machines de mort.

Plus tard ce soir-là, Maria Minna, qui avait assisté à la séance, m'a proposé de m'intégrer à la délégation canadienne officielle, qui participerait au volet de l'exercice axé sur l'élaboration de résolutions. Pendant la conférence de presse de clôture, la ministre a annoncé ma nomination comme conseiller spécial sur les enfants affectés par la guerre auprès de l'ACDI. À ce titre, je relèverais d'elle directement. C'était le premier poste du genre. Je n'aurais pu rêver d'un meilleur contexte pour réfléchir aux dilemmes moraux, éthiques et juridiques que soulève le fait d'exploiter des enfants, de les armer et de s'en servir comme arme principale dans le cadre d'un conflit. Par l'entremise de la ministre, j'avais désormais la possibilité d'influer sur les actions de mon pays ainsi que de faire des enfants affectés par la guerre et des enfants soldats une *cause célèbre*[*2].

---

2.   Les passages en italique suivis d'un astérisque sont en français dans le texte. (*N.d.t.*)

C'est à titre de conseiller spécial de la ministre que j'ai effectué mon premier voyage en Afrique depuis mon retour du Rwanda. En 2001, j'ai visité la Sierra Leone et la Guinée pour me documenter sur le sort des enfants africains, tenter de faire accélérer le processus de démobilisation déjà amorcé et recueillir des témoignages et des pistes de solution à long terme. Au lieu d'être un humanitaire issu des Nations unies ou du conseil d'administration d'une ONG, j'avais été général et je ne faisais pas partie des circuits bureaucratiques habituels. Je me suis bien vite rendu compte que mon approche était assez particulière.

J'ai rencontré des leaders politiques et des commandants militaires de l'ONU de même que des casques bleus de tous les grades, jusqu'au jeune caporal qui gardait un site de démobilisation. Ils m'ont parlé des frictions et des difficultés qu'ils rencontraient pour concerter leurs actions avec celles des civils des sphères politique et humanitaire, du mal qu'ils avaient à gagner leur confiance et leur soutien dans les dossiers relatifs à la sécurité. Comme je n'étais plus un militaire actif, les travailleurs des ONG, souvent méfiants devant les uniformes, m'ont parlé avec la même franchise, même si je crois que les vieux routiers de l'action humanitaire me jugeaient plus incongru qu'utile. Et, grâce à mon grade, j'ai pu, avec plus de facilité que les humanitaires et les soldats de l'ONU, découvrir la vision du monde des chefs des groupes armés et des enfants soldats eux-mêmes. À mon retour, je me suis dit que je réussirais peut-être à aborder la question d'un point de vue différent de celui de mes collègues civils.

Ce qui ressortait avec netteté, c'était l'influence que les leaders des enfants soldats exerçaient sur leurs pairs et même sur les adultes chargés de l'exécution des programmes de démobilisation, de réadaptation et de réintégration. Il s'agissait d'enfants de quatorze ans à qui on en aurait donné vingt-cinq. Ces jeunes, qui conservaient un ascendant certain, ne se satisferaient pas d'un petit programme simpliste offert par des adultes, si bien intentionnés soient-ils. Ils attendaient beaucoup plus qu'un programme à court terme de réinsertion sociale. Pourvus d'influence et d'autorité, ils exigeaient la reconnaissance de leur pouvoir, de leur potentiel et du respect qu'ils avaient gagné pendant les années passées dans la brousse. Ils pouvaient assurer la réussite ou l'échec de tout programme. Pour travailler efficacement avec eux, les adultes devaient comprendre à qui ils avaient affaire et aider ces jeunes à trouver une voie qui les éloigne de leur brutale habitude du pouvoir en les orientant vers une utilisation positive de leur leadership.

Plus tard, je me suis rendu au Brésil pour rencontrer des enfants entraînés de force dans les guerres de gangs qui décimaient les favelas de villes comme Rio de Janeiro, et j'ai été frappé de constater que les seigneurs de la drogue jugeaient les enfants utiles pour les mêmes raisons que les combattants africains : ils se laissaient recruter facilement, ne coûtaient pas cher et avaient autant de facilité que les adultes à actionner un pistolet mitrailleur léger. De plus, il arrivait parfois que, au moment crucial, leur jeune âge déconcerte un adversaire.

* * *

Tout en m'intéressant de plus en plus à la question des enfants soldats, je travaillais enfin à mon récit du génocide, *J'ai serré la main du diable*, qui a paru au Canada à l'automne 2003. Inutile de préciser que l'exhumation de ces souvenirs et l'analyse des moindres pas et faux pas liés à ce dossier se sont révélées à la fois horribles et cruellement éclairantes. Soutenu par cet examen approfondi des événements, j'ai pu, en avril 2004, me rendre à Kigali pour participer au dixième anniversaire du génocide et, sans crouler sous le poids de la honte, rendre hommage aux disparus, aux endeuillés et aux survivants. Pendant un moment, l'attention suscitée par le livre m'a plongé à temps plein dans la prévention des génocides. Lorsqu'on m'a proposé une bourse de recherche pour l'année universitaire 2004-2005 au Carr Center for Human Rights Policy, rattaché à la John F. Kennedy School of Government de l'Université Harvard, j'ai cru que mes travaux porteraient sur la résolution de conflits et le nouveau rôle des casques bleus qui, dans les nombreuses guerres barbares en cours dans les États en déliquescence, devaient tenter d'instaurer la paix et non plus se contenter de la faire respecter.

Ce sont toutefois les enfants qui, au bout du compte, se sont imposés à moi. Depuis la publication du rapport Machel en 1996, on avait consacré quelques recherches (surtout anecdotiques) au recrutement des enfants, de même qu'au désarmement, à la démobilisation, à la réadaptation et à la réintégration des enfants soldats, mais l'expérience des enfants pendant les conflits et, à plus forte raison, celle des recruteurs et des commandants qui se servaient d'eux n'avaient pour ainsi dire pas été analysées. Absolument personne ne s'intéressait à l'avantage tactique que procure le recours aux enfants pendant les guerres ; on ne disposait pas de données cohérentes et concrètes sur les motifs de leur recrutement, et encore moins sur leur utilité pour les commandants. Au terme d'une recherche sommaire, je me suis aperçu qu'aucun pays n'avait élaboré de réponses tactiques du point de vue militaire ni même policier : malgré les confrontations quotidiennes, aucune doctrine n'indiquait ce qu'il fallait faire des enfants soldats sur le terrain. Cette nouvelle arme s'était insinuée dans les conflits en cours aux quatre coins de la planète et, malgré les conventions et les protocoles diplomatiques que nous adoptions, signions et ratifiions, nous faisions comme si elle n'existait pas. Au terme des conflits, on consacrait – et on consacre encore aujourd'hui – des efforts et des sommes considérables au rétablissement de la paix. Au lendemain d'une guerre, on s'occupait des enfants, mais personne n'avait réfléchi aux moyens de neutraliser cette arme et de prévenir efficacement le recrutement des enfants.

Mon expérience au Rwanda m'a appris que les soldats, qu'il s'agisse de rebelles, de bandits armés ou de conscrits, sont à l'aise avec d'autres soldats : en l'occurrence, je pouvais utiliser mon grade et mes antécédents opérationnels à titre de commandant pour créer des ponts et négocier même avec les leaders les plus sanguinaires des Interahamwe, qui avaient massacré leurs voisins à coups de machette. Quel que soit le camp auquel ils appartiennent, les militaires ont, pour les hauts gradés, un respect tacite que je pouvais exploiter à mon avantage. Les ONG s'étaient abondamment intéressées aux chefs rebelles qui se servaient des enfants, mais jamais elles n'auraient abordé le sujet avec eux sous l'angle des avantages tactiques et stratégiques. Et jamais un ex-commandant opérationnel de haut rang ne s'était adressé à eux d'un point de vue humanitaire. S'agissant de leurs principales forces opérationnelles, c'est-à-dire ces enfants soldats, personne ne semblait parler le langage des chefs rebelles. Personne ne faisait valoir que c'était précisément l'inépuisable disponibilité des enfants soldats et la prolifération des armes légères qui attisaient les conflits et contribuaient à leur perpétuation.

Mes recherches se sont alors centrées sur le recours aux enfants comme armes de guerre, comme « outils » entre les mains des adultes. Les enfants étaient devenus un simple élément de l'arsenal, un peu comme les fusils et les grenades. Ma thèse est apparue clairement : dans des conflits menés un peu partout dans le monde et en particulier sur le continent africain, les enfants constituent désormais une arme de choix pour les commandants militaires. Une arme indispensable. Bientôt, les chercheurs enthousiastes et compétents mis à ma disposition ont commencé à étudier en profondeur l'attrait que ce système d'armes exerce sur les commandants. Outre l'omniprésence des enfants, à quoi tenait leur statut d'arme de choix ?

J'ai été stupéfait de constater que mon nouveau vocabulaire militaire et opérationnel choquait les intermédiaires du domaine. Mais c'est de là que vient la mission que je me suis donnée, qui est aussi celle de ce livre. S'il est possible d'utiliser un enfant comme une arme, il devrait être possible de mettre cette arme au rancart ou de la neutraliser et donc d'éradiquer le recours aux enfants soldats. Pas d'éradiquer les enfants, mais d'empêcher qu'on se serve d'eux à des fins guerrières.

\* \* \*

Je rends ici compte de ma volonté d'éliminer un système d'armes qui est en soi un crime contre l'humanité et auquel on a abondamment recours dans les conflits qui se déroulent aujourd'hui dans le monde. Comment peut-on, sur le terrain, rendre une telle arme inefficace, voire en faire un obstacle ? Comment éviter en amont l'utilisation de cette arme de choix ? Comment, après la démobilisation, transformer ces armes humaines en socs de charrue ?

Les enfants ne sont pas des guerriers endurcis qui ont consciemment, volontairement et inconditionnellement décidé de vouer leur vie adulte à l'utilisation de la force contre certains de leurs semblables, tout en étant prêts à subir le même traitement. Il ne s'agit pas ici de la Sparte et de l'Athènes de l'Antiquité où, par la voie de concours et par celle du sang, on choisissait des jeunes garçons (les garçons seulement) qu'on embrigadait dans la caste des guerriers. Pendant des années, on les initiait à l'art de la guerre et au maniement des armes. Ils acquéraient de l'expérience sous la gouverne de maîtres plus âgés, bercés par le récit des exploits de grands combattants et guidés, une fois adultes, par de sages et avisés généraux. Les enfants soldats d'aujourd'hui ne combattent pas non plus dans des pays qui ne recourent à la force que pour se défendre ou protéger leurs intérêts, selon des règles et des codes très stricts en vertu desquels des dirigeants civils délivrent un mandat à d'honorables professionnels de la guerre. Ces enfants se battent et meurent dans des lieux où aucune règle ne s'applique, sauf celle de la simple survie.

Il existe aujourd'hui des lois nationales et internationales qui interdisent de recourir à des enfants de moins de dix-huit ans dans les combats armés. Ne pourrions-nous pas stopper l'utilisation des enfants soldats en invoquant ces lois contre les adultes qui recrutent des enfants pour mener leurs guerres ? Ne pourrions-nous pas simplement arrêter les coupables à la moindre occasion et les emprisonner *ad vitam æternam* ? Ne pouvons-nous pas mettre un terme à l'impunité ?

La question de savoir qui fera respecter ces lois et ces mandats internationaux se pose aussitôt. Quelle volonté, quel capital politique les gouvernements étrangers devraient-ils invoquer pour intervenir dans une nation souveraine en proie à un conflit et y mener des opérations visant l'arrestation des leaders adultes, qu'ils appartiennent à des forces gouvernementales ou à des groupes rebelles, parce que l'une des parties belligérantes ou les deux utilisent des enfants comme armes de guerre ? Quelles tactiques doit-on employer pour capturer et emprisonner des leaders adultes entourés de jeunes fanatiques drogués à mort et pratiquement décérébrés ?

Dans les Principes de Paris adoptés en 2007, aboutissement d'une décennie d'efforts militants et législatifs guidés notamment par Graça Machel, on soutient avec vigueur que les effets à long terme subis par les enfants soldats sont si horribles que la communauté internationale doit assumer la responsabilité de l'application de ses propres lois. Mais la réponse a été lente, inégale, discrète et souvent reléguée dans l'ombre par des préoccupations plus pressantes, par exemple les cessez-le-feu, les trêves, les accords de paix et la liberté permanente des peuples touchés par les conflits.

Et si, au lieu d'attendre que les grandes puissances de ce monde se lèvent d'un bloc et s'en prennent à ces États souverains et pourtant chaotiques, au bord de l'implosion, on parvenait à mettre au point une autre solution ? Et si on réussissait à élaborer une série de mesures que pourraient prendre les intervenants et les institutions qui, sur place, s'emploient à résoudre ces conflits ?

Et si on abordait de front le problème que pose cette nouvelle arme à faible coefficient de technologie, sur le terrain et dans la brousse, là où elle se terre et fait ses victimes ? Laissons à d'autres les bourbiers socio-économiques à l'origine des conflits. Laissons aux spécialistes la responsabilité de la démobilisation, de la réadaptation et de la réintégration des enfants qui ont fui, ont été abandonnés ou capturés dans des rafles.

Et si on s'attaquait au système d'armes lui-même ? Et si on s'efforçait de neutraliser son efficacité sur le terrain et de prévenir ses crimes maléfiques ? Et si on se dotait d'outils qui, une fois pour toutes, interdisent le recours à ce système d'armes et même son retour éventuel ? Et si... ?

Aujourd'hui plus que jamais, dans des zones de combat lointaines et disparates, des soldats professionnels, forts d'années d'expérience et rompus aux technologies de guerre les plus sophistiquées, se retrouvent nez à nez avec leur contraire absolu. Il est presque impossible d'imaginer une antithèse plus parfaite du guerrier et du casque bleu moderne et mûr que le rebelle enfant, le combattant enfant, l'enfant soldat. Comment réagir lorsque les combattants enfants utilisent les armes meurtrières qu'on leur a confiées? Faut-il tuer les enfants qui tuent? Faut-il recourir à la force pour les empêcher d'utiliser les armes qu'ils transportent?

Peut-on supprimer dans l'esprit d'adultes malfaisants l'idée même d'employer les enfants comme armes de guerre? Peut-on envisager la mise au point de programmes de recherche et de formation novateurs susceptibles de prévenir leur utilisation? Les citoyens libres que nous sommes peuvent-ils convaincre les dirigeants politiques de mettre un terme aux abus systématiques dont les enfants font les frais dans des nations en pleine implosion, décimées par les conflits, où la pauvreté rime avec un pouvoir désespérément corrompu et illégitime?

Dans ce livre, je tente de répondre par l'affirmative à ces questions. À partir de mon expérience personnelle et des recherches que j'ai effectuées au cours des dernières années, je m'efforce de comprendre la nature exacte du crime contre l'humanité commis chaque fois qu'un enfant est exploité et détruit de cette manière. Un petit mot d'avertissement : en plus de m'appuyer sur des faits et des arguments, j'essaie de répondre à ces questions en puisant dans les ressources de mon imagination. Dans trois chapitres du livre, je raconte une histoire fictive dans laquelle il est question d'un enfant soldat, de son enlèvement et de son endoctrinement jusqu'au moment où, dans un combat, il lui faut faire face à un casque bleu de l'ONU. Aux chapitres 3 et 4, respectivement intitulés « Kidom » et « Kidom perdu », j'adopte la perspective de l'enfant. Puis, au chapitre 8, « Le moment fatidique : tuer un enfant soldat », je me place du point de vue du casque bleu.

Parce que cette question est horrible à envisager et que bon nombre de ces enfants vivent dans des lieux où la plupart d'entre nous ne mettrons jamais les pieds, je pense que nous érigeons des barrières mentales pour éviter de reconnaître les torts que nous faisons subir au tissu même de l'humanité en permettant que nos enfants soient exploités dans les zones de conflit des quatre coins du monde. Mon livre est un plaidoyer qui vise à protéger l'imagination et la saine croissance des enfants du monde entier. Je prêche par l'exemple en puisant dans ma propre imagination pour aider mes semblables à mieux saisir la réalité des enfants soldats. Avec mes modestes moyens et sans prétendre être l'égal de mon modèle, je m'inspire du *Petit Prince*, œuvre impérissable d'Antoine de Saint-Exupéry. Le jour où nous établirons un lien entre ces enfants et l'enfant qui subsiste en chacun de nous, je crois qu'aucun d'entre nous n'hésitera à agir.

*Imaginez-vous à flanc de colline.*

# 1
## LE PETIT GUERRIER

Quand j'étais enfant, mon père a bâti un chalet dans les Laurentides, au Québec. Il avait choisi comme emplacement une petite falaise dominant un lac en forme de violon, avec des dizaines de kilomètres de forêt vierge de tous les côtés ou presque. À la fin de l'automne et en hiver, les agriculteurs de la région envahissaient les bois avec leurs énormes chevaux, leurs chaînes, leurs palans et leurs traîneaux, puis ils transportaient des épinettes, des cèdres et parfois même des chênes jusqu'à la route provinciale, où les billes s'empilaient jusqu'au ciel dans l'attente du printemps. J'étais émerveillé par ces agriculteurs musclés et tannés qui, accompagnés de leurs fils, semblaient manier sans effort des haches gigantesques et des scies de trente mètres de longueur.

Sergent d'état-major au sein de l'Armée canadienne, mon père, qui devait nourrir une femme et trois enfants, n'avait pas les moyens de s'offrir un chalet de rêve. Il a donc abattu quelques-uns des arbres géants qui entouraient le site (il avait été bûcheron avant de s'enrôler en 1928), les a fait tailler à la scierie du village et, au cours des années suivantes, a ramassé

à droite et à gauche les composantes de ce que nous appe-
lions, avec une affection sans doute mesurée, le « camp des
esclaves ». Rien ne tenait vraiment, ni les fenêtres, ni la plomberie, ni les marches. Le quai partait souvent à la dérive, car
le niveau de l'eau fluctuait sans cesse au gré du combat entre
l'homme et la bête (les castors). Un séjour au chalet était synonyme de travail acharné.

Outre la nécessité de rafistoler sans cesse notre abri de fortune, les raisons de s'épuiser à la tâche ne manquaient pas.
Colosse à la large poitrine, papa avait des bras couverts de
tatouages et des mains capables d'écrabouiller un ananas. Il
avait fait la Seconde Guerre mondiale et, à l'instar de nombreux anciens combattants, il était hanté par cette expérience, au point, parfois, de laisser ce monde destructeur s'im-
miscer dans notre vie familiale. Lorsque le trouble que nous
connaissons aujourd'hui sous le nom de syndrome de stress
post-traumatique s'emparait de lui, il ne se contentait pas de
se rappeler les carnages qu'il avait vus et peut-être causés : il
les revivait. Dans certains cas, il parvenait à étouffer les horreurs grâce à l'alcool ; dans d'autres, il n'y réussissait pas. Le
chalet avait sur lui un effet thérapeutique ; il offrait un exu-
toire plus sain à ses démons. Essentiellement, il ne vivait que
pour les week-ends d'été et les deux semaines de vacances
qu'il pouvait passer dans la forêt à travailler à « sa » cabane.

Papa avait besoin de se tenir occupé et comptait sur son
seul garçon pour le seconder. Que je haïssais ce travail ! « Va
me chercher ceci, va me chercher cela », pendant des heures,
malgré l'appel enivrant du lac, où je pouvais pêcher et me bai-
gner. Non, pourtant. C'étaient des divertissements, et on n'allait pas au lac pour s'amuser.

Pour ma part, je ne vivais que pour les journées d'été que
papa devait passer en ville. Ma mère, mes deux sœurs et moi

restions alors au chalet. Même s'il m'avait laissé assez de corvées pour occuper deux hommes pendant une semaine, je pouvais plonger dans le lac sans avoir à éviter mon père d'un air coupable, ou encore disparaître dans les carrières de sable voisines. J'y construisais de grandioses forteresses ; sur les plaines, à l'aide de petits soldats en plastique et de tanks miniatures, je livrais les batailles les plus illustres de tous les temps. Sans parler de l'immensité des bois qu'il me restait à explorer.

La forêt était dense et parfaitement enveloppante. Je la parcourais à ma guise, m'arrêtais souvent pour flâner, écouter les chants des oiseaux et les bruissements des animaux, rêver en toute liberté. Je traversais des ruisseaux à gué et des marécages, grimpais au sommet de hautes collines et m'allongeais sur des rochers plats où, sous le soleil, j'étais bientôt couvert de sueur. Seul au monde, je m'affranchissais des contraintes, des règles, de l'hypocrisie, de la douleur et du chagrin. J'échappais au stress intense que subissent les enfants assujettis à la volonté des autres.

Au bord d'un marécage, parmi de petits lacs, des oiseaux voletaient, des oies sauvages nageaient et des insectes patinaient à la surface de l'eau. Tout s'offrait à profusion, sans le moindre signe de calamité ou de friction. La vie bourdonnait, et c'était une symphonie de petits bruits qui, loin de me troubler ou de m'exciter, m'apaisait.

Dans une telle immobilité, je rêvais éveillé, envahi par une joie absolue. Je déchirais mon t-shirt en bandelettes que je noircissais à l'aide d'un crayon ou de poussière, puis je nouais les bandes de tissu bout à bout pour m'en faire un pagne. Je devenais un Huron, un Iroquois, un Cri, un Montagnais. Un guerrier. Un brave, maître de la forêt, libre de suivre ses instincts et d'obéir à ses besoins.

La forêt me protégeait. Haut dans le ciel, la canopée m'abritait du vent et de la pluie, et le sol spongieux était doux sous mes pas. J'ai appris à courir rapidement et furtivement, sans faire bruisser ni craquer les brindilles.

Au milieu des arbres, il n'y avait pas de frontières, sinon les objets que je pouvais voir, sentir, toucher. J'étais vivant, sans limites. J'observais les tamias et je m'émerveillais de la célérité et de l'adresse avec lesquelles ils se chamaillaient, sans jamais se faire mal ni blesser l'autre, en bondissant du sol jusqu'au bout des branches. J'écoutais les oiseaux et je m'interrogeais sur leurs cris et leurs chants si différents, sur leur maîtrise de la communication. Les rares cerfs que j'apercevais restaient immobiles dans l'espoir de se fondre dans le décor, mais leurs grands yeux, si brillants, finissaient toujours par les trahir. D'un mouvement de la queue, ils se détendaient et poursuivaient leur chemin en broutant la végétation à gauche et à droite.

Et puis il y avait des insectes, encore des insectes, toujours des insectes. Ils tournaient autour des arbres morts tombés ou encore debout, disparaissaient dans la boue lorsque je soulevais un tapis de feuilles, glissaient à la surface des petits ruisseaux ou s'enfonçaient dans leurs profondeurs. En entendant le martèlement d'un pic-bois occupé à percer des trous dans un arbre pourri pour se gaver de proies infimes mais abondantes, je m'imaginais parfois ce qu'avaient ressenti, au front, les soldats soumis aux feux meurtriers des mitrailleuses. Combat inégal, me semblait-il.

Les fourmis étaient affairées et impatientes, tout comme les bourdons, tandis que les aimables coccinelles se posaient sur mon bras et levaient les yeux sur moi, comme pour me dire quelque chose d'important avant de s'envoler. Les papillons faisaient de même. Ils donnaient l'impression de prendre le temps de montrer leurs ailes magnifiques, comme si, au lieu de travailler pour leur survie, ils m'honoraient d'une visite.

Un insecte se démarquait des autres. Les libellules ne semblaient pas particulièrement s'intéresser à moi. Elles gardaient leurs distances, même quand elles se posaient brièvement sur mon bras, sans se soucier de savoir si je les observais ou pas. Leur nom, déjà, puisqu'on les nommait aussi « demoiselles », faisait naître un lieu qui existait dans mon imagination enfantine et au-delà : un monde magique de châteaux et de sorciers, de chevaliers et de gentes damoiselles, de forêts sombres où se terraient des démons. Les autres insectes avaient tous un rôle passionnant à jouer. Leur instinct de survie me fascinait. Mes amis de la forêt, tous sans exception, étaient obsédés par l'idée de construire, de transporter, de protéger. Leurs vies étaient de parfaites illustrations du regard que Hobbes a posé sur l'existence au sein de l'état de nature (« dégoûtante, animale et brève »), et pourtant je devinais en eux une magie dont j'étais dépourvu.

À mes yeux, les libellules, supérieures par la force, la beauté, les habiletés et aussi, m'imaginais-je, la compassion, dominaient le règne des insectes. Elles me guidaient vers un monde que je m'étais créé, loin des épreuves et des souffrances de la civilisation. Ce monde, je l'échafaudais à partir des réalités de ma vie et non de rêves. Avec les insectes de ma distribution, je revivais une expérience d'où j'étais sorti frustré et je la réinterprétais à ma satisfaction. Dans mon monde forestier, je pouvais corriger les injustices, me défendre et voler au secours d'autres créatures jeunes et faibles. Au sein de ce monde de liberté ludique, je construisais sans le savoir mon caractère d'être humain, je devenais un homme.

À la fin d'une journée consacrée à ces jeux, de retour dans la civilisation et ses réalités et contraintes impitoyables, je transportais mon monde imaginaire dans un recoin de mon esprit. Il était là chaque fois que j'avais besoin de m'évader. C'était mon refuge, l'endroit où je m'amusais et où j'apprenais, celui où je démêlais mes émotions et livrais des batailles intérieures dans l'espoir de comprendre le monde déroutant et difficile des adultes.

J'avais beau m'y accrocher, il ne soulageait pas les nœuds à l'estomac que j'éprouvais au moment de renoncer à la liberté de la forêt et de réintégrer le monde des adultes, avec ses vêtements, ses corvées et ses règles. Parfois, évidemment, je rencontrais dans le monde réel des gens qui m'aimaient et me respectaient sincèrement, mais ils étaient plutôt rares. Dans le monde des adultes, me semblait-il, on avait trop de travail et trop peu de temps pour jouer, sans parler de la multitude de restrictions qu'on m'imposait pour m'obliger à la soumission. Cet endoctrinement s'opérait sans le consentement des enfants. *Au contraire**, c'était « pour notre bien ».

Que je redoutais l'apparition des ombres longues que projetaient les énormes érables de la forêt, signe que la journée tirait à sa fin! Le soleil se hâtait alors de s'effacer derrière les collines, et j'étais plongé dans la pénombre. Elle me prenait souvent par surprise, cette obscurité qui, tous les soirs, me renvoyait dans le monde des adultes.

Vers la fin de l'été, les ombres signalaient un retour complet à ce monde. Il durerait tout au long des mois d'hiver, sans les répits que me procurait la forêt. Une fois la gueule de bois du long week-end de la fête du Travail guérie par une ultime baignade dans le lac, nous nous joignions à la longue procession des citadins qui réintégraient leur vie dans des quartiers cossus ou dans des marécages urbains. Nous vivions dans un de ces marécages de l'est de Montréal. Je redoutais la puanteur des usines pétrochimiques autour desquelles le gouvernement avait, tout de suite après la guerre, construit des logements bon marché et « provisoires » à l'intention des anciens combattants et des membres de leur famille.

Quand le vent soufflait dans la bonne direction, on sentait l'odeur de mon quartier jusqu'à l'autre bout de la ville. On le voyait de l'espace grâce aux flammes géantes des raffineries de pétrole et des usines pétrochimiques. Et on l'entendait à des kilomètres de distance, à cause du gaz et de la vapeur que crachaient les soupapes de pression des tuyaux enchevêtrés. L'air était si toxique que nous ne devions pas nous attarder dehors. Inutile de tondre le gazon puisqu'il ne poussait pas. Pas de feuilles à ramasser à l'automne ; elles tombaient déjà, toutes fripées, dès la troisième semaine de juin.

Mais, comme mon père le répétait sans cesse, le toit ne coulait pas, il y avait du mazout dans la chaudière, l'intérieur de la maison et nos vêtements étaient propres et nous mangions à notre faim. Que pouvait-on exiger de plus ? On peut survivre à l'air pollué pendant quelques mois.

Et c'est ainsi que, sans la forêt des Laurentides dans ma cour, je tentais de créer un monde imaginaire dans mon for intérieur. Sous la férule de braves commandants, de grandes batailles se livraient sur le tapis rougeâtre du salon. Le jour, j'étais un élève, un louveteau, un servant de messe, un danseur de folklore, un porteur de drapeau dans la fanfare et, plus tard, un cadet de l'armée. Mais, le soir venu, avec des cartes à jouer, des soldats en plastique et des camions miniatures, je défendais des forteresses et, dans la pénombre du salon, j'attaquais l'ennemi par le flanc. Il n'était pas rare que mes parents me trouvent endormi sur le champ de bataille après trois ou quatre heures d'activité intense au sein de mon monde, où le métier des armes n'était jamais mortel : nous nous relevions toujours pour poursuivre le combat.

* * *

Plus les années passaient, et plus ma situation familiale devenait tendue. J'étais de plus en plus isolé par rapport à mes
sœurs, ma mère exténuée, mon père sévère et troublé. L'omniprésence des frères de Saint-Gabriel et les tensions entre les
francophones catholiques et les anglophones protestants de
la paroisse compliquaient la vie scolaire.

Les Canadiens français formaient l'essentiel du tissu ethno-
culturel de notre quartier, avec quelques anglophones disséminés çà et là. Le moment venu, on m'a envoyé à l'école catho-
lique de langue française, tandis que la fille de nos voisins
anglophones est allée dans une école protestante où on ensei-
gnait en anglais. À partir de ce jour-là, nos horaires ont été différents ; souvent, nos congés ne coïncidaient pas. Je passais
plus de temps à l'école et à l'église qu'en compagnie des amis
anglophones avec qui j'avais eu l'habitude de jouer dans le voi-
sinage. Aucun adulte ne se donnait la peine de nous expliquer
cette ségrégation forcée ni de chercher à en modérer les effets.

Dans nos conversations à l'école, des idées troublantes ont
commencé à surgir à l'instigation d'élèves plus vieux, sans
doute influencés par leurs parents : mauvaises intentions,
malveillance, ignorance de l'autre, isolationnisme, dédain et,
par moments, jalousie. Bientôt, la méchanceté triomphait à
visage découvert dans les ruelles, sur le chemin de l'école, dans
la cour et, plus tard, dans les salles de classe. Petit à petit, les
protestants anglophones sont devenus l'ennemi historique et
omniprésent. Malgré ma confusion, j'ai compris que je devais
adopter cette nouvelle vision de mes voisins ou la rejeter à
mes dépens.

Les petits terrains vagues qui subsistaient autour des
ensembles résidentiels d'après-guerre, les ruelles derrière les

maisons, les patinoires aménagées dans les terrains de jeux asphaltés, quelques rues plus loin, les remises au fond des cours : autant de lieux d'affrontement où fleurissaient la haine, la colère et la peur et où, à l'occasion, du sang était versé au nom d'une réalité à laquelle nous ne comprenions strictement rien : eux étaient les Anglais (*les têtes carrées*\*) et nous étions les Français (les *frogs*), et nous devions nous affronter sans poser de questions.

Aveuglément, nous avons appris à ne pas aimer, à nous méfier, à haïr et, au bout du compte, à dénigrer nos amis d'autrefois, à les traiter comme s'ils étaient moins humains que nous. Cependant, je me trouvais souvent déchiré entre les deux groupes parce que j'avais été chez les louveteaux, où nous parlions anglais, et que je n'avais jamais perdu le désir de me tenir des deux côtés de la frontière linguistique et culturelle en même temps, sans prendre position.

Enfants soumis à l'influence des adultes, nous habitions un monde façonné par leurs croyances, leurs déceptions, leurs ambitions et leurs peurs. Notre monde à nous, celui de l'enfance, était simplement enseveli sous les attitudes des fanatiques, les inégalités réelles et imaginaires, les frustrations qui couvaient depuis toujours chez nos aînés. Dans le contexte de la vérité adulte, notre monde préscolaire était ravalé au rang d'enfantillage. Et nous avons oublié que nous avions autrefois joué avec d'autres enfants, sans égard à leur identité et à leurs origines.

\* \* \*

À douze ans, je me demandais comment échapper aux réalités lourdes et menaçantes de la maison, de l'école et de la rue. Il y avait le lac, bien sûr, mon lieu d'évasion ; l'inconvénient, c'étaient les besognes constantes que m'imposait mon père. À l'école secondaire, j'ai été obligé de m'enrôler dans le corps des cadets de l'armée et de prendre part à des manœuvres hebdomadaires. Vers la fin de l'année scolaire, je me suis porté volontaire pour le camp d'été des cadets et j'ai été retenu. Depuis toujours, j'étais soumis à l'autorité d'un partisan de la discipline, pointilleux sur les heures des repas et le respect du couvre-feu. J'avais l'habitude des uniformes et des bottes cirées. J'ai eu l'impression de passer d'une institution à une autre, à une différence près : dans les limites du gigantesque camp militaire, au milieu de deux mille autres garçons, je pouvais être moi-même. C'était, me semblait-il, ma chance de vivre une aventure, de réaliser mes rêves et d'être un guerrier héroïque, noble et sans peur.

Je me suis vite rendu compte que de nombreux garçons et jeunes hommes n'étaient pas venus pour la liberté, l'aventure et le plaisir estival. Les garçons plus vieux qui occupaient des postes d'autorité étaient là dans l'intention d'y rester et se disputaient l'attention des instructeurs. Déjà conscients des critères qui président à l'avancement et à l'octroi de privilèges au sein de l'armée, ils visaient à franchir les premiers échelons de la hiérarchie. Ils avaient adopté la mentalité des militaires, fiers de l'uniforme, de l'équipe, du peloton. Ils avaient l'œil sur le fanion que le commandant décernait toutes les semaines et convoitaient le prestige qu'une telle récompense leur assurerait auprès des autres jeunes leaders et des simples campeurs.

Ils forçaient les jeunes campeurs à remplir du mieux possible des uniformes taillés pour les combattants de la dernière grande guerre. Ils veillaient à ce que nos quartiers, notre attirail et nos bottes briquées avec soin soient conformes aux exigences définies dans le guide des campements. Ils étaient sans cesse à l'affût de moyens d'améliorer l'environnement de notre compagnie et de notre peloton. Après le repas du soir, aussi affamés que des castors, ils nous envoyaient couper des branches de bouleau et de peuplier que nous rapportions à nos tentes alignées. Ainsi, nous avons érigé des clôtures aux formes géométriques diversifiées et une arche voûtée, complexe mais fragile, donnant accès à la salle des rapports, centre de la compagnie. Les clôtures et cette arche devaient sans cesse être réparées, mais l'initiative avait pour but de favoriser l'esprit d'équipe, la fierté et l'autodiscipline.

Et puis il y avait les roches. On nous envoyait dans les champs et dans les bois ramasser des pierres pour délimiter les sentiers. Nous les peignions toutes en blanc. Encore aujourd'hui, l'origine de la peinture demeure pour moi un mystère, car les magasins du quartier-maître manquaient toujours de tout et nous étaient interdits. On voyait partout des pierres blanches alignées proprement. À l'intérieur de ces lignes, nous raclions le sable et la terre à la manière d'apprentis jardiniers japonais. Et malheur au cadet qui osait s'aventurer en dehors de ces pierres ! Sur-le-champ, il était porté volontaire pour préparer la cour en prévision du rassemblement religieux du dimanche. Oui, il y avait de tels rassemblements. Les valeurs chrétiennes étaient profondément ancrées chez les anciens combattants responsables du camp, eux qui avaient été témoins des pires horreurs dont l'humanité était capable.

Comme mes pairs, j'étais soucieux de plaire et d'éviter les punitions. Nous étions des enfants transplantés dans un monde on ne peut plus adulte, et nous avions de petits gestes pour exprimer notre loyauté envers notre peloton, notre compagnie. Faire mieux que les autres groupes de garçons qui nous entouraient stimulait l'esprit de corps, sentiment d'appartenance qui reposait sur l'excellence et non sur un spécieux air de supériorité. Notre cohésion ne devait rien aux expressions culturelles et ethniques néfastes qui, dans les rues de ma ville, engendraient tant de haine ; au contraire, elle émanait de l'estime de nous-mêmes que nous acquérions au sein de cette organisation fortement structurée. Étonnamment, nous ne nous rendions pas vraiment compte qu'on nous initiait à la guerre par le maniement d'armes plus grandes que nous. Aucun commandant ne soulignait que les armes en question servaient à tuer d'autres humains. Au camp, elles étaient strictement réservées à des exercices de tir (sur des cibles à six cents verges), menés sous la supervision d'instructeurs qualifiés.

Relativement peu nombreux, les adultes du camp étaient de vrais soldats, des anciens combattants des guerres outremer ou des officiers de réserve, dont bon nombre étaient instituteurs pendant l'année scolaire. Certains appartenaient aux ordres religieux qui dirigeaient les corps de cadets des écoles catholiques et des centres communautaires de la province. Ces frères et ces pères catholiques, dont quelques jésuites, n'hésitaient pas à enfiler l'uniforme kaki et s'adaptaient aisément à une vie militaire réglée au quart de tour. Descendaient-ils des moines-chevaliers qui, aux temps médiévaux, s'étaient battus contre les infidèles au Moyen-Orient ? Pas vraiment, mais il est certain qu'ils s'accommodaient fort bien de l'ordre et de la discipline militaires. Et, d'après mes observations, ils prenaient plaisir à faire les importants.

J'aurais peut-être fait un bon frère ou un bon prêtre. J'aimais bien l'idée de porter un uniforme aux épaules et à la poitrine duquel mon appartenance était clairement affichée. J'avais l'habitude de me tirer d'affaire sans avoir un sou en poche. Je me sentais bien au sein d'une organisation qui connaissait son rôle et possédait le savoir-faire nécessaire. Cette structure qui générait l'uniformité me permettait d'être moi-même. Dans cette vie réglée, claire, non ambiguë et franche, je portais l'uniforme et je me sentais libre à l'intérieur. L'armée était grande et puissante, mais aussi accueillante et très humaine.

Parmi des milliers d'autres garçons, dans l'immensité du camp composé de tentes, avec son mode de vie englobant, l'authentique sentiment d'appartenance qui s'en dégageait, l'entraide et la certitude d'avoir un rôle à jouer et de pouvoir compter sur les autres, j'avais trouvé mon âme. Sans honte et avec générosité, l'armée (l'institution, sa philosophie, ses gens) offrait des trésors, et je les accueillais avec zèle. Là, j'ai trouvé ma vocation : étonnamment, le monde des cadets de l'armée s'arrimait à merveille au monde imaginaire de mon enfance.

Les anciens combattants donnaient aux cadets du camp d'été le sentiment d'appartenir à une institution plus grande qu'eux, trempée dans l'histoire et les traditions, le sacrifice et la gloire. Ils élaboraient et faisaient appliquer les mille et un règlements qui nous rappelaient sans cesse que nous étions désormais dans l'armée et non quelque part dans le nord de l'État de New York, en compagnie de riches gamins s'ennuyant à mourir. Qu'il pleuve ou qu'il fasse beau, ils semblaient ne jamais dormir ; chargés du maintien de la « norme », c'est-à-dire l'ordre parfait et la bonne discipline, ils ne faiblissaient jamais. Malheur à celui qui laissait tomber par terre l'enveloppe d'un bonbon ! Les rebuts allaient dans les poubelles, mais pas n'importe lesquelles : certaines, en effet, n'étaient là que pour la forme et restaient immaculées, à l'extérieur comme à l'intérieur.

Les anciens combattants avaient beau fumer comme des pompiers lorsqu'ils n'étaient pas en service, ils avaient une sainte horreur des mégots qui traînaient par terre, même dans l'herbe. Nous voulions apprendre à fumer pour imiter ces vieux routiers. Nous roulions nos propres cigarettes, lesquelles étaient plus ou moins réussies. Pendant très longtemps, j'ai fumé plus de papier que de tabac. Nous nous efforcions de parler et de vaquer à de menues occupations, une cigarette au coin de la bouche, en laissant le bout de cendre s'allonger au maximum. La fumée nous montait dans les yeux, au risque de nous aveugler, ou la cendre tombait sur nos bottes propres et faisait des dégâts. Quoi qu'il en soit, nous avions toujours soin de jeter convenablement nos mégots.

Pourtant, on nous a longtemps permis d'être des enfants jouant à des jeux d'adultes. J'étais un petit soldat, un apprenti, mais je ne possédais pas encore l'éthique attendue des guerriers au sein de nos sociétés pacifiques et démocratiques. Nous jouions aux soldats. Nous n'avons jamais vraiment eu le sentiment de nous préparer à la guerre. Nous n'avons jamais vraiment cru à l'éventualité de la guerre. Notre expérience du champ de bataille se limitait aux récits que nous faisaient parfois les anciens combattants, le soir venu, eux qui avaient plutôt tendance à se montrer discrets au sujet de leur guerre. Mais que nous aimions ces histoires racontées de manière à valoriser l'honneur et non l'horreur!

Nous aimions aussi le film du samedi soir. Dans l'énorme salle d'exercices, on projetait des films hollywoodiens à grand déploiement axés sur les grandes batailles de la Première et de la Seconde Guerres mondiales. Assis par terre, nous avalions le seul coca et la seule tablette de chocolat qu'on nous autorisait à acheter pendant la semaine. L'acoustique de la salle d'exercices amplifiait les cris et le bruit des mitrailleuses de la bande sonore, sans oublier les paroles courageuses des combattants. Lorsque les lumières se rallumaient, on nous faisait rentrer dans nos tentes, gavés de sucre et souvent éblouis par ce que nous avions vu à l'écran.

Lorsque, calmés, nous fermions les yeux, les rêves nous venaient facilement. Mes nuits préférées étaient celles où une légère pluie d'été tombait sur nos grandes tentes. Sur la toile des murs, ceux qui, comme moi, occupaient le lit du haut, près du toit, pouvaient voir les graffitis laissés par des occupants antérieurs. Des soldats à la guerre ou des cadets de l'été dernier ? Je n'arrivais pas à déchiffrer les gribouillis pâlis par les intempéries, mais cela ne m'empêchait pas d'y réfléchir tous les soirs en me retirant dans mon monde secret, particulier, enfantin.

Oui, mon monde. Ce monde totalement imaginaire, partout et nulle part à la fois, prenait vie dès l'instant où je fermais les yeux pour me protéger de la réalité qui m'entourait, de jour comme de nuit. Parfois, on me reprochait de rêver tout éveillé aux endroits les plus incongrus, au garde-à-vous pendant une revue d'inspection, sur le pas de tir (attendant avec la relève l'ordre de m'allonger et de charger cinq balles de calibre .303, comme celles qu'on utilisait pendant la Seconde Guerre mondiale) ou en marchant en file indienne dans la forêt sombre, pendant des exercices d'orientation de nuit.

Dans les tentes mal éclairées qui servaient de salles de classe, où seule une brise occasionnelle allégeait la chaleur et l'humidité, j'étais passé maître dans l'art de m'évader en pensée. Marchant au milieu de mes camarades ou grelottant sous mon poncho dans l'herbe mouillée, aux premières lueurs de l'aube, je m'émerveillais moi-même de ma capacité à transiter vers mon monde. Un cillement à peine et je gagnais les forêts des Laurentides, où j'étais libre, sauvage et débordant de vie.

À dix-huit ans, j'avais passé quelques étés au camp des cadets et j'avais accumulé des succès considérables comme leader. Durant mon dernier camp d'été, le sort en a été jeté : j'ai été accepté au collège militaire. Cinq années d'études au Collège militaire royal de Saint-Jean, puis au Collège militaire royal de Kingston, en Ontario, ont marqué mes débuts en tant qu'officier de carrière, citoyen et diplômé universitaire.

* * *

J'ai délaissé l'enfance et je suis devenu un homme, un soldat, un officier, un général. Mais le petit garçon n'a jamais vraiment disparu. Mon monde imaginaire est demeuré vivant, quoique souvent en latence, à l'intérieur de ce commandant en évolution constante, militaire de formation professionnelle, bien installé dans le monde des adultes. Ni le mariage ni la naissance de mes enfants n'ont fait passer l'envie qui me prenait parfois de trouver refuge dans mon propre univers. Et j'ai essayé de favoriser l'émergence d'un monde imaginaire comparable dans l'esprit de mes enfants ou, à tout le moins, de leur faire comprendre qu'ils ne devaient pas avoir pour seule ambition de devenir des adultes. Ils devaient plutôt apprendre à être eux-mêmes, maîtres d'abord et avant tout de leur royaume intérieur, celui de l'imagination et de la liberté. Je crois que les enfants ont besoin d'espace pour protéger l'endroit de leur cerveau où, pendant leur bref passage sur terre et pour l'éternité de leur âme, ils sont différents, uniques.

Le soldat adulte apprend à maîtriser l'art de la violence pondérée, de la vie et de la survie dans de lointaines contrées où l'appellent des causes rarement claires ou même tangibles. Garder la paix, préserver la liberté, défendre les droits de la personne, protéger les modérés et les innocents pris entre deux feux, créer des zones tampons où subsistent l'équité et la sécurité : autant de définitions du rôle du soldat, lequel a évolué au fil des siècles. Pendant cette période, des centaines de milliers de personnes ont souffert, fait les frais du changement, des réformes, de la lutte pour une vie meilleure. Les vieux soldats courageux qui ont marqué ma jeunesse créaient un climat d'apprentissage sérieux, mais très attentionné, très humain; ils inculquaient à leurs élèves des idéaux élevés et de nobles rêves guerriers.

Un monde sépare la voie que j'ai suivie au temps de ma jeunesse de celle qu'empruntent de nombreux jeunes et enfants dans des zones de conflit et des États en déliquescence. Les cadets dont j'étais savaient que la vie militaire prendrait fin après un certain nombre de jours, qu'ils pouvaient cocher sur le calendrier. Pris en otages par des adultes inhumains, les enfants soldats ne voient jamais le bout du tunnel. Les instituteurs s'occupaient de nous et comprenaient que nous n'étions que des garçons, mais les hommes et les femmes qui commandent des contingents d'enfants soldats détruisent ceux qu'ils endoctrinent, au sens propre et au sens spirituel, les sacrifient sur l'autel de leurs ambitions et de leurs besoins dénaturés.

Le monde des enfants soldats ne figurait dans aucun des livres de doctrine et de tactique dont j'avais fait mes bibles avant mon arrivée en Afrique en 2003. Absolument rien ne m'avait préparé à entrer en contact avec un ennemi qui portait encore les signes extérieurs de l'enfance que je connaissais si bien, mais qui était radicalement différent du soldat que j'étais devenu. J'étais si mal préparé, en fait, que j'ai pendant longtemps été aveugle aux conséquences de ce que je voyais.

## 2
## PETITS SOLDATS, PETITS TUEURS

C'est pendant la guerre civile rwandaise que j'ai pour la première fois été mis en présence d'enfants soldats. Au milieu du carnage qui a emporté leur jeunesse et mon éthique de guerrier professionnel, je les ai vus, je les ai entendus, je les ai défiés et je les ai finalement affrontés. Ces enfants de naguère, élevés dans des villages inconnus au sommet des mille collines du Rwanda, étaient bien réels, déterminés, implacables et bizarrement passés maîtres dans l'art de dissimuler la peur que leur inspiraient sans doute les soldats adultes et professionnels.

À première vue, on aurait dit des enfants comme celui que j'avais été, déguisés en adultes et occupés à des jeux d'adultes. Mais je me suis vite rendu compte qu'il ne s'agissait pas d'élèves qui se mettaient promptement en rang et écoutaient docilement les instituteurs leur parler de discipline. Il ne s'agissait pas de cadets inscrits à un camp d'été, répétant des manœuvres militaires sur les terrains de rassemblement, maniant cartes et compas dans le cadre d'exercices de campagne. Il ne s'agissait pas d'enfants que des parents nerveux avaient consenti à laisser partir pour leur permettre de vivre quelques semaines sous la tente, de manger des repas lourds et de dormir dans des draps secs changés tous les cinq jours.

Non, ces enfants étaient bel et bien des soldats. De petits soldats armés de gros fusils qu'ils tenaient souvent à deux mains ou en appui sur leur épaule, vêtus d'uniformes mal ajustés et défilant devant les visiteurs dans leurs bivouacs pour faire la preuve de leur résolution et de leur force militaire.

* * *

Mal maîtrisé, l'hélicoptère frissonnait violemment. Le pilote de l'armée rwandaise tirait de plus en plus fort sur le manche afin de ralentir l'appareil suffisamment pour qu'il ne s'écrase pas sur une petite saillie située près du sommet d'une haute colline, comme il y en a tant d'autres, au centre de la région du nord du pays que contrôlaient les rebelles.

À cette altitude, l'air était raréfié et la température, juste assez chaude pour aggraver des conditions de vol déjà difficiles. Nous avons heurté le sol avec une force telle que je me suis demandé si nous nous étions posés ou écrasés.

C'était en août 1993, et j'effectuais une mission de reconnaissance préalable au déploiement de la force de maintien de la paix de l'ONU. Au cours de cette étape, je visitais la partie rebelle de la zone démilitarisée constituée pour séparer le Front patriotique rwandais (FPR) des Forces armées rwandaises (FAR). Nous nous étions posés près du quartier général d'un bataillon de rebelles du côté ouest de la zone démilitarisée et, à première vue, la région était isolée du reste du monde, impression confirmée par la carte touristique que je serrais dans mes mains. Il n'y avait ni routes (seulement des sentiers), ni électricité, ni stations-relais permettant les communications mobiles. Même à bord de l'hélicoptère, les communications radio étaient problématiques, à cause des collines. Au cours de ces premières journées d'activité frénétique, je devais recueillir le plus d'informations possible afin de vérifier les déclarations de l'armée rebelle au sujet de la structure de ses forces et d'évaluer les troupes et le matériel dont j'aurais besoin pour faire observer le cessez-le-feu et assurer la mise en œuvre de l'accord de paix d'Arusha.

Mes jambes vacillaient toujours à cause de notre atterrissage casse-cou lorsque j'ai été encerclé par une brigade de jeunes soldats enthousiastes, vêtus avec élégance et chaussés de bottes de caoutchouc. Leurs vestons et leurs couvre-chefs me semblaient bizarrement familiers; en y regardant de plus près, je me suis rendu compte qu'ils portaient une version des tenues de combat (camouflage d'été) de l'armée est-allemande et, pendant un bref instant, je me suis demandé comment le FPR s'était procuré ces uniformes. Avec la fin de la guerre froide et la réunification de l'Allemagne, cependant, d'énormes quantités de fournitures militaires avaient été bradées à vil prix sur le marché des armes. À cette époque-là, il suffisait de payer en dollars américains pour obtenir n'importe quoi de la plupart des nations d'Europe de l'Est, sans qu'on vous pose de questions embêtantes.

Bien qu'alertes, ces jeunes soldats n'étaient pas surexcités et ne semblaient pas prêts à tirer pour un rien. Efficaces et disciplinés, ils n'arboraient aucune expression, sinon la détermination. Un type plus vieux, sans grade apparent, mais aux airs de sous-officier, m'a guidé vers un groupement de huttes à peine dissimulées dans la jungle. De toute évidence, il s'agissait du poste de commandement. Un officier grand et mince m'attendait, entouré de ses hommes. Il m'a salué dans les formes avant de me sourire et de me tendre la main. Après cet accueil chaleureux, il m'a souhaité la bienvenue en anglais, avec un accent résolument nord-américain. Si mon hélico avait embrassé le sol un peu plus passionnément, a-t-il déclaré avec ironie, la marche aurait été longue jusqu'à Kigali.

Cet officier était *au fait*\* de la conclusion des pourparlers de paix tenus quelques semaines plus tôt. Il connaissait les obligations que l'accord imposait à son camp et au gouvernement rwandais. Il a promptement répondu aux quelques questions que je lui ai posées sur les frontières et sur les tâches confiées à cette unité aux confins du territoire détenu par les rebelles.

Je voulais qu'il me renseigne sur le déploiement tactique de ses forces (dont le territoire se composait de quelques collines et d'un énorme volcan qui dominait l'endroit où nous nous trouvions) et sur ses positions défensives. Il m'a donc fait faire une brève visite du campement principal. Puis il m'a conduit à l'ouest du secteur dont il était responsable. Là, la zone démilitarisée était si étroite et les adversaires si proches que ses troupes auraient pu les atteindre à coups de pierre. Pendant que nous marchions, j'ai appris que le commandant avait été formé dans des pays du pacte de Varsovie et qu'il avait pris part à la guerre civile ougandaise sous les ordres de Yoweri Museveni, le président d'alors. Aucun doute possible : j'avais affaire à un professionnel entouré d'un certain nombre d'officiers et de sous-officiers tout aussi chevronnés.

Les campements étaient impeccables, aménagés pour assurer le confort des troupes, bien drainés et à l'abri des vents dominants. Ils étaient bien défendus, prêts à repousser sur-le-champ toute attaque-surprise. Bien que jeunes, les sous-officiers avaient le comportement et l'autorité de soldats entraînés par des Britanniques ou par des instructeurs coloniaux formés par eux : j'avais le sentiment de me trouver dans un camp britannique comme ceux que j'avais visités dans le nord de l'Allemagne dans les années 1970.

Les soldats eux-mêmes, au quartier général comme dans les positions défensives avancées, étaient minces, mais en excellente condition physique. Je n'ai vu ni tire-au-flanc, ni malades, ni blessés. Quelques sections effectuaient des exercices en chantant. Nous sommes passés devant les membres d'un peloton à qui on donnait un cours sur le mouvement et les caractéristiques du terrain, ainsi que sur l'utilisation des angles morts (les éléments naturels comme les ravines) pour éviter de se faire voir ou viser par l'ennemi. Un peu plus loin, un autre groupe répétait des manœuvres en formation ouverte ; d'autres soldats, assis en cercle, nettoyaient leurs armes pendant qu'un sous-officier leur expliquait comment les rendre plus efficaces et leur rappelait l'importance de ne jamais être surpris sans elles. Sur un petit terrain à découvert, des soldats jouaient au soccer avec un ballon de fortune, dont les inscriptions avaient été effacées à coups de pied, « peau » contre « maillot ». Ces derniers portaient un t-shirt d'une blancheur immaculée, mais, sur un sol où les petits cailloux l'emportaient sur l'herbe, tous étaient pieds nus.

Le moral des troupes semblait excellent, et tout indiquait qu'elles étaient prêtes à réagir rapidement à une éventuelle menace. J'ai été impressionné de constater que cette force, des mois après la déclaration d'un cessez-le-feu et la signature d'un accord de paix censé atténuer les tensions, était toujours dans un état de préparation opérationnelle avancé. Au sein d'une force inactive depuis six à neuf mois, je me serais attendu à plus de relâchement.

Pendant que je regardais avec admiration les jeunes soldats et les sous-officiers subalternes, je me suis enfin rendu compte que j'avais affaire non pas à de jeunes hommes, mais bien à des adolescents : bon nombre donnaient l'impression d'avoir nettement moins de dix-huit ans. Dans les faits, il s'agissait de compagnies d'enfants et de jeunes utilisées comme troupes de première ligne. De toute évidence, ces jeunes soldats étaient bien entraînés et endoctrinés : au besoin, ils se battraient, comme ils l'avaient fait avec beaucoup d'efficacité au cours des trois dernières années. Autre fait inhabituel : l'absence totale de femmes et de filles. Les soldats du FPR avaient laissé leurs familles dans les camps de réfugiés du sud de l'Ouganda.

En soustrayant trois de dix-huit, je suis arrivé à un chiffre troublant. La guerre civile entre le FPR et les FAR avait-elle été menée par des jeunes et des enfants sous les ordres d'officiers et de sous-officiers adultes ? Le commandant lui-même m'a fourni un élément de réponse en affirmant sans hésitation que près de soixante-quinze pour cent de ses hommes étaient des vétérans qui, à diverses reprises au cours des trois dernières années de guerre civile, avaient subi l'épreuve du feu. La plupart des officiers et des sous-officiers avaient participé à la guerre civile qui, une décennie plus tôt, avait porté Museveni au pouvoir en Ouganda.

Après ma mission de reconnaissance, mon pilote hésitant ayant réussi à nous arracher du sol, j'étais incrédule : certains de ces jeunes soldats n'avaient sans doute que quatorze ans lorsqu'ils avaient pris part aux combats en 1990. Bien que n'ayant toujours pas l'âge de la majorité, ils étaient considérés comme de vieux routiers. Ils avaient vu le feu et s'étaient battus contre des soldats professionnels et déterminés, venus de Belgique et de France prêter main-forte aux FAR. Au dire de tous, ils avaient tenu leur bout. Ils avaient fait des morts et, en contrepartie, certains d'entre eux avaient été tués ou blessés. Et ils n'étaient pas encore des hommes.

Pendant mon service en Allemagne, j'avais visité des cime-
tières militaires du nord de l'Europe et déambulé parmi les
innombrables rangées de pierres tombales marquant les sépul-
tures de jeunes soldats canadiens morts au combat, loin de
chez eux, pour une cause qui les touchait moins directement
que celle que défendaient ces jeunes rebelles. Trop souvent,
j'avais été frappé à la lecture des dates de naissance et de décès.
Après un calcul rapide, j'étais envahi par le dégoût et même la
culpabilité en constatant la disparition de soldats qui n'avaient
que dix-sept ans. Un jour, en Hollande, où il s'était battu, mon
père avait découvert la tombe d'un jeune de seize ans. Pendant
cette guerre, mon père était un sous-officier de trente-sept ans;
un engagé de seize ans était une aberration, m'avait-il dit, mais
il avait plus tard admis s'être senti comme le grand-père de certains soldats, dont bon nombre s'étaient enrôlés avant leur dix-
huitième anniversaire.

Sur cette colline rwandaise, les soldats de seize ans n'avaient
rien d'aberrations. C'étaient au contraire des vétérans : des garçons soldats expérimentés et prêts au combat, commandés par
des adultes compétents et tout à fait conscients du jeune âge de
leurs « hommes ». À peine huit mois plus tard, ces enfants soldats traverseraient la zone démilitarisée, juste au sud de cette
position, et attaqueraient à répétition les FAR et leurs propres
milices de jeunes, le tout dans le cadre d'une guerre civile et
d'un génocide qui ébranleraient les fondements mêmes de leur
patrie. L'un des massacres les plus horribles du siècle dernier
opposerait des jeunes se battant pour un drapeau ou l'autre,
tandis que, dans les coulisses, des adultes se disputeraient le
pouvoir et la suprématie.

\* \* \*

Qu'en était-il des garçons que les jeunes soldats bien entraînés du FPR seraient bientôt appelés à affronter?

Dans les mois ayant précédé le début du génocide, le 6 avril, les milices de jeunes des principaux partis politiques du Rwanda avaient l'habitude de multiplier les bravades et d'afficher leur dédain de l'autorité, en particulier celle du petit contingent de casques bleus que je commandais. Dans la capitale, Kigali, après la messe du dimanche, mais aussi dans tous les villages accrochés au sommet des collines du pays, les frictions et les troubles provoqués par les ailes jeunesse de la Coalition pour la défense de la république (CDR) et du Mouvement révolutionnaire national pour le développement (MRND), partis politiques des extrémistes hutus et du président, respectivement, annonçaient déjà les débordements de violence collective à venir. On n'avait pas affaire à des jeunes cherchant à se payer du bon temps aux dépens de badauds innocents. Ils se distinguaient par leurs costumes et leurs chapeaux de clown multicolores. Ils semblaient obéir docilement à des hommes qui, au moyen de chants, de danses, de coups de klaxon et de sifflets, d'incitatifs illégaux et de gestes agressifs, leur communiquaient un sentiment de toute-puissance.

Avant le génocide, j'ai reçu des informations privilégiées selon lesquelles ces enfants, ces jeunes adolescents, étaient conduits dans les vastes forêts du sud du pays, où des éléments extrémistes des partis politiques rwandais, en principe favorables au processus de paix, les initiaient au maniement des armes et aux tactiques militaires.

Parmi les jeunes Hutus qui ont entendu l'appel des sirènes militaires, il y avait bon nombre de déshérités qui passaient leurs journées et leurs soirées à traîner dans les rues et les buvettes en plein air, sans rien d'autre à faire que de discuter des inégalités au sein de leur société, de leur désir de faire des études et de trouver un travail décent, de s'amuser, bien sûr, et aussi de se marier et d'avoir des enfants. De telles dénonciations des injustices sociales sont parfaitement normales et prévisibles dans un État-nation frappé par la pauvreté et, du fait de la surpopulation, dépendant de l'aide étrangère. Ces jeunes constituaient des recrues idéales pour les manipulateurs adultes qui, le soir, les chauffaient jusqu'à la frénésie, puis, le lendemain, leur laissaient le temps de réfléchir à l'impasse dans laquelle ils se trouvaient. Ces jeunes avaient été exclus des structures familiales traditionnelles parce que le lopin de terre de leurs parents ne suffisait pas à les loger et à les nourrir. Gravitant autour des marchés urbains, ils formaient un bassin de recrutement de premier choix pour les organisations sans scrupules, lesquelles n'hésitaient pas à les entraîner dans l'ombre, mais aussi pour les ONG et les organismes nationaux qui auraient pu les former et leur fournir un emploi rémunéré. Ils se trouvaient à la croisée des chemins : d'un côté, la destruction et le crime ; de l'autre, la réalisation de soi et un travail difficile mais honnête qui leur aurait permis de fonder leur propre famille.

Quel choix de nombreux jeunes Hutus ont-ils fait ? Les ONG et les organisations légitimes n'avaient ni les moyens ni le prestige qui leur auraient permis de rivaliser avec la campagne de désinformation orchestrée par des provocateurs aux coins des rues, des radios extrémistes et des ralliements géants tenus dans les stades, avant et après les matchs de soccer du dimanche. Les Hutus extrémistes courtisaient ces jeunes, souhaitaient les entraîner, se faisaient un plaisir de leur offrir de la bière, de les armer et même de leur fournir un uniforme rudimentaire qui leur permettait de s'identifier à quelque chose. Les jeunes Hutus ont donc inondé les milices. Leur nouvelle cause, leur but dans la vie est ainsi devenu de débusquer et de détruire les membres de ce groupe ethnique gênant, les Tutsis, des gens qui, selon les extrémistes, n'étaient même pas humains, même si, dans les villes et les villages du Rwanda, les congrégations religieuses et les marchés, les Hutus et les Tutsis étaient si entremêlés que personne ne savait les distinguer. Cependant, les extrémistes désireux de faire obstacle au processus de paix avaient lancé une campagne visant à déshumaniser les Tutsis, à en faire des vermines, des cafards qu'il fallait exterminer pour le bien collectif. On a ainsi fait circuler des récits historiques déformés au sujet des Tutsis, affirmé qu'ils avaient asservi des générations de Hutus et s'apprêtaient à les déposséder de leur avenir au moyen d'un accord de paix qui, au dire des extrémistes, affaiblirait encore la majorité hutue. Son application, affirmaient-ils, signifierait l'annihilation des Hutus par le FPR.

À l'époque où ma mission consistait à faciliter la mise en œuvre de l'accord de paix d'Arusha, le parti anti-tutsi le plus important et le plus véhément de l'échiquier politique rwandais encourageait les émeutes; parallèlement, il formait une aile jeunesse appelée les Interahamwe et en faisait une milice. Informé de la situation, j'ai alerté la hiérarchie de l'ONU et la communauté internationale. J'ai reçu l'ordre de ne mener aucune action offensive contre ces gens, leurs centres de distribution d'armes et leurs camps d'entraînement. Je n'étais autorisé à soumettre mes observations et mes informations officielles qu'au président Habyarimana, au ministre de la Défense, au chef d'état-major des FAR et à des représentants des partis politiques officiels. Je pouvais aussi transmettre de tels renseignements à des représentants internationaux choisis résidant au Rwanda.

La distribution d'armes et la formation militaire se sont donc poursuivies. Lorsque l'avion du président a été abattu, le 6 avril 1994, à 20 h 32, ces troupes étaient prêtes. Ces jeunes déshérités, grisés par le pouvoir absolu qu'ils exerçaient sur les civils, ont été lâchés dans la nature avec l'ordre d'exterminer les insectes tutsis. Ils étaient soutenus dans leur action par les messages hystériques que diffusait une radio haineuse (connue plus tard sous le nom de « radio génocide »), l'alcool et les drogues, les gains matériels qu'ils réalisaient en pillant leurs victimes. Mais ils étaient par-dessus tout poussés par les encouragements continus de leurs aînés, qui les incitaient à trouver des moyens toujours plus efficaces de violer, de mutiler et de tuer chaque jour le plus grand nombre possible de Tutsis de tous les âges, y compris les bébés dans le ventre de leur mère.

* * *

Bientôt, on a constitué des points de contrôle le long des routes, des pistes et des sentiers qui sillonnaient les zones contrôlées par le gouvernement, et on en a confié la responsabilité à quelques gamins des rues, des enfants et des jeunes armés de machettes et d'autres instruments agricoles, supervisés par des jeunes à peine plus vieux qu'eux et par quelques adultes. Certains portaient des bouts d'uniformes de la police ou de l'armée, et tous prenaient très au sérieux la tâche qu'on leur avait confiée : extraire les Tutsis des longues colonnes de personnes qui tentaient de fuir la ville et de gagner la sécurité relative des collines, puis non seulement les tuer, mais veiller à ce qu'ils meurent au bout des souffrances les plus atroces et des plus grandes humiliations possibles.

Quelques jours auparavant, Kigali était une ville occidentalisée plutôt confortable, où vivaient quelque trois cent cinquante mille personnes. Désormais, pas un carrefour qui ne soit en proie au chaos. Tous les cent ou cent cinquante mètres, sur les routes et les sentiers traversant des milliers de collines et de vallées, les milices et les jeunes militants avaient érigé d'innombrables « barrières de défense » contre les infiltrations rebelles tant redoutées. Des nuées de jeunes et d'enfants drogués et fanatisés, surtout des garçons, choisissaient ceux qui seraient sortis de la colonne et battus à mort à coups de machette ou noyés dans les latrines et les égouts voisins. Les survivants d'un barrage donné subissaient le même genre de rituel traumatisant au suivant, jusqu'aux forêts et aux frontières. Bientôt, il restait moins de trente mille personnes dans la capitale. Mais comme la plupart des routes du pays convergent vers Kigali, des centaines de milliers de déplacés d'autres régions du pays devaient transiter par ses principales artères.

Tandis que de longues processions de Rwandais passaient par les points de contrôle et de tri de la ville, les forces en présence se livraient des combats de colline en colline, et des obus atterrissaient dans les vallées et les bidonvilles de la capitale. À cause de l'emploi constant de tirs de mortier et de l'artillerie, tout le monde était sur les dents. Les belligérants donnaient l'impression de tirer un peu au hasard. En raison de leurs effectifs limités, les rebelles du FPR évitaient les combats ouverts. En ville, ils recouraient plutôt à des tirs de harcèlement, lesquels ont fait des blessés et des victimes parmi mes forces et chez les trente mille Hutus modérés et réfugiés tutsis que nous hébergions dans le principal stade de la ville. Et je ne parle même pas des deux plus importants hôpitaux de la ville, où des milliers de blessés attendaient les soins que les rares médecins étaient en mesure de leur prodiguer.

Pendant que les belligérants se disputaient la capitale, les jeunes hommes (adolescents et garçons) étaient omniprésents : dans tous les points de contrôle que j'ai vus en ville et, pendant toute la durée de la guerre, partout dans les campagnes. Au cours des cent jours que le FPR a mis à prendre la capitale et des années qui ont suivi, dans les camps de réfugiés des pays voisins, ces jeunes et ces garçons ont continué à mutiler ou à tuer toutes les personnes qu'ils soupçonnaient vaguement d'être des Tutsis et même celles qui, parmi les leurs, montraient de la tiédeur pour la cause des Hutus.

Garçons et filles, ils avaient l'âge de fréquenter l'école secondaire et, dans bien des cas, seulement le premier cycle. Ils arboraient avec fierté le sang qu'ils avaient versé. Ils tailladaient et mutilaient en souriant devant l'horreur et la peur dont ils étaient la cause. Les adultes les observaient et les encourageaient, allaient même jusqu'à leur proposer de nouvelles façons d'utiliser la plus répugnante des armes, la machette, sur les femmes enceintes et les petits enfants afin d'observer les effets de mouvements et de coups différents.

Ils avaient l'âge de mes enfants restés au pays. Ils possédaient encore un corps d'enfant, mais ils avaient perdu leur âme d'enfant au profit d'un monde adulte qui avait gauchi leur esprit au point de détruire leur conscience, leur compassion, leur capacité d'empathie. Leurs yeux ne voyaient pas les êtres humains qu'ils détruisaient avec énergie et enthousiasme. Ils ne voyaient que des insectes, des parasites maléfiques, qu'ils devaient écraser pour leur propre protection.

Pendant que des dizaines de milliers de jeunes garçons et d'adolescents étaient transformés en monstrueuses machines à tuer et à mutiler, la guerre civile faisait rage. Les porte-étendards des rebelles étaient jeunes, eux aussi.

Il y avait un pays à conquérir, un gouvernement à former, du pouvoir à acquérir, de l'argent à gagner. Sur le champ de bataille, un des camps devait l'emporter, même si le véritable drame humain se jouait derrière les lignes gouvernementales, principalement à cause des jeunes des Interahamwe.

Au-delà des points de contrôle, les forces gouvernementales utilisaient des jeunes miliciens pour mener des missions de reconnaissance dans les endroits qu'ils connaissaient le mieux, c'est-à-dire les villages et les districts où ils avaient grandi. Ils faisaient d'excellents messagers et pouvaient franchir les barrages routiers beaucoup plus vite que les soldats des FAR, en proie aux querelles intestines que se livraient, au sein même de l'armée, les officiers hutus modérés, quelques survivants tutsis et les jusqu'au-boutistes du pouvoir hutu. Dans la capitale, par exemple, les Interahamwe, chargés d'assurer la sécurité de la zone arrière, se déchaînaient dans les secteurs de la ville contrôlés par l'armée et, au moindre prétexte, exterminaient d'innocents survivants, des modérés hutus et tutsis, toujours au nom de la sécurité.

De l'autre côté du no man's land mal défini, les forces du FPR leur faisaient face. Le soir, elles faisaient des incursions à gauche et à droite ; le jour, elles harcelaient l'ennemi au moyen de tirs ciblés et de tirs indirects. Souvent, aux premières lueurs de l'aube, elles effectuaient des poussées dans certains secteurs de la ville afin de resserrer l'étau sur les forces gouvernementales toujours à l'intérieur.

Au cours des incessants va-et-vient que j'ai effectués pour négocier des cessez-le-feu et obtenir la libération et le transfert des personnes de plus en plus nombreuses qui s'entassaient dans nos sites protégés, de même que pour obtenir au compte-gouttes de l'aide humanitaire, j'ai rencontré au sein du FPR des jeunes soldats semblables à ceux que j'avais croisés avant la guerre. Ils se battaient et mouraient au plus fort des batailles que les belligérants se livraient pour prendre possession de la ville. Ils étaient aussi présents dans les zones arrière de l'est, déjà aux mains de l'armée rebelle. Ils faisaient partie des forces de sécurité chargées de nettoyer les poches isolées de résistance de l'armée gouvernementale. Et ils contrôlaient les mouvements des populations (peu nombreuses, il est vrai) restées dans les territoires qu'ils avaient conquis.

Je les ai vus se faire soigner dans des postes sanitaires de campagne, j'ai vu leurs jeunes corps lacérés par des éclats d'obus. Ils mouraient loin de chez eux et de leur famille, privés du réconfort de l'ultime étreinte, de l'ultime baiser de leurs parents. Seuls et souvent conscients de leur fin imminente, certains pleuraient, non pas de douleur, mais plutôt de chagrin, de solitude et de désespoir. Tandis que leurs blessures sapaient en silence les forces vitales de leurs corps qui commençaient à peine à vivre, ils éprouvaient sans doute, au dernier moment, un sentiment de perte et d'abandon. Ils se battaient comme des soldats, comme des guerriers, pour une cause à laquelle ils croyaient, leurs familles et eux, mais, dans leurs uniformes militaires déchirés et ensanglantés, ils mouraient comme des enfants.

* * *

Tout au long des cent jours de guerre et de massacre qui ont marqué le génocide rwandais et pendant le mois suivant la fin des hostilités, j'ai continué de commander la mission de l'ONU (légèrement renforcée par onze officiers canadiens venus, avec un préavis de quelques jours, d'autres missions en Afrique ou de leur base principale au Canada), et les enfants soldats ont joué un rôle important. Vainqueurs, les rebelles du FPR raffermissaient leur emprise sur tout le pays, à l'exception de la Zone de protection humanitaire, créée par une force d'intervention franco-africaine appelée opération Turquoise, où quelque deux millions de Hutus terrorisés avaient trouvé refuge.

Pendant la campagne, les forces rebelles avaient demandé des renforts et, vers la fin des combats, de nombreux jeunes issus de la diaspora tutsie, notamment de pays voisins comme l'Ouganda, sont entrés dans la mêlée. Sans expérience de la discipline militaire, ces jeunes n'ont pas fait preuve de la retenue et de la diligence qui, de façon générale, caractérisaient les jeunes vétérans. Les nouveaux membres des forces rebelles étaient des gamins, eux aussi, des adolescents qui se sont précipitamment portés volontaires pour la cause et auxquels on a donné un uniforme légèrement différent. Souvent, ils avaient du mal à contenir leur ressentiment. Effrontés et arrogants, ils avaient la gâchette facile et se montraient volontiers autoritaires. Ils ont été cause de beaucoup de frictions et de rencontres aux conséquences quasi catastrophiques avec les forces de l'ONU fraîchement arrivées, dont les membres avaient le mandat de recourir à la force contre ces voyous en uniforme et étaient parfaitement disposés à le faire. Plus vite le FPR se débarrasserait de ces nouvelles recrues et rétablirait la discipline de fer des jeunes vétérans encore en service, plus vite on pourrait passer à l'étape de la reconstruction de la nation. Tout au long de cette période de tensions, ce sont de jeunes garçons qui ont exercé l'autorité au niveau local. Certes, ils étaient souvent supervisés par des adultes; le plus souvent, cependant, c'étaient des garçons à peine un peu plus vieux qui les commandaient.

Et qu'est-il arrivé aux jeunes miliciens des Interahamwe après le conflit? Se sont-ils résignés à la défaite subie par leurs maîtres militaires, à l'humiliation totale infligée à leur armée par les rebelles? Un organisme de l'extérieur a-t-il tenté de dissuader ces jeunes et de les désarmer, de les réintégrer dans un semblant de normalité sociale?

Pas vraiment. En passant par la Zone de protection humanitaire, les jeunes miliciens ont fui vers Bukavu, en République démocratique du Congo (RDC), ou encore, profitant du flot de réfugiés du Rwanda, vers ce qui ressemble le plus à l'enfer de Dante, la ville de Goma, également en RDC, au pied d'un volcan actif d'où s'échappe de la cendre. Là, des multitudes ont sombré dans l'horreur des camps de réfugiés aménagés sur la roche volcanique noire et inhospitalière. Des milliers de personnes ont succombé à la dysenterie et à d'autres maladies infectieuses causées par les mauvaises conditions sanitaires. En traversant la zone, les soldats hutus vaincus et les membres des Interahamwe en fuite ont éliminé les dernières poches de civils tutsis le long de la frontière occidentale, au vu et au su des forces de protection humanitaire françaises et de centaines de travailleurs d'ONG spécialisés dans les interventions d'urgence. Le massacre a été filmé par les caméras des médias du monde entier. Si cette deuxième vague de destruction massive de vies humaines a suscité une commotion considérable, elle n'a en rien arrêté le conflit, qui embrasait désormais toute la région, pas plus que l'enfermement de millions d'Africains dans des camps de réfugiés mortifères.

À Bisesero, enclave composée de quelques villages minuscules au sommet de deux ou trois collines anonymes de la province de Kibuye, on trouve aujourd'hui un charnier où est honorée la mémoire d'un groupe de Tutsis remarquables. Avant même le génocide, ils ont défendu leurs familles et leurs terres contre les assauts des extrémistes, puis ont tenu tête aux génocidaires pendant près de cent jours. Cachés sous les cadavres en décomposition de ceux qui étaient déjà tombés au combat pour surprendre les miliciens et leur tendre des embuscades, se nourrissant d'herbes et de feuilles et buvant la rosée du matin pour survivre, ces gens ont, à l'aide d'arcs, de flèches et de pierres, repoussé des vagues successives de troupes des Interahamwe et des FAR jusqu'à ce que les soldats français arrivent enfin. Convaincus par une patrouille française que le génocide était terminé, les quelque douze mille survivants ont cru pouvoir sortir du maquis. Puis, sans laisser sur place la moindre force de sécurité, les soldats français se sont retirés pour aller chercher renforts, véhicules d'évacuation et fournitures humanitaires. Les membres des Interahamwe, à l'affût des moindres mouvements, sont alors venus porter le *coup de grâce**; ils ont ainsi massacré des milliers de héros. Quelques-uns ont survécu et regagné les collines pour témoigner de cette boucherie collective.

Même s'ils savaient que leur camp avait perdu, que la guerre était pour l'essentiel terminée et qu'ils devraient un jour s'inscrire dans un processus de réconciliation et de reconstruction, les jeunes miliciens hutus n'ont pas hésité à attaquer à coups de machette ces survivants réduits à l'état de squelettes.

Lorsque les Français sont revenus à Bisesero, le lendemain, les miliciens traversaient déjà le lac et gagnaient la RDC. Là, ils ont continué de massacrer leurs frères et leurs sœurs entassés dans des camps de réfugiés; parfois, ils rentraient au Rwanda pour tuer de nouveau. Encore aujourd'hui, un certain nombre de ces miliciens de la première heure sèment la terreur dans la région du Nord-Kivu, où ils s'emploient à débusquer et à tuer des Tutsis et des « collaborateurs ». À présent, ce sont des hommes, accompagnés de jeunes recrues à qui ils ont inculqué à leur tour le mépris de la vie, de l'humanité et de tous ceux qui sont différents d'eux. Ils continuent de s'attaquer aux faibles et le feront jusqu'à ce qu'on les mette eux-mêmes *hors de combat**.

\* \* \*

Je ne sais combien de fois j'ai eu recours à l'intimidation, à la menace, à la négociation ou à la simple force des armes pour franchir les barrages érigés par ces jeunes miliciens, leurs partisans et leurs chefs adultes. Jamais, cependant, je n'ai réussi à concilier leur jeunesse et leur potentiel avec la haine, la fourberie et le mal que je percevais dans les yeux de ces adolescents, garçons et filles. Eh oui, les filles aussi. Leurs visages superposés, si nombreux, forment devant moi une sorte de portrait composite, au moment même où j'écris ces lignes.

Nous avons l'obligation, envers ces jeunes et les enfants que nous jugeons plus « innocents », d'éliminer jusqu'à l'idée que des enfants puissent être exploités de la sorte.

# 3

# *Kidom*

## 1

La libellule naît dans la boue, petite bestiole sans grâce. Avec des centaines de ses congénères, elle avance péniblement vers les buissons, les arbres et les murs qui la hisseront vers le ciel. Elle rampe et, pendant qu'elle se repose, sa carapace, en séchant sous le soleil, se teinte d'un brun doré délicat.

Nous observons le spectacle, ma sœur et moi, cuisant sous le soleil de midi comme des bébés libellules.

Le moment venu, un silence particulier, douloureux, emplit nos oreilles. Les petits cous se fendent et les libellules commencent à déployer leurs ailes. Elles sont d'un rouge chatoyant ou d'un bleu vif à faire honte au ciel et aux roses. Elles sortent de leur minuscule carapace croquante, s'étirent, croissent, se répandent, incroyablement grandes.

Le plus léger toucher, même une brise trop forte, risque d'arrêter la métamorphose. Dérangez la libellule avant qu'elle ait atteint sa taille maximale et elle tombera, sera assaillie par des prédateurs. C'est arrivé une fois et nous avons dû détourner les yeux.

Nous donnons un nom aux survivantes et, lorsqu'elles s'envolent enfin, poussons des hourras. En guise de célébration, Kesi fait tourner un bâton autour de nous dans la terre, trace un cercle.

— Nous sommes les maîtres des libellules ! s'écrie-t-elle. Et ceci est notre monde. Kidom.

Nous franchissons le cercle ensemble, la reine Kesi et moi. Nous nous approchons d'une libellule chatoyante aux antennes dorées et je l'aide à monter. Avant notre envolée victorieuse, nous nous penchons pour chuchoter des instructions au coursier ailé de ma sœur. Moi, je n'ai pas besoin de monture. Je n'ai qu'à déplier mes ailes mauves, si grandes que je peux m'y emmailloter comme dans une robe de cérémonie. Et tous les insectes de la forêt et de la brousse se réunissent autour de nous pour nous honorer, la reine Kesi et moi, en raison de la naissance des libellules.

Nous avons vécu de nombreuses aventures comme celle-là. La semaine dernière, nous avons guidé les abeilles de la ruche jusqu'aux fleurs. Après, nous avons célébré la collecte du nectar en dansant. Il n'y a pas si longtemps, nous avons livré au fourmilier une bataille sans pitié et, grâce à notre victoire, épargné une fourmilière et des milliers de fourmis.

Là, les fourmis nous organisent une fête. Par un trou minuscule, nous nous glissons dans leur nid, puis nous nous engageons dans une succession de tunnels. Nous voyons un, deux, trois feux de camp et aussi sept pièces remplies de dizaines de mamans avec leurs petits, tous coiffés de tendres feuilles printanières.

Tandis que Kesi s'attarde pour admirer les bébés avec leur joli chapeau, j'arpente les couloirs sans fin, je jette un coup d'œil dans toutes les galeries. À cause des algues qui tapissent les parois de terre, les couloirs sont d'un vert brillant. Chaque porte s'ouvre sur un nouveau motif de ravissement. Certaines pièces sont si claires et si aérées que je me croirais dans un jardin privé ; d'autres sont petites et douillettes, avec des feux de braise et des tissages colorés sur les murs.

Au détour d'une porte, je me retrouve dans une grotte humide et suintante remplie d'arbres chargés d'épaisses feuilles plates. Des fleurs orange et rouges géantes descendent en cascade sur des bancs de cristal. Le sol est couvert de mousse humide de rosée.

Un vieillard fourmi, dont les mandibules émergent d'une longue barbe en bataille, écope l'eau d'un bassin rocheux.

— C'est votre jardin ? demandé-je, en proie à l'admiration.

— Je suis le jardinier.

J'hésite un moment.

— Oui, mais vous appartient-il ?

Il cligne des yeux.

— C'est le jardin de la colonie. Il appartient à
tout le monde.

— Il est très beau, mais à quoi sert-il ? Pouvez-
vous manger les fruits qui poussent ici ?

Il sourit sans répondre. Il soulève son seau et,
en clopinant, fait quelques pas jusqu'à un nuage de
pousses minuscules qu'il asperge soigneusement
d'eau. Comme il n'a plus rien à me dire, je le laisse là
pour déambuler dans les allées sinueuses, humer les
floraisons, caresser les troncs des palmiers, tracer
des motifs dans la buée des bancs de cristal. L'air est
vif et limpide. Je cueille un pétale de rose soyeux et,
en le frottant contre ma joue, je comprends : il s'agit
simplement d'un joli endroit, encore embelli par
le travail du jardinier, qui en fait cadeau à tous.

De retour dans le tunnel, je ne sais plus avec
certitude quel chemin prendre pour retrouver
Kesi. Mais alors un long cortège de petites plantes
rampantes, couleur argent, passe rapidement
devant moi en tintant ; elles sont toutes couvertes
de minuscules clochettes en bois sculpté accro-
chées à des tiges d'herbe. Elles défilent devant mes
pieds en dansant, comme si je n'étais pas là, et je
me tiens immobile par crainte d'en écraser une.
Une plante rampante plus âgée, couverte d'argent
elle aussi, mais dépourvue de clochettes, ferme la
marche en transportant une houlette dorée.

— Bonjour, madame, lui dis-je.

— Bonjour, mon lapin, répond-elle comme si
elle savait qui je suis. Je te prie d'excuser cette
bande de têtes de linotte. Elles sont si excitées par
la fête que je n'ai pas le cœur de les réprimander.

Elles travaillent avec autant d'intensité qu'elles jouent.

En les suivant, je trouve la reine Kesi dans la grande salle, une énorme caverne éclairée par les rayons du soleil que laissent filtrer, comme de l'eau, une centaine d'infimes tunnels ouverts sur le monde extérieur. Les murs sont tapissés de soyeuses toiles d'araignée et peints avec du jus de petits fruits. Et toutes les créatures réunies dans ce lieu nous acclament, la reine Kesi et moi, et boivent à notre santé dans des gobelets remplis de rosée matinale.

Les célébrations de la victoire sont aussi décontractées et joyeuses que la bataille contre le fourmilier a été rapide et féroce. Nous rions, chantons et jouons jusqu'au soir, moment où le devoir nous rappelle dans notre autre vie, notre vie ordinaire d'enfants du village.

## 2

Mon père et ma mère disent que Kesi et moi passons trop de temps dans notre monde et pas assez à nous occuper de nos corvées. Mais je réponds que c'est Baingana, notre instituteur, qui nous a demandé d'observer les libellules.

— À quoi sert de passer ses journées le nez collé au sol ? grogne papa.

— Comment faites-vous pour supporter la vue de ces créatures qui se tortillent ? demande maman en frissonnant.

Plutôt que de prendre un scarabée dans sa main pour le sentir chatouiller sa paume, elle l'écrabouillerait volontiers.

J'aime ces créatures minuscules. Je les aime par-dessus tout parce qu'elles sont étrangères au monde des adultes. Tout laisse croire que seuls les habitants de Kidom les comprennent. Mais je garde ces réflexions pour moi. Il m'arrive rarement de défier les règles de mes parents à la maison. D'ailleurs, je m'acquitte de toutes les tâches qui me sont confiées. Chaque matin, j'allume avec fierté le feu pour le thé, même la fois où j'ai eu horriblement mal aux oreilles. Je désherbe autour de mon avocatier (toujours à l'affût de chenilles). Et ces choses, je les fais depuis que j'ai sept ans.

Kesi a seulement six ans, et il est vrai qu'elle aime mieux jouer que travailler, mais elle s'attire plus rarement que moi les réprimandes de nos parents, car elle les fait rire. Elle a les dents de travers et, quand elle sourit, son nez se plisse comme celui d'un lapin. Elle aime tellement la jupe rose vif de l'école qu'elle la porte toujours autour de sa taille, par-dessus ses autres vêtements, et notre mère la laisse faire. Le rose est si brillant qu'on voit Kesi de loin, même dans le noir.

Mes frères sont plus vieux que nous. Mashaka se croit super cool, se prend pour un rappeur. Il était beaucoup plus amusant avant de devenir si cool. Il était toujours à la maison alors et acceptait volontiers de jouer avec nous, mais, depuis qu'il a eu une grosse dispute avec papa, il s'absente de plus en plus souvent. C'est lui qui a inventé Kidom. Il suffit de tracer un cercle autour de soi à l'aide d'une branche magique pour laisser derrière maman, papa, l'école et le village, et entrer dans le monde miniature des insectes. Là, nous sommes des géants, des rois et des reines.

Avec lui, nous passions des heures dans Kidom. Nous nous assoyions en cercle dans la brousse, et une brume verte nous entourait comme une moustiquaire en plus doux, miroitante de magie et de rosée. Et Mashaka décrivait les royaumes complexes qui se dissimulaient dans les arbres et sous la terre, où nous pouvions nous aventurer, vêtus de fines toiles d'araignée. Pendant qu'il parlait, j'avais l'impression de me détacher de mon corps, comme si je volais dans un rêve. Tout devenait minuscule : des univers entiers tenaient au bout de mon doigt.

Ces jours-ci, Mashaka, lorsqu'il est à la maison, se montre maussade et silencieux. Toujours sorti, il n'a plus de temps pour nous. Au début, maman disait que c'était parce qu'il grandissait et que c'est difficile. « Quand je vais grandir, lui ai-je dit, je ne vais pas oublier le plus important. » Mais là elle ne le défend plus. Lorsqu'il est au loin, il envoie parfois à maman de courts messages qui transitent par une succession confuse d'intermédiaires, mais ces missives ne semblent que l'attrister.

Mon frère aîné, Mosi, n'éprouve pas de telles douleurs de croissance. Au dire de tous, il est magnifique. Nous voudrions tous lui ressembler.

Avec leurs cils fournis, ses yeux ressemblent aux miens et sa douce bouche aux lèvres charnues est comme celle de Mashaka. Il a le rire de Kesi et, comme elle, les oreilles très près du crâne. Pas comme les miennes, qui sont décollées. Nous avons tous des morceaux de Mosi, mais chez lui ils sont agencés d'une façon particulière. Tous l'admirent et veulent être près de lui.

Parfois, un camion rempli de soldats traverse le village, éparpille les poules et fait retentir son klaxon. Nous accourons tous pour voir les hommes en uniforme avec leurs fusils enveloppés dans des chiffons. À leur passage, ils fixent toujours Mosi.

Un jour, un camion s'arrête et le conducteur lui adresse la parole. L'homme fume une grosse cigarette et de la fumée s'échappe de sa bouche et de ses narines, comme s'il était un dragon. J'ai peur que la fumée avale Mosi tout rond si elle touche son visage.

Je casse une branche sèche dans un buisson et nous courons vers notre frère, Kesi et moi. Il nous prend par la main et nous nous éloignons à reculons du soldat dragon. En marchant, j'essaie de tracer un cercle pour nous protéger du dragon qui épie chacun de nos pas. Dans la mienne, la main de Mosi est moite. Je lève les yeux vers lui. Dans la lumière du soleil, ses cheveux ont pris une teinte orangée. Il grandit et grandit encore, prend la forme d'un papillon de nuit géant; Kesi est un petit scarabée rose qui bourdonne autour de lui. Mes oreilles se métamorphosent en antennes et je les agite avec méfiance, à cause du danger que représente le dragon.

3

Après le repas du soir, je m'éclipse. Je vais au-delà de la lueur du feu, de mon avocatier et même plus loin, jusqu'aux hautes herbes près du baobab. À plat ventre dans la poussière, le menton dans les paumes, j'observe une mouche de sable qui avance péniblement sur le terrain accidenté. Pourquoi marche-t-elle ? Si j'avais des ailes, moi, je m'envolerais.

Le soleil coule derrière les collines et, très vite, un rideau noir remplace la lumière aveuglante. Souvent, j'essaie de surprendre le moment exact de ce passage, toujours en vain. J'ai beau regarder fixement, le phénomène se produit toujours dès que je cligne des yeux. Je reste à ma place, laisse mes oreilles prendre la relève de mes yeux. J'entends le murmure de la voix de mon père, le bruissement des fourmis et, de loin en loin, l'appel d'un oiseau ou le cri strident d'un petit enfant, plus retentissant dans l'obscurité nouvelle. L'air noir lèche mes épaules comme de l'eau et, paresseusement, je me retourne sur le dos.

Je contemple les étoiles en fredonnant faiblement, j'écoute le froissement des sauterelles dans la poussière et les hautes herbes. Dans le ciel, les étoiles éparses frémissent, si basses qu'elles semblent danser à la cime des arbres avant de descendre en cascade jusqu'à l'horizon. C'est comme si le cercle de Kidom avait pris vie, rideau scintillant tiré autour de moi, à travers lequel je distingue les deux mondes.

Les étoiles dansent à la manière de nuées de lucioles. Je tente d'en observer une, mais elle pâlit. En regardant de biais, je la retrouve, nette et brillante. J'en choisis une autre, beaucoup plus grande, que je peux contempler à mon aise. Je la fixe, je la fixe encore, jusqu'à ce que les autres étoiles disparaissent dans les ténèbres. J'ai l'impression que quelqu'un m'épie depuis cette étoile ; bientôt, nous fonçons l'un vers l'autre, telles des antilopes qui s'affrontent à coups de cornes. Vite, je détourne les yeux, juste au cas où.

Doucement, j'agite mes mains brandies vers les étoiles. Dans le noir, elles semblent détachées de moi, et chaque long doigt forme une aile argentée, presque invisible dans le ciel nocturne. Des libellules, pareilles à des dragons ailés. Le roi et la reine des insectes, leur armée de lucioles dans leur sillage, partout dans le ciel.

Je trace une ligne avec mon doigt, relie entre eux les points argentés de ce tableau noir géant, comme sur mon ardoise avec une craie. Je dessine un tambour et une locuste. Je dessine une main tenant un bâton ou une louche. Je secoue la tête, j'efface les lignes. Puis je dessine un guerrier des temps anciens à cheval sur un papillon géant. C'est plus difficile, car il n'y a pas assez d'étoiles pour l'aile gauche. Je ferme les yeux. Le guerrier tient un rocher géant dans une fronde et une lance comme celle de Tinochika, l'ancien qui m'a fait boire du thé amer pour guérir mon mal d'oreille. Les muscles faisaient saillie sur ses bras et ses mains étaient si grosses qu'il aurait pu cueillir un baobab aussi facilement qu'un brin d'herbe.

Je me sens m'enfoncer lentement dans le sommeil. Pendant que je dérive, je me souviens de la hutte de Tinochika, ce soir-là. Mon oreille m'élançait, et Tinochika, vêtu de ses longues robes blanches, mélangeait les herbes nauséabondes, agitait un fétiche fait de plumes de poule noires. Son chant était effrayant et derrière lui, sur le mur, il y avait des images de Jésus couvert de sang à cause des épines sur sa tête et aussi des torturés rôtissant tout nus sur des braises. Au-dessus de moi, les cieux grondent au moment où le guerrier traverse le ciel pour affronter... affronter... Et dans la nuit éclatent des bruits de métal entrechoqué. Les trombes d'eau qui s'abattent sur le toit métallique de notre maison me réveillent. Déjà, des torrents courent un peu partout, jusqu'à la porte. De la pluie, de la pluie, encore de la pluie. Et pourtant, le matin venu, tout est de nouveau sec et poussiéreux, car il est impossible d'étancher la soif de la terre.

4

Dans mon village, le matin est le plus beau moment de la journée. Au milieu de l'épais brouillard qui recouvre les vallées, les sommets verts des collines semblent flotter librement, et la seule façon d'aller de l'un à l'autre, c'est de voler dans le ciel.

Je vais à l'école avec Kesi en frappant les mottes de terre avec mes pieds nus. Il n'y a que le matin que ma sœur reste silencieuse ; moi, je pense que c'est parce qu'elle dort encore à l'intérieur d'elle. C'est moi qui papote, plus pour moi-même que pour elle.

— Il nous faudrait un gros bâton, aussi long qu'un arbre, pour tracer un cercle autour du sommet de la colline. Alors nous serions toujours à Kidom et nous pourrions voler jusqu'à l'école.

Sur le sentier principal, Kesi va rejoindre ses copines qui tapent dans un ballon fait de feuilles de bananier roulées en boule. Je retrouve mon ami Jacob près du manguier derrière l'école et, à tour de rôle, nous nous faisons la courte échelle pour attraper les fruits les plus bas. Le matin, il n'y a rien de plus sucré.

La maison de Jacob est voisine de la nôtre et, le dimanche matin, je suis le sentier jusque chez lui. À travers bois, nous courons jusqu'à la rivière. Elle n'est pas assez profonde pour y nager, mais nous faisons des éclaboussures, lançons des pierres, observons les poissons minuscules et les bestioles aquatiques.

Jacob aime beaucoup jouer aux guerriers. Pas aux soldats qui traversent parfois le village ni aux grands officiers sur leur trente et un avec leurs vestons ornés de boutons luisants, leur taille et leurs épaules ceintes de larges bandes de cuir. Jacob aime les vrais guerriers de notre peuple, ceux qui portaient une peau de léopard et des nattes qui leur battaient le dos. Les guerriers ancestraux des légendes, des chansons et des danses, les fiers et valeureux défenseurs de la tribu. Jacob passe un temps fou à chercher la branche qui lui servira de lance pendant la journée, puis il vient à ma rencontre, les poches pleines de bouchons, de plumes et de bouts de plastique. Il se pare et, avec l'expression du guerrier sans peur, se plante là, en apparence insensible aux assauts du vent. Je me mets à battre la mesure avec mes mains et il danse. Le rythme l'oblige à se tordre et à se contorsionner, et ses bras et ses jambes volent comme s'ils étaient sur le point de se détacher de son corps. Il lève les pieds et martèle le sol, on dirait le tonnerre. Mais je peux battre des mains plus longtemps qu'il ne peut danser, et il finit par s'écrouler, couvert de sueur. Je me laisse tomber à côté de lui et nous parlons des temps anciens. Les guerriers devaient-ils aller à l'école, comme nous ?

Ce matin, nous ne réussissons pas à attraper une mangue. Alors Jacob ramasse une branche par terre et il la lance dans l'arbre pour en déloger un fruit. Au bout de trois tentatives, nous n'avons toujours rien. Nous sentons une ombre géante se profiler sur nous.

— Vous abîmez l'arbre, dit Baingana de sa voix grave.

Baingana est notre instituteur et un des anciens du village. Nos parents nous confient des tâches et nous donnent des ordres, mais c'est à Baingana que nous avons envie d'obéir. En raison de son calme, de ses paroles, de ses très longs doigts et de sa barbe broussailleuse, nous nous sentons en sécurité auprès de lui. Baingana fait entrer dans nos têtes des choses que nous n'avons jamais vues et dont nous n'avons jamais entendu parler. Nous n'avons pas de livres, mais il n'en a pas besoin, tant sa tête est remplie de connaissances. Il nous a appris à faire pousser un avocatier, à repérer la France sur une carte et à utiliser les adjectifs. Il nous a aussi expliqué ce que font les astronautes et pourquoi l'eau a meilleur goût lorsqu'on la puise plus haut dans les collines.

Mais il parle aussi de nos origines, de la naissance des us et coutumes de notre village. Pour être respectés et réussir dans la vie, dit-il, nous devons comprendre et observer ces façons de faire. Il nous initie aux merveilles des créatures vivantes et des plantes qui nous entourent. Nous devons entrer en communion avec elles pour rester honnêtes, attentifs et justes. Quand je pose mes pieds dans les traces laissées par Baingana, j'ai le sentiment d'être sur la bonne voie.

— Aïe, murmuré-je à l'oreille de Jacob pendant que Baingana nous entraîne vers l'école. Ça va être ta fête.

— Moi ? s'écrie Jacob sur un ton taquin. Si tu n'avais pas hurlé comme un singe, il ne nous aurait même pas remarqués.

Nous nous chamaillons ainsi jusqu'à la porte. C'est la routine. Exaspérante. Réconfortante.

— Assoyez-vous, dit Baingana de sa voix grave semblable au tonnerre.

Nous courons jusqu'à nos pupitres en bois, les petits devant et les plus vieux au fond. Je prends place à côté de Jacob dans la quatrième rangée et, en silence, j'implore les gardiens de Kidom de m'aider à passer au niveau suivant pour que je puisse au moins m'asseoir près de la fenêtre.

# 5

Notre école se compose d'une unique pièce fraîche et confortable, et nos bancs font face au tableau noir. Tous les enfants du village et des fermes des environs y viennent chaque jour. Les pluies ont parfois du retard, mais nous, les élèves, arrivons toujours à l'heure, en chemise blanche toute propre. À la maison, on n'a pas forcément le nécessaire, les routes sont boueuses, poussiéreuses ou dangereuses, mais, à l'école, nous sommes en sécurité.

Je m'assois le dos bien droit en espérant que Baingana me choisira pour le seconder. Chaque matin, il charge l'un de nous d'aller chercher de l'eau pour l'école, de nettoyer les brosses à effacer et d'effectuer, tout au long de la journée, d'autres tâches d'une importance aussi capitale. C'est un honneur, en particulier pour ceux qui, dit Baingana, sont assez vieux pour comprendre le privilège et assez jeunes pour avoir envie de donner un coup de main.

Avant de nous adresser de nouveau la parole, Baingana nous sourit. Puis, au moment où il ouvre la bouche… BANG ! En entendant ce bruit sonore, nous, les plus vieux, nous ruons vers la fenêtre.

Je ne vois rien, mais un autre BANG ! retentit, suivi du bêlement pitoyable d'une chèvre. Nous nous mettons tous à crier en même temps.

— Du calme ! tonne Baingana en se dirigeant vers la porte, que son énorme silhouette bloque entièrement.

J'ai beau me tordre le cou, je ne vois qu'un peu de ciel bleu au-dessus des têtes devant moi.

Les plus vieux se mettent à montrer du doigt. « C'est super ! Regarde ! Ouais ! Tu as vu ça ? C'est Danno. »

*Danno* est un film américain dans lequel un monsieur très fort armé de fusils tue des gens dans la jungle. Je ne l'ai pas vu, mais je sais au moins une chose : il y a des soldats, là, dehors.

Je m'éloigne de la fenêtre pour aller rejoindre ma petite sœur, toujours à sa place dans la deuxième rangée.

— Viens, lui chuchoté-je à l'oreille.

Nous allons nous placer derrière notre instituteur.

Obstruant toujours la porte, il épie la cour en silence. La plupart des garçons et des filles s'attroupent derrière nous ; ils poussent et jouent des coudes en essayant de passer la tête à côté des hanches de Baingana ou entre ses jambes pour voir ce qui arrive. Je me tourne de côté pour étu-

dier son visage. Il n'a pas son expression habituelle. Il est immobile, d'accord, mais pas calme.
Baingana a la bouche grande ouverte, les yeux
exorbités.

Je regarde du même côté que lui. Les soldats
qui encerclent l'école sont plus petits et plus maigres que ceux que j'ai vus jusque-là. Leurs mouvements sont brusques, et pas nonchalants comme
ceux de l'homme dragon. Ils transportent des
fusils, certains plus grands qu'eux. Là, je comprends : ce sont des enfants. La scène est bizarre,
ridicule. Ils sont habillés comme de vrais soldats, mais en miniature. Ils ont le même âge que
nous, mais on dirait qu'ils portent des masques
à l'expression fâchée, retenus par des calottes
et des bandanas sales. D'où viennent-ils et que
font-ils ici ? En les voyant descendre du camion et
pointer leurs armes à gauche et à droite, comme
s'ils avaient l'intention de tirer ou au moins d'effrayer tout le monde, je ne me pose plus de questions. Mon estomac se noue et je serre Kesi plus
fort.

Cinq ou six d'entre eux encerclent un vieux
chevrier, qui les domine de sa haute taille. Il crie
en montrant sa chèvre qui se débat par terre. Elle
a du sang sur la tête et bêle plus faiblement.

Un des enfants soulève son arme et s'en sert
comme d'un bâton pour frapper le vieillard. Nous
poussons un petit cri de surprise en voyant la
partie la plus épaisse du fusil heurter le vieux
visage tout mince de l'homme. Sa tête est pro-
jetée de côté. Nous tressaillons de nouveau

lorsque les enfants rient en le voyant s'effon-
drer. Sont-ils vraiment des enfants ? C'est inconcevable. Impossible. Quel enfant oserait frapper
un aîné ? Je me mets à trembler si fort que mes
dents s'entrechoquent.

Loin sur le sentier, je vois Mosi venir vers
l'école en courant. Mon cœur bat très fort et j'ai
du mal à respirer. J'avale ma salive et l'air, rempli
des cris des enfants et des pleurs du berger, du
bruit de leurs pieds qui le rouent de coups.

Mosi vient nous chercher, Kesi et moi. Je
rentre la tête dans la pièce et j'entraîne ma sœur
vers ma place, où nous l'attendons, en nous serrant très fort.

À présent, c'est tranquille dans la salle de
classe. Chacun retient son souffle. Nous entendons le crissement des pieds des autres enfants
sur le sol, là, dehors, les cris qu'ils échangent
entre eux. Baingana s'éloigne de la porte en
repoussant les élèves vers leurs places.

— Je veux que vous vous assoyiez sous vos
pupitres, les enfants. TOUT DE SUITE.

Il revient près de la porte. Les cris se
rapprochent.

Il tourne sa voix forte vers la cour, vers ces
horribles soldats miniatures et leurs fusils.

— Mes enfants, que Dieu vous bén…

Il y a un bruit sonore et Baingana tombe à la
renverse dans la salle de classe. Il reste par terre,
immobile. De sa tête, le sang coule à flots.

Les enfants maléfiques en uniforme vert foncé
font irruption dans la pièce en criant et en agitant

leurs armes. Ils sautent par-dessus Baingana, autour de lui. Non, ce ne sont pas des enfants comme Jacob, Kesi et moi. Sur leurs bras et leurs jambes, ils ont des cicatrices luisantes, comme humides. Les veines de leur cou sont tendues et saillantes, leurs yeux écarquillés, rouges et fous. L'un d'eux a un fétiche de plumes noires comme celui de Tinochika noué sur son front. Il me fait encore plus peur que lors de cette terrible céré-monie vaudou. Le garçon a l'air d'un oiseau diabo-lique, d'un pic-bois noir et vert pressé de dévorer les délicieux insectes cachés sous l'écorce de l'arbre.

Certaines filles crient à présent. BANG ! BANG ! D'autres fracas. Les garçons armés retour-nent les pupitres, entraînent les petits à l'exté-rieur. D'autres mettent en joue les élèves plus vieux, crient, les poussent dans un coin. À cause de la peur, l'air de la pièce est irrespirable.

Je cache Kesi derrière moi et, ensemble, nous rampons le long d'une rangée de pupitres, en direction de la fenêtre. Je lui chuchote à l'oreille :

— Je vais t'aider à sortir, d'accord ? Puis je vais sauter et nous allons retrouver Mosi.

Kesi gémit et, pendant que nous rampons, je sens ses larmes sur mes mains.

— Chut, chut. Ne t'en fais pas. Je vais tracer le cercle. Chut, chut.

Je m'arrête un moment, puis, en la serrant fort, je fais un cercle autour de nous.

— Nous sommes dans Kidom, d'accord ? Nous devenons minuscules. Nous nous changeons en toutes petites libellules mauves, d'accord ?

Ma voix tremble.

— Bon, on y va. On va pouvoir sortir par la fenêtre en volant. Nous sommes pratiquement invisibles. Kesi ? Viens, suis-moi. On va s'envoler très, très haut dans le ciel. On sera en sécurité.

Nous gagnons le mur. À l'abri d'un pupitre renversé, nous nous relevons lentement pour jeter un coup d'œil par la fenêtre. Derrière nous, d'horribles monstres s'agitent. Mais nous sommes libres, au-dessus de la mêlée, en sécurité, loin déjà.

Dehors, il y a d'autres araignées soldats, mais elles ne sont pas près de l'école. Elles s'agitent dans le sentier, les unes sur les autres.

— Mosi ! crie Kesi à la vue de notre frère si grand et si brave.

Avant même de toucher le sol, ou presque, nous nous envolons vers lui. Mosi se débat, ses ailes géantes prisonnières d'une énorme toile gluante.

On nous capture avant que nous ayons le temps de le rejoindre. Kesi crie et se tortille, je donne des coups de pied dans l'espoir de me dégager, mais bientôt les enfants nous écrasent sous leur poids. À la vue des fusils pointés sur nous, nous nous immobilisons. Nous avons si peur qu'aucun son ne s'échappe de nos bouches. Dans la puanteur, la douleur et la fumée, nous sommes témoins de la destruction. Ces enfants sont des araignées noires mais aussi de viles mantes kaki aux longs membres métalliques d'où proviennent des explosions sourdes.

Deux petits camions arrivent et des soldats plus âgés en descendent. Ils nous saisissent, Mosi,

Kesi, quelques autres et moi, puis ils nous ligotent les mains avec des cordes en plastique avant de nous lancer derrière. Ils jettent aussi trois chèvres sur le plateau du camion, et les animaux, après s'être redressés tant bien que mal, se rangent dans le coin le plus éloigné.

Mosi a le visage luisant de sueur et une grosse goutte de quelque chose d'épais et de rouge juste au-dessus de l'œil gauche. Kesi se détache de moi pour aller se blottir contre lui.

— Ce n'est pas Kidom, ça, Mosi, murmure-t-elle.

— Non, petite sœur, c'est autre chose. Sois gentille et ne dis rien. Nous rentrerons bientôt à la maison.

La route est cahoteuse. Pas moyen de tenir debout. Sur la piste de brousse accidentée qui part de notre village, le camion, secoué violemment, bringuebale. J'ai la certitude que je vais tomber et perdre Mosi et Kesi pour de bon. La corde qui me retient les mains est trop serrée. Mais plus je tente de me dégager, plus elle m'entame la peau et me brûle. Kesi a raison. Ce n'est pas Kidom et ce n'est pas notre monde habituel non plus. Il y a donc un autre monde, un monde rempli de bruits forts, de choses effrayantes, si effrayantes, d'affreuses odeurs, de fumée et d'êtres étranges et mauvais qui transportent des armes.

# 4

## Kidom perdu

### 6

Nous arrivons dans un camp où se trouvent quelques appentis de grande taille, d'autres camions et beaucoup de monde. On nous fait descendre et poireauter dans la poussière, sous la surveillance d'un enfant plus âgé. Le soleil est voilé, irréel. C'est bizarre, comme si on nous débarquait au milieu d'une forêt fantôme, peuplée de démons qui se terrent dans des buissons pourrissants. L'air a une odeur aigre, métallique, et il y a partout des dragons qui crachent de la fumée et du feu.

Mosi épie quelque chose avec intensité en plissant les yeux pour se protéger des rayons du soleil. Je suis son regard jusqu'à un groupe de soldats dragons qui se bousculent en riant. Certains sont assis par terre, mais la plupart, debout, s'appuient sur un bâton, un fusil ou une machette. Ils sont tous verts, sauf un bleu, au centre. C'est Mashaka, mon frère. Il rit, lui aussi. Nous avons beau le fixer de toutes nos forces, il refuse de se tourner vers nous. On lui tend une cigarette, il la porte à ses lèvres et sa peau commence à se craqueler, à se couvrir d'écailles. Lorsqu'il souffle la fumée grise par le nez, il devient un dragon, lui aussi.

Des heures s'écoulent sans que personne nous apporte à boire ou à manger. Pendant tout ce temps-là, deux ou trois dragons armés nous surveillent distraitement. J'ai terriblement envie de pipi. Je me lève et, en gesticulant, je fais comprendre à un des gardiens ce que je veux, mais il me lance un regard furieux et, avec son arme, me fait signe de me rasseoir. J'obéis. J'ai peur et j'ai mal au ventre à cause de la faim et de la crainte qui se mêlent en moi. En fin de compte, je fais pipi là où je suis, incapable de regarder les autres en face.

Mosi essaie d'apaiser Kesi, mais il doit parler tout bas, sinon les dragons lui donneront des coups de pied. Elle pleure, elle pleure sans arrêt. Impossible de la faire taire ni de l'arrêter, même lorsque ses larmes ont disparu.

En me traînant, je m'écarte de l'endroit où j'ai fait pipi et je m'affale par terre, la joue dans la poussière. J'observe les fourmis. Elles donnent l'impression de travailler infatigablement. Parfois, je souffle pour en obliger une à dévier de sa trajectoire. Elle se renverse en agitant follement les pattes, puis elle se redresse et reprend sa route. Je m'endors en m'imaginant suivre les fourmis jusque chez elles, descendre dans leur trou, m'installer dans leur cuisine. Là, je prends le thé avec le roi et je le complimente sur la détermination et l'application de ses sujets.

Les dragons nous laissent là toute la nuit. Lorsque je me réveille, le ciel est aussi noir que l'encre du petit encrier de Baingana, et je ne vois rien du tout. J'entends seulement Kesi qui frissonne et Mosi qui murmure toujours, et je m'approche d'eux dans l'espoir de mettre en commun la chaleur de nos corps.

# 7

Le lendemain, on nous fait remonter dans le camion et on nous ramène au village. Nous sommes épuisés à cause du sommeil brisé, et affaiblis par le manque d'eau et de nourriture. En raison de mon petit accident, mes habits sont raides et sentent mauvais. J'ai beau avoir piètre allure, notre village est cent fois pire. Tout est noirci, calciné. Par endroits, de la fumée monte encore des décombres. Des vêtements et des ustensiles de cuisine jonchent le sol, mais je ne vois personne. Ils ont fait du mal à Baingana, mais ils se sont peut-être contentés de chasser les autres.

Les soldats nous font descendre et nous laissent libres d'aller à notre guise. Nous avons toujours les mains liées. Nous courons jusqu'à notre hutte, Mosi, Kesi et moi. Elle a été rasée par un incendie et il n'en reste rien du tout. Nos parents ne sont pas là.

À la vue du jardin saccagé de ma mère, où il y avait eu le savant assemblage de maïs et de haricots que lui a transmis sa grand-mère, mon âme et celles de mes ancêtres vacillent sous le poids de la souffrance. Notre jardin et notre hutte, ce petit lopin de terre qui, au fil des générations, nous a vus vivre, mourir, être enterrés et naître, ce lieu naguère si débordant de vie est réduit à néant. Nous n'avons plus rien.

Kesi recommence à pleurer, mais j'ai la sensation de me détacher d'elle et de Mosi. Je me retourne et, avec maladresse, je casse une petite branche de mon avocatier calciné, et je la glisse sous ma ceinture.

Des soldats apparaissent et nous rassemblent au centre du village en nous poussant avec leurs armes. Un tourbillon de bruits et d'odeurs nous assaille, et j'ai l'impression d'avoir perdu la tête. J'ai des étourdissements et je m'écroule par terre. L'air dégage un parfum d'iode et de métal, horrible, piquant.

D'autres soldats arrivent du côté de l'école en poussant quelques adultes devant eux. Une femme tombe et des soldats s'arrêtent pour la rouer de coups de pied, puis ils la relèvent et la projettent vers nous.

BANG ! Nous sursautons et crions, les yeux révulsés. Un géant armé sort de la cabine d'un camion et quelques enfants descendent du plateau.

— Vous voyez ? nous crie l'homme. Ces imbéciles ont cru pouvoir vous tendre une embuscade ! Vous tirer dessus et vous tuer ! Ce sont des ennemis de notre lutte. Des traîtres, des cafards qu'il faut exterminer !

La plupart des adultes pleurent sur un ton suppliant.

— Nous vous protégeons et nous vous soutenons, dit une femme en sanglots.

Un jeune soldat la pousse et, dans sa chute, la frappe au ventre. Les autres rient.

Mosi laisse échapper un cri de surprise et nous reconnaissons tous mon père. Il nous voit au même instant et s'élance vers nous en criant nos noms.

Vite, le chef vole vers nous, telle une guêpe géante, sa voix, un bourdonnement monotone.

— Avant de vous joindre à nous, il est capital que vous compreniez l'importance de notre combat et que vous fassiez la preuve de votre loyauté. Il faut punir les traîtres qui sont responsables de la guerre, qui se sont retournés contre les leurs. Ce ne sont que des chiens contaminés, de sales insectes, et il faut les détruire avant qu'ils infectent d'autres esprits et salissent notre juste lutte pour la liberté.

Je fixe le sol en tremblant. Mosi, cependant, se redresse, les mains toujours ligotées derrière le dos.

— Cet homme est mon père, déclare-t-il d'une voix forte et nette. Ces gens sont les nôtres et nous ne tolérerons pas qu'on leur fasse du mal.

Un cri affreux, un son terrible, terrible, ponctue les paroles de Mosi.

En levant les yeux sur la masse grouillante de nos aînés, j'aperçois des taches de bleu et de rouge. Puis je vois Mashaka, un bandana de soldat noué autour la tête. D'une main, il brandit une machette tachée de sang et, de l'autre, la tête de notre père. Il tient les cheveux de papa, dont le visage est tourné vers le ciel. Il a le cou fendu, comme celui d'une chèvre. Mashaka crie, danse et tournoie avec frénésie. Ses yeux écarquillés et sauvages donnent l'impression de percer tout ce qu'ils regardent.

Nous fonçons en hurlant, Mosi et moi, et tout explose. Des soldats se mettent à tirer sur nos aînés, à les frapper à coups de machette, tandis que d'autres nous agrippent par le cou, nous, les enfants, et nous jettent au sol. Dans le chaos, je perds ma petite sœur de vue. Plus la moindre trace de rose.

Mosi est à côté de moi, le genou d'un soldat bedonnant dans le dos, une arme pointée sur le visage.

— Où est Kesi ? soufflé-je, la voix chevrotante.

Il commence à se débattre avec vigueur.

Puis nous l'entendons crier et, en étirant le cou, nous la voyons sous le manguier de l'école. L'air s'épaissit entre nous et son corps minuscule, qu'on débarrasse de sa jupe rose vif. Des bras noirs géants tirent sur ses membres, écartent ses petites jambes toutes maigres. Elle crie de peur et de douleur, et Mosi tente de se relever, mais quelqu'un le frappe à la tête avec la crosse d'une carabine et il s'effondre face contre terre. Le calme descend sur nous tous et nous écoutons les bruits de ce que les soldats font à ma sœur. Je ne regarde de son côté que lorsque les bruits se taisent. Le dernier homme boucle sa ceinture tandis que les autres s'éloignent. Kesi, elle, est allongée par terre, immobile et silencieuse. Tant bien que mal, je me lève et, en titubant, je fais quelques pas vers elle. Puis je reçois un coup violent derrière la tête. Je m'écroule sur le sol et tout devient noir.

8

Je me réveille en proie à une panique aveugle, le cœur battant. Mes bras sont déliés. Je me lève. Je me trouve dans une clairière tapissée d'herbes. Des rangées d'appentis entourent des huttes basses, disséminées çà et là. Marcher me fait mal et, à chaque pas, j'ai des élancements dans la tête, mais il faut que je trouve Mosi.

Il y a des soldats partout. Certains se sont réunis en petits groupes, d'autres transportent du bois et du métal. Quelques-uns portent un uniforme militaire kaki, d'autres un jean et une chemise à manches longues ; d'autres encore sont vêtus comme moi, en plus sale.

Aucune trace de Mosi. Le camp lui-même est désordonné, en pagaille. J'y reconnais l'incertitude et le chaos, les sens sur ma peau.

Je regarde mes mains. Elles me semblent lointaines, détachées de moi. J'ai les poignets à vif, les paumes rouges. Rouges. Mon cœur s'affole et, sous l'assaut des souvenirs, mes yeux se gonflent de larmes. Je presse le bas de mon t-shirt sur mes yeux, si fort que je vois des couleurs danser, clignoter. Mes habits sont crasseux et déchirés. Non, il ne faut pas que je pense.

Aucune trace de Mosi. Personne.

Je sens quelque chose dans mon dos. Sous ma ceinture, je trouve la petite branche de mon avocatier calciné. En pleurant encore plus fort, je la casse en deux, puis en quatre, je la détruis, comme le reste de mon monde. Parti, fini, terminé. Kidom est anéanti, aussi sûrement que le monde que j'ai connu jusque-là.

Un garçon plus vieux, mince et en habit de camouflage, fonce droit sur moi. Il me fait signe de m'asseoir et me tend un gobelet. J'avale le liquide amer jusqu'à la dernière goutte. J'éprouve à la fois de la reconnaissance et de la honte d'accepter l'offrande de l'un d'eux. Mais je n'ai rien bu ni mangé depuis deux jours.

Le garçon reprend le gobelet vide sans un mot et me tapote l'épaule. La boisson a laissé un mauvais goût dans ma bouche et je donnerais n'importe quoi pour une gorgée d'eau claire.

Je ne peux pas m'empêcher de penser à Kesi et des larmes jaillissent de mes yeux. Et là, soudain, j'ai l'impression que mon cerveau effectue un bond de côté. *Zoum!* Puis il redevient normal. Ensuite, *zoum, zoum*. J'essaie de détacher mon regard du sol, mais le sol me suit. Tout tourne autour de moi, et je sens mon chagrin s'alléger, tandis que le monde se change en grains de sable géants et en brins d'herbe d'une taille monstrueuse.

Une fourmi grimpe sur ma main et me regarde dans les yeux. En guise de salutation, elle agite ses petites pattes de devant.

— Bienvenue, dit-elle. Je t'attendais plus tôt !

Lentement, je tourne ma tête et le reste de mon corps. Je suis dans Kidom ! Le royaume a survécu, et ce n'est pas une illusion.

Je m'apprête à répondre à la fourmi lorsque ses pinces commencent à grandir, à grandir encore, tandis que son visage devient de plus en plus cruel. Quant à moi, je rapetisse.

D'autres fourmis s'avancent vers moi, montent sur moi, m'entament la chair. Je tente de me lever, mais mon corps est lesté de sable humide. Puis des guêpes et des moustiques, volant au ralenti, envahissent l'air autour de ma tête. Ils sont venus m'enlever. Je retombe dans les ténèbres.

## 9

Le lendemain, je commence à étudier les allées et venues de ces enfants en uniforme. Les seuls adultes présents se tiennent sous un abri aménagé au fond du camp. Assis autour de tables en bois, ils bavardent jusque tard dans la nuit en riant parfois aux éclats. Des garçons plus vieux guident les plus jeunes dans la brousse environnante. De loin en loin, on entend des coups de feu. Je marche avec un peu plus d'aisance, mais la migraine ne me quitte pas. En gros, les autres me laissent tranquille. Je n'ai qu'une idée en tête : retrouver Mosi et fuir cet horrible endroit. Il me faut un plan. Ma famille me manque terriblement. J'ai la certitude que ces jeunes soldats s'ennuient des leurs, eux aussi. Pourquoi donc restent-ils ? Il n'y a pas de clôture autour du camp, mais la brousse est dense et je n'ai aucune idée de la direction que je dois prendre. Mon village a disparu, mon père et ma petite sœur sont morts. Je ne sais pas ce qui est arrivé à ma mère ni à Mosi. Quant à Mashaka… Il est mort pour moi.

Le garçon plus âgé qui m'a offert cette affreuse boisson vient me voir à deux ou trois reprises et me fait un brin de conversation. Un soir, il m'apporte un bol de haricots et je mange pendant qu'il me parle de lui.

— On m'a choisi il y a des années, dit-il, et je suis devenu un bon combattant. Puis, un jour, un camion blanc de luxe est entré dans le camp, et des Blancs en chemises blanches toutes propres en sont descendus et ils nous ont emmenés, les autres garçons et moi. Ils nous ont conduits dans un immeuble en hauteur dans la grande ville et nous ont dit que nous n'étions plus soldats. Ils m'ont donné de l'argent, pris dans ce qu'ils appellent un fonds fiduciaire. Avec les sous, je me suis acheté un jean et des tennis. Après, je n'avais plus d'argent. Je n'avais rien à faire et personne à qui parler. Dans cette ville, je dormais dans les ruelles. Alors je suis revenu.

— Pourquoi n'es-tu pas rentré dans ta famille ?

Il me regarde comme si j'étais stupide.

Après, il me propose de boire du liquide amer. Au lieu de dire non, je tends la main vers le gobelet.

## 10

Personne ne semble faire attention à moi, mais, dès que mes maux de tête prennent fin, on me montre un appentis fait de branches de bananier. C'est là que je dormirai. On me met au travail : en compagnie d'autres recrues, je dois ramasser du petit bois. Fatigués, assoiffés, sales, découragés et perdus, nous sommes nerveux, à cran. Quand j'étais de corvée de petit bois, à la maison, il m'arrivait souvent de flâner, de jouer à Kidom. Là, on me surveille, on m'enferme dans ce monde, avec la boisson amère comme seule porte de sortie. Au lieu d'ouvrir le monde et d'en rehausser les couleurs, elle le referme, assez pour que je puisse y trouver refuge en tremblant. Si j'en demande, toutefois, Christian (c'est ainsi que s'appelle le garçon plus âgé) s'éloigne en riant. J'ignore pourquoi, mais il faut attendre qu'on nous en propose.

Pendant que nous cherchons des branches et des racines sèches qui s'enflammeront facilement, il nous arrive de nous aventurer jusqu'à une clairière utilisée comme centre d'entraînement. Là, de très jeunes enfants et d'autres qui ont mon âge transportent des bâtons et des couteaux, tandis que les plus vieux aboient des ordres. Ces enfants ne portent pas d'uniforme, mais je sais que, désormais, ils sont des soldats, eux aussi.

Un jour, je m'approche d'un groupe d'enfants. Assis par terre, ils écoutent les directives du commandant. Je m'installe près d'un garçon de mon âge, au bout de la rangée, et je le salue à voix basse. Il lève brièvement les yeux vers moi avant de se tourner vers le commandant, qui regarde ailleurs. Je ne sais pas comment poser les questions qui se bousculent dans ma tête, alors je les lâche dans le désordre.

— Qu'est-ce que tu fais ?

— ...

— Depuis combien de temps es-tu là ?

— ...

— Il y a des membres de ta famille avec toi ?

— ...

— As-tu déjà essayé de t'enfuir ?

Seuls de longs silences accueillent mes questions chuchotées, sauf la dernière. En réponse à celle-là, il marmonne :

— M'enfuir ? Pour aller où ?

Il jette un coup d'œil à son commandant, qui ne fait toujours pas attention à nous.

— Papa savait que les soldats viendraient. Maman et lui se sont disputés à ce sujet. Je n'ai compris que le jour où les soldats sont venus me chercher. Ils ont donné l'accolade à papa et lui ont serré la main. Ils lui ont laissé un paquet et m'ont emmené avec eux. Personne n'a dit un mot. Ma mère pleurait. Pendant que le camion s'éloignait, elle n'a pas voulu me regarder. Je l'ai appelée, mais papa l'a cachée en se plaçant devant elle. Puis ils ont disparu.

» Lorsque j'ai demandé ce qui se passait, un des hommes a ri et m'a dit que mon père m'avait échangé aux soldats contre quelque chose et qu'il avait fait une mauvaise affaire. Si je rentrais à la maison, il me renverrait.

» Alors, maintenant, j'obéis au commandant et je me tiens loin des garçons plus vieux. Quand nous nous battons contre l'ennemi, j'essaie de ne pas avoir peur. Je ne veux pas mourir comme ceux qui étaient ici quand je suis arrivé.

Je frissonne sans savoir quoi dire à ce garçon.

# 11

Le lendemain, on place une troupe d'enfants à pied devant un convoi de camions remplis de filles et de garçons plus âgés. Choisissant bien mon moment, je demande à un soldat adulte où ils vont.

Il me regarde de haut en se curant les dents du bout de la langue, l'air de se demander si je mérite une réponse.

— Les cafards enterrent des mines antipersonnel et antichars sur les routes et dans les principaux sentiers. Alors nous utilisons de jeunes recrues comme toi pour libérer la voie. Mieux vaut que ce soient des enfants qui sautent sur les mines. Nous ne pouvons pas nous passer des soldats plus aguerris.

Il me regarde encore un peu, comme pour me mettre au défi de réfuter sa logique, puis il ajoute :

— C'est rempli de bon sens. Nous avons aussi besoin de jeunes sans expérience pour attirer le feu des ennemis et les laisser gaspiller leurs munitions. Nous savons qu'ils n'en ont pas beaucoup. Si tu survis à ta première bataille, on se donnera peut-être la peine de t'entraîner.

Il me semble que les enfants plus jeunes vont souffrir beaucoup plus que les plus vieux, mais, dans ce monde, tout est sens dessus dessous.

Prenant mon courage à deux mains, je lui demande de la boisson amère. Il rit et me tend un bout de gomme à mâcher brune et gluante en me conseillant d'en faire l'essai.

Tard ce soir-là, j'observe le retour des soldats depuis l'entrée de l'appentis. Impossible de savoir si certains des plus jeunes manquent à l'appel, mais quelques-uns sont blessés. Les autres sont très heureux (ils dansent et chantent) ou encore silencieux. Sous ma ceinture, je prends le dernier bout de gomme gluante et je le lance dans ma bouche. Puis je rentre et je m'endors.

## 12

Devant l'appentis du commandant, reconnaissable aux délicieux arômes de nourriture qui s'en échappent, une fille de mon âge fabrique un bracelet à l'aide de longues herbes.

Quand je passe, elle me sourit et m'invite à m'asseoir près d'elle.

Elle me dit qu'elle est l'épouse préférée du commandant et que, à ce titre, elle a droit aux meilleurs aliments et aux meilleures boissons. Elle me tend alors son bol, dans lequel il y a un morceau de viande et quelques tranches de manioc, que j'avale goulûment. Me rappelant mes bonnes manières, je la remercie. Je lui demande ensuite ce qu'elle fait là, ce qui la retient de s'enfuir ou de rentrer chez elle.

Elle me fixe, la tête inclinée, et me répond à voix basse :

— C'est ici, mon chez-moi, à présent. Certaines filles ont été renvoyées parce qu'elles étaient malades ou enceintes, puis une d'elles est revenue et les a suppliés de la reprendre. Elle m'a dit qu'elle a essayé de rentrer dans son village, mais que, à cause de la honte qui pesait sur elle, on a refusé de l'accueillir. Ses parents l'ont menacée. Aujourd'hui, elle travaille ici.

» Pour moi, ce serait pire. Dans notre hutte, deux soldats ont attaché mon père et mes frères, puis ils m'ont prise devant eux. Non, non et non. Je ne peux pas retourner là-bas.

» Au début, j'aurais donné n'importe quoi pour m'évader, disparaître dans la brousse, même. Chaque soir, un soldat différent venait coucher avec moi. J'avais honte et je voulais mourir.

» Puis j'ai eu un coup de chance. Le commandant a fait de moi une de ses épouses. À présent, je suis à l'abri des autres soldats, je vis dans une

hutte, je mange bien, j'ai de grandes responsabilités dans le camp. Je vis mieux que la plupart
des filles.

Tristement, sans un mot, je mâche un autre
bout de gomme brune. C'est, je le sais désormais,
une substance appelée haschich.


## 13

Le lendemain, après un déjeuner constitué de
haricots et de lait de chèvre, un des lieutenants
m'entraîne à l'écart.

J'ignore ce qu'il a lu sur mon visage, mais il
m'explique qu'un retour à la vie d'avant ma capture est impossible.

— Désormais, vous nous appartenez, ton frère
et toi, et vous devriez en être fiers. Bientôt, vous
vous battrez, vous aussi, au nom de la liberté.

Je ne vois pas bien où il veut en venir avec
cette idée de « liberté », car, dans le camp, je suis
en captivité. Ont-ils le pouvoir, lui et les autres,
de me procurer une vie meilleure que celle que j'ai
connue dans mon village, auprès de ma famille ?
Tout au long des jours et des longues soirées passées auprès du feu, les chefs répètent inlassablement les mêmes paroles, comme s'ils étaient sincèrement convaincus de dire vrai.

Je brûle du désir d'appartenir à quelque chose
ou à quelqu'un, de ne plus avoir à affronter la solitude et la peur à longueur de journée. Je n'ai pas
vu Mosi depuis des jours. Ma mère, mon père et

ma sœur me manquent. J'ai envie de hurler et de
m'enfuir, quelles que soient les conséquences. Je
ne peux pas m'empêcher de crier au lieutenant :
— Mon père a été assassiné ! Ma sœur...
— C'est horrible.
Sa voix est calme, presque aimable.
— Ton frère Mashaka était mauvais. Un
traître, tu comprends. Il s'était joint au camp
opposé et agissait comme espion. Nous avons dû
lui régler son compte. À présent, tu es en sécurité. Mosi et toi êtes des nôtres désormais, et
nous allons venger le terrible massacre de votre
famille.

Après, il me regarde d'un air si dur que la
confusion me submerge. Je tente de me remé-
morer cette journée-là, mais tout se fond dans
une masse indistincte d'inconnus, de chaos et de
sang.

Mon frère. Mashaka. Disparu, lui aussi. Les
larmes aux yeux, je vois un couple de libellules
en train de monter jusqu'au ciel. Au moins, mon
père est mort en tentant de nous sauver. Mon
frère est mort uniquement au nom de la guerre.

Je suis le lieutenant jusqu'à un champ où on
initie les enfants arrivés depuis peu au maniement des armes à feu. Il saisit un fusil et montre
les autres. Je comprends que je dois participer à
l'entraînement. Il dit que j'apprendrai à tuer de
mauvaises personnes qui doivent être punies.
Nous sauverons notre pays. Nous serons les guerriers chargés de protéger les opprimés dans leur
lutte pour la liberté. Il utilise de nouveau le mot

« liberté ». Mais qu'entend-il au juste par là ? Je ne suis pas libre, pas plus que ne le sont les autres enfants. Comment créer la liberté quand on n'est pas libre ? Le fusil sent l'huile. Comme il est un peu glissant, il me tombe des mains. Le chef me donne un coup de bâton.

— Ne laisse jamais tomber ton arme. Elle est précieuse. À partir d'aujourd'hui, elle est ta meilleure amie. Nettoie-la, dors avec elle et transporte-la en tout temps. Ton lieutenant te dira quand il faudra la charger. Pour le moment, nous allons t'apprendre à viser. La première fois que tu vas toucher une cible, ça va être très excitant, je te jure, et tu ressentiras de la fierté à la voir voler en éclats.

## 14

Nous dormons à sept sur le sol en terre battue de l'appentis. C'est trop, compte tenu de l'exiguïté des lieux, mais, dans la solitude de la nuit, la proximité d'autres humains, même celle d'inconnus, a quelque chose de réconfortant.

Toute la nuit, toutes les nuits, j'entends les gémissements et les sanglots étouffés des autres enfants. Nous confions aux ténèbres des secrets que nous ne pouvons pas nous avouer à la clarté du jour. Des bribes de réflexion et des mots déconnectés planent dans l'air au-dessus de nous, à la recherche d'un lieu sûr où se poser.

— Maman !

— Pas le choix.

— Non !

— Ils m'ont forcé.

— Désolé.

D'horribles images se projettent sur le plafond de cette hutte. De la chair ouverte par des lames de couteau. Des frères équarris comme des animaux. Des sœurs violées puis lancées dans les latrines. Des bébés arrachés au sein de leur mère et jetés par terre, du lait coulant encore sur leurs lèvres. Des femmes et des hommes réduits à l'état de viande emballée dans un linge.

Au terme de ces nuits sans sommeil, ma fatigue est telle que je cherche à me soulager en pleurant. Mais je n'ai plus de larmes. J'ai mal aux yeux, ma vision s'embrouille et je suffoque, le cœur battant. Je m'ennuie de la maison, mais ma maison n'existe plus.

L'« entraînement » se résume comme suit. Debout avant l'aube, nous remplissons des sacs de lourdes pierres, les hissons sur notre dos et courons en rond dans l'enceinte. Sinon, nous effectuons de longues marches dans les coins les plus sombres de la brousse. La nuit, qui m'enveloppait autrefois comme un rideau protecteur, me terrorise à présent. Les buissons bas, tels des ennemis accroupis, le bruissement des insectes, semblable au crissement des bottes sur le gravier, tout est vivant, dangereux. Et pourtant, pendant ces longs exercices nocturnes, je réintègre parfois l'épaisse et douce noirceur de mon foyer, de mon monde, de mon royaume enfantin, de mon Kidom.

Si nous vacillons, les commandants armés de gros bâtons nous pourchassent et nous frappent derrière les genoux. Ils nous projettent par terre, crient dans nos oreilles, beuglent des ordres. Le soleil n'est pas encore à son zénith que déjà nous sommes épuisés.

Puis, souvent avant même que nous ayons pu nous délester de nos sacs, on nous fait faire des exercices de tir. Les fusils sont moins lourds qu'ils en ont l'air, mais, à cause de leur longueur, certains enfants n'arrivent pas à les tenir droit, sans bouger. On les renvoie au camp, où ils effectuent des corvées, transportent de la nourriture, de l'eau ou des munitions. La première fois que le chef a mis une balle dans mon fusil et m'a dit de tirer sur un melon posé à une certaine distance, j'ai eu peur. Le fusil, vivant désormais, représentait un danger. Ce jour-là, nous étions au moins vingt à nous entraîner. Les commandants nous ont fait mettre en file indienne et nous ont ordonné de tirer à tour de rôle. Le moment venu, j'ai soulevé l'arme et tenté de voir le melon dans le viseur. Lorsque le chef a crié « Feu ! » j'ai appuyé sur la détente et le fusil a détoné et heurté mon épaule, si fort que j'ai failli le laisser tomber. Je n'ai aucune idée de l'endroit où a fini la balle.

Après le dernier enfant, le melon était toujours là. Le chef était très en colère. Il nous a reproché violemment de gaspiller de précieuses munitions. Il nous a prévenus : la prochaine fois, nous devrions faire beaucoup mieux. Avant que

nous arrivions à toucher le melon, il y a eu beaucoup de prochaines fois.

De temps à autre, au lieu de fonctionner normalement, une arme crachait du feu et des fragments de métal chaud parce que le projectile avait
éclaté dans la culasse, et l'enfant qui la tenait
avait le visage et les bras brûlés, était coupé et
saignait, perdait parfois la vue. Les cris et les
larmes étaient si fréquents que j'ai fini par m'endurcir. Au bout d'un certain temps, je n'y faisais
plus attention.

Les explosions provoquées par les grenades
et les balles nous terrifiaient. Pour nous habituer
aux bruits du combat, les autres soldats faisaient
feu près de nous. J'avais toujours peur que l'un
d'eux vise mal ou trop près. À chacune des explosions, nous étions couverts de poussière. Notre
sueur et nos larmes faisaient croûter la terre sur
nos visages. À force de courir dans la brousse,
nous avions la peau et les vêtements lacérés.

Chaque jour, on entraîne un ou deux enfants
à l'écart, le plus souvent ceux qui ont fait subir
des humiliations à des plus petits qu'eux. Le
lendemain, ils réapparaissent, coiffés d'un bandana camouflage et de quelques plumes, ou vêtus
d'un blouson militaire. C'est la récompense du
commandant.

L'après-midi, au moment le plus chaud de la
journée, on nous fait asseoir devant de longues
tables branlantes et on nous ordonne de nettoyer
les armes. Nous empilons les munitions, démon-
tons, huilons et remontons nos fusils. Les chefs

nous obligent à répéter ces mouvements pendant des heures. Nous devons réussir à nous acquitter de ces tâches les yeux fermés, exactement comme nous devrons le faire avant de passer à l'attaque après une longue marche de nuit. Bientôt, j'excelle dans cette tâche et le lieutenant remarque que les autres enfants me demandent parfois de les aider. En fait, ce nouveau talent me procure de la fierté, et j'éprouve de l'attachement pour mon AK-47. Je fais de mon mieux pour le garder bien propre et huilé.

Une jeune fille que j'ai déjà aperçue s'approche de moi pendant que je remonte mon arme. Elle me fait un clin d'œil et me tend les deux poings. J'ouvre mes paumes. Dans l'une, elle pose un morceau de fruit confit et, dans l'autre, une jolie carapace de scarabée rose, si lisse et luisante qu'on dirait un bijou.

Je voudrais lui parler, mais le lieutenant me crie de me remettre au travail.

Je mets le fruit dans ma bouche et la carapace dans ma poche, avec mille précautions. Tandis que la petite masse sucrée fond sur ma langue, le rose lustré de la carapace embue mes yeux. Kesi à mes côtés, je survole Kidom.

Plus tard, après un exercice de tir et une interminable marche, un lourd sac sur le dos, je pars à la recherche de la fille. Il fait déjà noir et je ne sais pas où elle loge. Dans certains abris, je vois des jeunes en train de jouer aux cartes et de fumer. Je jette un coup d'œil du côté du feu utilisé pour la cuisine, où de nombreuses filles se rassemblent

pour superviser les corvées des plus jeunes, mais
elle n'est nulle part en vue.

Le soir, le camp est mal éclairé par de petits
feux. Il y a beaucoup de coins d'ombre et on
entend des rires exagérés, des gémissements
soumis et, à l'occasion, un hurlement. Quelques
enfants sont malades et négligés. D'autres souffrent à cause des blessures qu'on leur a infligées.
Le soir, l'enfer de la journée prend la forme d'un
trou noir dans lequel les démons, transformés
en fantômes vivants, se font encore plus visibles.

En passant devant la tente du commandant, je
me dis que je demanderai à son épouse préférée
si elle connaît cette fille. J'entends du bruit derrière la tente et, furtivement, je la contourne pour
jeter un coup d'œil. Le commandant et deux de
ses lieutenants se tiennent debout autour d'une
fille couchée par terre. La femme du commandant
lui cloue les épaules au sol. Cette fille qui se tortille dans tous les sens, c'est mon amie.

Elle est nue et un des hommes s'allonge sur
elle en grognant et en gémissant. Les chefs font
souvent la même chose avec les jeunes filles, mais
aussi avec les jeunes garçons les plus délicats.
C'est mal et ça cause une douleur cuisante. C'est
une torture et une punition, mais, avec un peu
de chance, on réussit à l'éviter. Il suffit d'être un
fantassin bon et docile.

Je rentre dans ma hutte crasseuse et je m'assois par terre, face au mur. Je mâche le reste de
mon haschich. Puis je sors la fragile carapace du
scarabée et je l'écrase dans mon poing.

## 15

Depuis des jours, Gamba, lieutenant affecté à mon groupe, nous prépare à effectuer un raid d'approvisionnement.

Les plus jeunes du groupe sont naturellement attirés par moi et, chaque jour, ils me suivent de plus en plus fidèlement. Parfois, je leur raconte des histoires de Kidom ou je joue avec eux à des jeux plus paisibles, ceux que j'ai appris à Kesi et que Mosi m'a appris. En d'autres occasions, je n'en ai pas envie. Pour retrouver la solitude, je leur dis de se taire et d'écouter Gamba.

Nous passons beaucoup de temps à écouter Gamba, qui parle, parle et parle encore, mais il est difficile de comprendre ce qu'il dit vraiment. Et il est encore plus difficile de concilier ses propos avec mes observations et les événements des dernières semaines. Plus il parle, et moins je comprends. Sans doute le haschich, le manque de nourriture et les cauchemars qui me tirent du sommeil chaque fois que je m'endors expliquent-ils ma confusion.

Certains jeunes soldats me confient qu'ils ont été forcés de tuer des gens à coups de machette. Ils ont découpé les corps, et le sang a éclaboussé leurs mains, leurs bras, leurs jambes et leurs uniformes. Les chefs voulaient donner une leçon à ces gens en les faisant souffrir ; dans d'autres cas, ils ont utilisé leurs machettes parce qu'ils n'avaient plus de munitions. Mais Gamba insiste sur un point : nous avons raison d'agir ainsi, et les torts que nous subissons légitiment notre lutte. Je secoue la tête dans l'espoir d'y faire le vide, mais les scènes d'horreur y restent gravées. Les chefs font entrer la folie en nous, du matin jusqu'au soir. C'est dans mon crâne une maladie que seules les drogues apaisent. Quand j'arrive à m'en procurer, le brouillard se fait en moi, ça m'engourdit et, pendant des heures, je ne souffre plus. C'est une forme d'évasion dont j'ai de plus en plus besoin.

Un après-midi, je laisse les petits jouer aux billes avec des noix que nous avons ramassées et je pars de mon côté. Gamba me suit. En secret, il me confie que la réussite du groupe repose sur moi, que je dépasse tous les autres en taille et en ruse et que je comprends mieux que quiconque l'importance de notre travail. Je ne lui dis pas que je ne comprends pas grand-chose, en fait. Je ne remets pas en question les motifs de son choix. J'éprouve seulement du soulagement à l'idée qu'il me remarque sans me réprimander.

Nous sommes au milieu d'un champ poussiéreux derrière mon appentis. Je lui dis que je suis à présent capable de m'occuper des petits et que je ferai de mon mieux pour les protéger, mais quant à me battre…

— Si on ripostait ? J'aurais peur de tuer quelqu'un pour de vrai. Jamais Mosi ne ferait une chose pareille.

— Bah, Mosi…

Gamba roule les yeux sans s'expliquer ni répondre à mes questions sur mon frère, que je n'ai aperçu qu'une seule fois, de loin, en train de transporter du petit bois.

Je répète donc :

— Si on ripostait ? J'aurais peur de tuer quelqu'un pour de vrai.

— Ne sois pas bête, dit Gamba. Tu te sens coupable de tuer une mouche ? D'arracher un brin d'herbe ? Ces gens-là ne comptent pas. Ce sont des insectes qui se mettent sur notre chemin. D'ailleurs, nous ne tuons pas tout le monde. J'ai le pouvoir de choisir. Nous gardons les meilleurs, comme toi.

Tuer des mouches... En pensée, je nous revois, Kesi et moi, au milieu du cercle, parfaitement immobiles, adjurant mentalement les jolies mouches vertes de se poser sur nos bras tendus, enduits de miel. Si nous parvenions à attirer assez de mouches, peut-être réussirions-nous à nous envoler, nous aussi. Nous les suppliions de venir vers nous, chérissions celles qui se posaient, chantions pour elles.

Je tente de cacher ce souvenir à Gamba, mais il sort de ma bouche, malgré moi. Il rit très fort, puis il tire des plumes noires de sa poche et les entortille dans mes cheveux, comme l'horrible fétiche de Tinochika. Puis il dit qu'il me fera voler et que plus jamais je n'aurai à ramper au milieu de la vermine.

Pendant trois jours, il me consacre tous ses temps libres. Nous nous assoyons pour mâcher du haschich ou fumer de la marijuana, et je vole, vole. Il me parle, comme à un adulte, du but supérieur qu'est la liberté. J'ai de la difficulté à saisir le sens de ses paroles ou à l'éprouver dans ma chair. Mais j'ai pris l'habitude de l'entendre ressasser les mêmes arguments. Quand il est question de la cause, je nage moins dans la confusion. Gamba justifie encore et encore la cruauté, les horreurs, réitère jusqu'à plus soif l'importance de la riposte et même du fait de tuer des gens. Il me pousse à m'engager : le pourrai-je ? Je suis incapable de répondre, au grand déplaisir de Gamba, mais il parle toujours, me fournit les drogues qui me procurent l'engourdissement dont j'ai besoin. Les mots qu'on nous enfonce dans le crâne et dans les oreilles, à force de les répéter sans arrêt, les exercices et les drogues à longueur de journée, les ordres que nous suivons sous l'effet des drogues et dans l'espoir d'en avoir plus... La plupart du temps, nous nous comportons comme des machines, à condition d'avoir des drogues en quantité suffisante. Et je m'aperçois que je suis à présent un enfant soldat comme les plus vieux et que mon petit groupe subira sûrement bientôt l'épreuve du feu. Au bout de mon fusil, il y aura des gens et non plus des melons.

## 16

Le soir de ce troisième jour, Gamba m'emmène faire une promenade. Il a deux machettes, qu'il m'oblige à transporter, du haschich et un mélange explosif de cocaïne et de poudre à canon, que j'inhale. Il rit en voyant mes yeux s'agrandir et mes

lèvres s'étirer en un large sourire. Je sens des pico-
tements derrière mon cou, comme si ma carapace
s'ouvrait. Je sens mes ailes se déployer, devenir de
plus en plus grandes, de plus en plus larges.

Dans une clairière, je tournoie sous les étoiles
en brandissant mes griffes longues et acérées, en
riant à la folie. Je suis de l'étoffe des géants, des
maîtres de l'univers. Gamba m'acclame, me crie :

— Écrase-la, cette sale bestiole, écrabouille-la.

Je vois une mouche stupide, sale et inutile en
train de gigoter sur le sol et ma maîtrise est parfaite, absolue. Je balance mon bras terminé par
une longue lame argentée et sectionne la mouche
en deux. Je tranche ses ailes, puis je fais un pas en
arrière pour la regarder se tordre et bourdonner
en vain, avant de s'immobiliser.

D'autres jeunes soldats fondent sur moi en sau-
tant, en dansant et en déchargeant leurs armes.
Partout, des étincelles, des éclairs et des bruits.
Gamba, qui rôde près de moi, me propose de la
cocaïne mêlée à de la poudre à canon et j'inhale
le mélange, le fais monter tout droit à mon cerveau. Pendant un moment, je suis comme sous
l'emprise de la folie.

Je danse, moi aussi, ma sueur dégoulinant sur
ma peau. Mes vêtements poisseux collent à mon
corps et j'ai la tête pleine de bruits retentissants et
d'images vives et je ne vois pas clair du tout. Après
des heures, il me semble, mon épuisement est tel
que je m'écroule par terre. Les autres me relèvent
et me placent au centre d'un cercle de visages sou-
riants et d'yeux bordés de blanc. Lentement, le

monde ralentit, s'arrête presque, et je baisse les yeux
sur la mouche brisée au centre du cercle et je vois
le magnifique visage de Mosi me regarder, les yeux
surpris, figés. Je m'avance vers lui en titubant, mais
Gamba m'intercepte et m'entraîne vers le camp.

— Je pense que je l'ai tué, crié-je.

Puis je commence à pleurer à en perdre
haleine. Les larmes ruissellent de mes yeux,
pareilles à du sang.

— Non, non, non…

Je halète, je suffoque, le visage en feu, et j'ai
peine à respirer au milieu de mes sanglots. Gamba
marche à côté de moi, une main sur mon dos.
Chaque fois que mes larmes s'arrêtent, les yeux et
le visage de Mosi, son beau visage si tendre, s'imposent à mon esprit.

— C'est impossible, dis-je en sanglotant.

Et Gamba commence à chanter d'une voix
douce.

— La vie est un cercle, rien ne sert de pleurer…

Il pose son bras puissant autour de mes
épaules et, en me soutenant, me dit que j'ai agi
en soldat courageux, voué corps et âme à notre
cause. J'ai subi l'épreuve avec brio et je fais à présent partie des jeunes chefs. Il semble si fier de
moi… Je me sens malade, je ne sais plus où je
suis. Je suis incapable de retenir mes larmes, mais
je ne veux surtout pas qu'il retire son bras.

Nous finissons par émerger de l'ombre et par
entrer dans le cercle découpé par les feux du
camp. Je sens mes larmes sécher à l'entrée de cet
autre monde familier. Ce n'est pas le mien, mais

c'est au moins un monde différent de celui d'où je sors. Peut-être ai-je tout imaginé.

Puis la machette que je traîne derrière moi heurte une pierre. En entendant le bruit, je me souviens et je revois les yeux de Mosi. Mon estomac se soulève. Dans ma main, la lame est lourde et brûlante et je la laisse tomber. J'ai l'impression de me délester d'un poids immense. Je me jure de ne plus jamais toucher une machette. Je suis sale et moite. L'odeur du sang séché sur mes bras et mon visage m'écœure. À présent, je suis un monstre comme eux, comme ces chefs soldats, et ils se réjouissent pour moi.

Gamba me raccompagne jusqu'à mon appentis, jusqu'à mes camarades. Personne ne me demande rien. On me tend une bière. Le délicieux liquide apaise ma gorge à vif.

Un des chefs adultes se penche pour entrer sous notre tente et laisse tomber par terre la machette ensanglantée. Tandis que nous la regardons tous, il éclate de rire. Un de mes camarades la ramasse et s'en sert pour me donner une tape dans le dos. Puis il l'emporte dans un coin et la nettoie comme on nous l'a enseigné. Ensuite, il l'affûte à l'aide d'une pierre. Seuls ses gestes rythmiques percent le silence de la hutte. Les visages qui m'entourent trahissent une certaine compassion. Au bout d'un moment, un des plus vieux dit :

— C'est le premier qui est le plus dur. On voudrait que le sol s'ouvre et nous avale. On ne veut pas continuer. La deuxième fois, on s'attend à ressentir la même douleur. Et puis, non, pourtant. On s'en veut. La troisième fois, on est juste curieux de voir ce qui va arriver.

Je n'ose pas lui demander si sa première victime était son frère.

Nous fumons de la marijuana jusque tard dans la nuit. Je n'ai plus ni foyer ni Kidom, me dis-je. Tout ce que j'ai est ici. Tuer ou être tué. Enseigner aux autres à faire comme moi pour ne pas être l'exception.

# 17

Au cours des deux semaines suivantes, on me confie officiellement la responsabilité d'un petit groupe d'enfants. Je dois leur enseigner le maniement des armes, les endurcir. Après leur initiation, d'autres jeunes viennent me voir, les yeux défaits, impuissants. Souvent, ils ont sur les lèvres le sang séché des morts.

Je me rends compte que de telles initiations sont essentielles à la formation de bons soldats, mais je sens… Je sens encore des choses, mais plus beaucoup.

Un matin, Gamba nous dit de nous préparer à effectuer un raid.

— Vous allez traverser le village comme si vous faisiez le marché. Prendre tout ce qui peut nous servir. Les choses comme les gens.

Pas de machettes, s'il vous plaît, s'il vous plaît, s'il vous plaît, pensé-je. Seulement mon AK-47. Il est tellement plus facile de tirer sans voir les gens de près, sans avoir à les regarder dans les yeux. Il suffit de rester immobile et d'appuyer sur la détente. Pas de bruits de déchirure, pas de coups sourds. Qu'un gros BANG ! Je secoue la tête, chasse les pensées qui s'y pressent et sors un bout de haschich de ma poche.

Gamba me fixe pendant un moment, puis il me tend quelques chiffons gris noués bout à bout pour que je les entortille autour du canon de mon AK-47. Ainsi, mon arme devient invisible entre mes mains. Ce n'est plus un fusil, mais un bâton magique capable de donner la mort, de faire l'œuvre du diable. Je fais désormais partie des chefs rebelles et mon lieutenant a foi en moi. Je redresse les épaules et regarde les fantassins qu'on m'a assignés.

Quelques groupes d'enfants se mettent ainsi en route, chacun dirigé par un chef. Gamba et deux autres lieutenants nous accompagnent. Mes soldats ont en moi une confiance absolue, notamment parce que Gamba répète sans cesse que j'ai l'étoffe d'un leader. Je prends la tête de la colonne. C'est moi qui dirige, me dis-je, et mon armée marche derrière moi.

Dans la chaleur du soleil, les épaisses feuilles vertes de la vallée sont chatoyantes. Nous marchons, marchons longtemps en chantant à tue-tête, hardiment, et en scandant les slogans que le commandant et ses lieutenants nous ont appris.

Nous marchons très longtemps en nous laissant guider par le soleil. Bientôt, il est à son zénith, inutile.

— Bon, dit Gamba, nous allons dormir. Nous ferons le reste du trajet dans la fraîcheur du soir et vous attaquerez demain matin.

## 18

Cette nuit-là, le ciel est magnifique, la lune, omni-présente. Il est beaucoup plus facile de s'orienter dans les sentiers étroits de la dense forêt de bambous, mais, en même temps, nous sommes nerveux, car on risque de nous apercevoir depuis le flanc des collines avoisinantes. Nous dormons pendant la majeure partie de l'après-midi, mais ce sommeil n'est pas réparateur. Tant d'idées tournent follement dans ma tête.

Gamba nous dit de nous préparer à vivre une journée excitante. En attaquant le village, nous montrerons à tous ces gens qu'ils ont intérêt à faire preuve de loyauté envers nous, sans quoi ils risquent l'extermination.

Après avoir marché pendant des heures sur le sentier, nous faisons halte au bord d'un petit ruisseau. On nous convoque, nous, les chefs subalternes, et on nous donne les derniers ordres en les répétant à plusieurs reprises pour s'assurer que nous avons bien compris. Nous attaquerons par le côté boisé du village, aux premières lueurs de l'aube. Le soleil dans le dos, nous distinguerons nos cibles sans difficulté, tandis que les villageois, éblouis, auront du mal à nous voir. Nous lance-rons l'offensive au moment où ils entreprendront leurs corvées matinales et nous les prendrons totalement au dépourvu. C'est une bonne tactique. Ainsi, les membres de mon groupe risqueront moins d'être blessés ou tués. Pendant nos longues soirées, au camp, j'ai entendu le récit d'enfants qu'on a abandonnés, pendant les raids, ou après, dans les sentiers. Là, ils ont été la proie des bêtes sauvages, des insectes ou des villageois qui avaient survécu. Ou ils sont morts à petit feu, seuls.

Au moment où Gamba finit de parler, un coup de tonnerre suivi par la foudre nous secoue tous de part en part. Puis une pluie torrentielle, de celles dont nous avons l'habitude en cette saison, mais qui, jusque-là, ne se sont pas manifestées, s'abat sur nos troupes. En m'efforçant tant bien que mal de rejoindre mon groupe sous le déluge, je me tourne vers Gamba, qui sourit de toutes ses dents.

— C'est la couverture idéale, crie-t-il derrière nous. Sous la pluie, ils ne pourront ni nous voir ni nous entendre.

Je retrouve mes onze garçons et filles. Armés et vêtus d'uniformes mal ajustés, ils se blottissent sous des feuilles de bananier dans l'espoir de rester au sec. Ils s'agglutinent autour de moi et, en leur parlant le plus doucement possible, malgré le vrombissement de la pluie sur les arbres et les éclaboussures dans les flaques autour de nous, je leur communique les dernières directives.

Nous recevons l'ordre d'avancer aux premières lueurs de l'aube, alors qu'il pleut toujours à verse. À la lisière des arbres, je commande à mes camarades de se tenir à une longueur de bras les uns des autres. Malgré la formation que nous avons reçue et la confiance qu'ils ont en moi, j'ai les paumes moites. C'est un moment capital pour notre assaut, mais aussi pour moi. Le commandant est impitoyable envers les chefs qui ne se montrent pas à la hauteur. Si je laisse voir le moindre signe de peur à ma petite bande de jeunes soldats, nous sommes perdus. Ils sont accroupis dans les hautes herbes mouillées, à l'orée de la brousse, et je vais les voir à tour de rôle. Il y a des paires d'yeux féroces et fâchés, prêts à semer le bruit et la terreur. Il y a des paires d'yeux que les drogues ont rendus flous, mais au moins ils sont tournés du bon côté, et leurs propriétaires tiennent fermement leur arme en main. Mais il y a aussi des paires d'yeux terrorisés, en état de choc, qui regardent droit devant, dans l'espoir de ne voir personne, de n'avoir à tirer sur personne. Je distribue tous les encouragements possibles, puis, en rampant, je me positionne devant eux et j'attends le signal du lieutenant.

Nos armes sont chargées et prêtes à faire feu. J'arme mon fusil et j'entends derrière moi le déclic des verrous de sûreté qu'on retire. J'ai si bien huilé mon AK-47 que la pluie forme des bulles sur toutes les parties du canon que les chiffons laissent à découvert. J'ai la certitude que l'arme tirera si j'appuie sur la détente, et cette idée me réconforte.

Gamba donne finalement le signal à l'aide du sifflet qu'il porte autour du cou. Il siffle, siffle encore. Comme sous l'effet de ressorts, je bondis et, délaissant le couvert des arbres, je cours dans les hautes herbes et les plants de maïs qui nous séparent des premières huttes. Je crie et, sans viser, tire en direction des huttes. En galopant, je sens, sur mes talons, la présence de mes camarades qui courent et tirent, courent et tirent. Sous la pluie et les nuages bas, les explosions des lance-roquettes et des grenades résonnent plus fort encore que d'habitude, mais je cherche surtout à nous rapprocher du village. Je me concentre sur la maison circulaire en terre crue, tire dans les fenêtres, puis j'oblique vers la gauche pour me glisser entre cette hutte et la suivante. Le cœur battant, j'ai du mal à crier avec les autres pour faire peur aux villageois, à cause de ma gorge sèche, mais j'exécute le plan conformément à la formation que j'ai reçue. Puis la peur et l'appréhension disparaissent tout à fait. Soudain, je me mets à planer, autant que si j'avais inhalé de la cocaïne et de la poudre à canon.

Telles des fourmis fuyant leur nid, des gens sortent des huttes en criant et en courant dans tous les sens. Une grenade touche la hutte que je mitraille et elle s'enflamme aussitôt. Personne n'offre la moindre résistance. Les villageois cherchent simplement à s'enfuir. Le blitz sera bientôt terminé, aucun doute possible. J'atteins enfin l'espace entre la hutte en flammes et sa voisine. Comme on me l'a enseigné, je continue de faire feu en courant entre les huttes et je m'apprête à tirer à l'aveugle à l'intérieur dès que je serai devant la porte.

Soudain, les tirs s'intensifient considérablement et emplissent mes oreilles. Au centre du
village, des cris retentissent et j'ai l'impression
que de nombreuses autres armes ont ouvert le
feu. Cependant, je ne pense déjà plus qu'à la cible
suivante et je ne remarque pour ainsi dire rien.

Je sens la présence de mon groupe de jeunes
guerriers derrière moi, emportés dans une course
aussi folle que la mienne. Certains mitraillent déjà
la rangée de huttes suivante, tirent entre elles.
Bientôt, je débouche devant la hutte en faisant
feu sans arrêt, je suis sur le point de défoncer la
porte. Moins de six mètres devant moi se tient un
soldat adulte de grande taille, coiffé d'un casque
bleu. La couleur tranche tellement sur les teintes
ternes de la brousse et sur le reste de son uniforme que l'effet du choc me cloue presque sur
place. Il pointe son fusil sur moi.

J'ai les yeux brûlants, la tête trop pleine de
directives et d'émotions contradictoires. Je sens
autant d'excitation fiévreuse que de peur. Là, en
ce moment, nous sommes deux guerriers qui se
font face, lui avec son arme, moi avec la mienne.
Je réagis, j'appuie longuement et fortement sur
la détente.

Je vois mes balles entamer les briques de pisé,
provoquer de petites explosions de boue séchée.
Le soldat au casque bleu s'éloigne et je vois les
minuscules éclairs que crache son arme.

Quelque chose m'atteint à la poitrine. C'est
comme si j'avais reçu un furieux coup de bâton.
La violence de l'impact et la douleur instantanée

me font culbuter. Je ne sais plus où je suis, je n'ai plus de force. Soudain, je me retrouve sur le dos, dans la boue, et la pluie tombe sur moi, si doucement que je la sens à peine. J'ai la poitrine cuisante, comme si un feu y brûlait, mais je ne parviens pas à l'éteindre.

On dirait que je ne peux plus bouger. J'ai un goût de sang dans la bouche et la respiration haletante, comme si j'étais sous l'eau et que je n'arrivais pas à gonfler mes poumons. Dans ma tête, le constat se fait clairement et simplement : j'ai reçu des balles et je vais mourir.

Mon esprit s'affole, tous mes repères se brouillent. À tâtons, je cherche quelque chose de familier, quelque chose qui puisse me protéger. Kesi, Mosi, maman, papa, Jacob, Mashaka, Baingana, les créatures de Kidom… Ces visions me font encore plus mal, et c'est une douleur qui vient du ventre, du fond de moi. Pendant des jours et des nuits, j'ai souffert de l'absence de ma famille, de mes amis, de ma maison, de mon monde, et je suis sur le point de les perdre pour toujours. Une vague de souffrance et de frayeur solitaires déferle sur moi, s'enfonce en moi, me plonge dans les ténèbres.

## 19

Maintenant, je le vois à côté de moi. Ce soldat. Je reconnais, comme dans un brouillard, son visage blême et ses grands yeux qui me regardent d'un air surpris. Je ressens de la surprise, moi aussi. Il est énorme, mais immobile. Son uniforme kaki est foncé, mais son casque, sur lequel est écrit UN, est bleu pâle. Je sais ce que les lettres signifient. Elles symbolisent la paix, le maintien de la paix, la protection. Mais que fait-il ici ? Pourquoi Gamba ne nous a-t-il pas dit que des casques bleus protégeaient le village ? C'est mal. Nous ne devions pas nous battre contre les casques bleus et ils ne devaient pas se battre contre nous. Le commandant nous a dit que nous luttions tous pour la sécurité et pour la victoire, que nous devions punir ce village, l'empêcher de poursuivre la guerre.

J'ai l'esprit embrouillé, en désordre, mais j'arrive à distinguer l'ombre de sa cuisse à côté de mon visage, et je tends la main pour toucher l'étoffe de son uniforme. Les blessures causées par ses balles me font mal, mais je vois son visage blanc et ses yeux ébahis. Mes balles ne l'ont pas atteint, pourtant il ne faut pas rater la cible. Pourquoi l'ai-je raté, lui ? Pourquoi ses balles ont-elles fait mouche ?

La douleur dans ma poitrine me suffoque. Où sont mes frères, ma mère, ma petite sœur, mon père ? Où est Baingana, mon instituteur aux mots remplis de merveilles ? Je tends l'autre main dans l'intention de tracer un cercle autour de moi, parce que ce n'est pas la réalité, ici, pas plus que Kidom n'est la réalité. Mais c'est là que je veux aller. Je veux retrouver Kidom.

Ma poitrine me fait encore souffrir, mais il y a quelque chose en moi de plus léger et le silence qui m'entoure me rappelle celui du soir quand, à l'aide d'un bâton, je créais Kidom sous le ciel noir où scintillaient d'innombrables étoiles.

La solitude a disparu à présent. Si Kesi se tient tranquille, je vais peut-être même la laisser entrer dans le cercle. Je ne sens plus ni colère, ni folie, ni tristesse, ni solitude. Je ne suis ni un combattant ni un soldat. Je peux être moi. Maintenant, je suis libre. Cette douleur dans ma poitrine me libère et je suis de nouveau moi.

Je vole en m'agrippant aux ailes d'une libellule. Je ne suis plus, je ne suis nulle part. J'étais parmi les soldats et là je suis de nouveau enfant.

# 5
## COMMENT ON FABRIQUE UN ENFANT SOLDAT

L e personnage d'enfant soldat tué par un casque bleu à la fin du chapitre précédent est inventé, mais les circonstances, elles, sont hélas des plus réelles. On estime à plus d'un quart de million le nombre d'enfants combattants qui, aux quatre coins du monde, prennent part à des guerres ; au cours des dernières décennies du xxᵉ siècle, de nombreux adultes de divers pays à des stades plus ou moins avancés d'effondrement social et de guerre civile, en Amérique du Sud, en Afrique, au Moyen-Orient et en Asie, ont pris une décision tactique : recruter des enfants et les laisser se battre à leur place. (Les lecteurs des démocraties stables tentés de croire qu'on ne déploie ce système d'armes que dans les nations qui connaissent de graves troubles sociaux devraient songer aux enfants de plus en plus nombreux utilisés de la même façon par les gangs de rue impliqués dans le commerce de la drogue.)

Nous vivons à une époque où, à la suite de l'Holocauste et de la création de l'organisme de gouvernance mondiale qu'est l'ONU, les droits de la personne bénéficient d'un soutien sans précédent au niveau international. Pourtant, au moment

même où les efforts humanitaires et diplomatiques internationaux se concentraient sur la codification et la protection
des droits fondamentaux de tous les êtres humains, y compris
la sécurité de la personne, l'humanité a élaboré un nouveau
système d'armes, aujourd'hui répandu, qui exploite les plus
vulnérables et les plus remplis d'espoir d'entre nous. Elle se
sert ainsi de son avenir pour anéantir son présent.

Comme je l'ai déjà indiqué, l'utilisation d'enfants à des fins
militaires bien circonscrites, comme porteurs, petits tambours
et cuisiniers, ainsi que dans d'autres fonctions de garnison non
liées aux combats, remonte aux temps anciens. Au fil des siècles, cependant, on a toujours considéré comme abominable le
déploiement d'enfants (en particulier ceux de moins de seize
ans) dans des zones de combat actif. D'où vient donc ce tragique renversement de situation ?

Lorsque des États se délitent, que leurs chefs perdent la
raison et que le chaos de la violence s'empare des âmes, de
terribles idées, profitant de ce terreau propice, germent dans
l'esprit des êtres humains, qui n'hésitent pas à passer aux actes.
La pratique ne se limite pas à l'Afrique : qu'on songe à la création et à l'exploitation systématiques d'enfants vulnérables
comme tueurs de masse sous le règne des Khmers rouges. Toutefois, étant donné mon expérience personnelle et le fait que,
selon certaines estimations, plus de la moitié des enfants soldats du monde se trouvent en Afrique, j'utiliserai quelques
pays de la région des Grands Lacs, en particulier le Burundi,
la République démocratique du Congo (RDC), le Rwanda et
l'Ouganda, pour illustrer le problème plus large que connaît
le monde.

\* \* \*

Lorsque je suis arrivé dans la région en 1993, j'ai été frappé par la luxuriance de la végétation, à des années-lumière des images de sécheresse que je m'étais faites. J'ai eu le sentiment d'entrer dans un Éden fait de collines vertes ondulantes, de fleurs et d'oiseaux tropicaux aux couleurs vives, d'épais brouillards pesant lourdement sur des vallées couvertes de rosée.

Tous les pays des Grands Lacs bénéficient d'un climat modéré, d'un sol riche, d'abondantes richesses minérales (à cet égard, le Congo est particulièrement favorisé) et de ressources en eau considérables. Compte tenu de ces avantages, ils devraient figurer parmi les pays les plus prospères du monde. Or, ils comptent plutôt parmi les plus pauvres et les plus dévastés de la planète. Des siècles d'ingérence et d'exploitation euro-occidentales (esclavage, colonialisme, guerre, corruption et brutalité) et leurs conséquences dévastatrices (déplacements de populations, maladies, pauvreté, sous-développement, famine et conflits internes) ont pratiquement détruit le potentiel de ces pays. On a chambardé et réprimé sans pitié des sociétés traditionnelles, créant ainsi des populations aux abois, privées de tout développement naturel. Il en est aussi résulté un climat d'impunité dans lequel des êtres prêts à recourir à la force pour s'arroger des privilèges ont pu envisager toutes les options possibles pour parvenir à leurs fins, y compris l'utilisation des enfants soldats.

Des centaines d'années d'histoire finissent parfois par créer une lame de fond, et c'est ainsi qu'éclatent des conflits ethniques nés de l'assujettissement d'une tribu par une autre. Mais il arrive aussi que la source des frictions entre belligérants soit relativement récente. Dans l'Afrique postcoloniale, la répartition inégale des pouvoirs et la pauvreté pure et simple ont empêché la démocratie de prendre racine dans de nouveaux États souverains, contraints de s'inventer à l'intérieur des frontières artificielles léguées par les régimes coloniaux. Dans ces nouveaux États, les lignes de faille étaient nombreuses, et les débordements violents, inévitables. Dans les cas les plus extrêmes, elles ont conduit au nettoyage ethnique, voire au génocide.

Pendant les guerres civiles qu'a connues la région (comme dans toutes les guerres civiles, ainsi que le montre le récent conflit dans les Balkans), la population devient la cible et, dans le contexte des luttes de pouvoir, la ressource essentielle à gérer au moyen de la terreur, des menaces, des mensonges, de la force brute et de la peur. Les faibles taux d'alphabétisation, auxquels s'ajoutent les pressions démographiques exercées par la surpopulation, notamment le très grand nombre de pauvres et de désœuvrés chez les jeunes, avivent le mécontentement suscité par les disparités économiques et sociales. Partout dans les zones urbaines de la région, le désenchantement et la dépossession des jeunes sont palpables.

J'ai observé ce phénomène dans toute son acuité pendant la guerre civile et le génocide rwandais. Avec l'imminence de la victoire du FPR, les extrémistes ont forcé des millions de citoyens à trouver refuge en Tanzanie et à Goma, en RDC, en passant par d'étroites ouvertures frontalières de même que par la toute nouvelle Zone de protection humanitaire (créée par le Conseil de sécurité de l'ONU et administrée par une force de maintien de la paix franco-africaine agissant en vertu du chapitre VII de la Charte des Nations unies). Des centaines de milliers de personnes terrorisées de tous âges ont ainsi été entassées dans d'immenses camps de réfugiés et de déplacés internes, sur lesquels les extrémistes exerçaient une mainmise brutale et quasi absolue. Toujours munis de machettes et d'armes légères, les chefs extrémistes et leurs laquais faisaient peu de cas des canaux officiels établis pour la distribution de l'aide humanitaire, des aliments à l'eau en passant par le petit bois et les médicaments. Ils ont submergé les nombreuses ONG qui, pour des raisons de sécurité, s'étaient déployées juste de l'autre côté de la frontière du Rwanda. En fait, les extrémistes, à force de manipulations et même d'intimidations, ont fini par convaincre ces organisations de leur céder le contrôle de la distribution de l'aide humanitaire d'urgence. Ces dernières ont obtempéré dans l'espoir que l'aide profiterait au moins à certains réfugiés. Dans ces camps, des Rwandais des deux ethnies étaient gardés en otages ; on les empêchait de rentrer chez eux en appliquant des mesures brutales, notamment le sectionnement des tendons d'Achille de ceux qui tentaient de s'évader.

Nous, Occidentaux, portons l'essentiel de la responsabilité du conflit du Rwanda (et de beaucoup de ceux qui dévastent l'Afrique). À l'origine, les groupes « ethniques » qui se disputent la suprématie, en particulier les Hutus et les Tutsis, étaient désignés en fonction de leur métier plutôt que de leur identité ethnique : les Tutsis étaient propriétaires et éleveurs de bétail, les Hutus, agriculteurs. Avant l'invasion coloniale de la fin du XIX$^e$ siècle, un Hutu pouvait devenir tutsi en faisant l'acquisition de têtes de bétail, et un Tutsi pouvait devenir hutu en cultivant un lopin de terre.

À l'époque du premier contact avec les Européens, ces groupes avaient une langue, une religion, une culture, une musique, une rhétorique, une poésie et des coutumes communes.

Sur la seule foi de leurs préjugés (et donc de façon tout à fait arbitraire), les colonisateurs européens nouvellement arrivés ont statué que les Tutsis formaient une race supérieure à celle des Hutus. Ainsi, les Tutsis ont eu accès à des écoles et à des postes de petits fonctionnaires. Ils ont aussi été exemptés du travail forcé. On leur a répété que, en tant qu'êtres supérieurs, ils étaient les dirigeants naturels du pays (sous la férule du pouvoir colonial, bien entendu) et que les membres de la majorité hutue étaient des créatures inférieures qui valaient à peine plus que des bêtes de somme.

Pendant des générations, sous les Allemands d'abord et sous les Belges ensuite, on a inculqué aux Tutsis et aux Hutus cette interprétation européenne de leur histoire. La création de cette identité fausse et raciste a eu des conséquences dévastatrices : une guerre civile et un génocide au cours desquels, en plus des pertes de vie massives, des enfants des deux camps ont été tués, privés de leurs parents ou transformés en tueurs.

Dans le reste de l'Afrique et ailleurs dans le monde, la fin de la guerre froide a créé une sorte de « tempête parfaite » qui a fait basculer de nombreuses démocraties naissantes aux mains de dictateurs qui avaient bénéficié du soutien de l'Est ou de l'Ouest au cours de la période postcoloniale. Lorsque l'Ouest l'a emporté et que le mur de Berlin est tombé en 1989, nos gouvernements ont tout simplement abandonné les pays qui relevaient au préalable de la sphère d'influence de l'Occident et leur ont laissé le soin de redresser par eux-mêmes leurs systèmes de démocratie, de gouvernance, de justice et de respect des droits de la personne, tous dans un état précaire. Faute d'attention et d'argent (la Russie et les pays de l'ancien bloc de l'Est ont bientôt été frappés par une crise financière), l'influence soviétique s'est elle aussi effritée.

Pour parfaire cet abandon, l'Occident a également imposé à ces pays des objectifs exigeants et inatteignables : pour obtenir l'aide des gouvernements et des institutions financières internationales comme le Fonds monétaire international (FMI) et la Banque mondiale, ils devaient adopter les principes de la démocratie. L'irresponsabilité dont nous avons fait preuve pendant les périodes coloniale et postcoloniale, surtout après la guerre froide, est proprement ahurissante. Nos gouvernements ont créé des élites et laissé faire les chefs d'État qui plaçaient leurs intérêts personnels avant ceux de leurs commettants. Nous avons voué ces pays à l'échec : nous avons favorisé ou, au mieux, ignoré la corruption et l'escroquerie, l'exploitation illégale des ressources par les multinationales et les élites locales de même que la misère croissante de millions de personnes. Lorsque, au terme de la guerre froide, nous leur avons tourné le dos en criant victoire et en proclamant l'avènement d'une époque plus douce et plus humaine, voire d'un nouvel ordre mondial, ces pays ne se sont pas gênés pour nous renvoyer notre rhétorique en plein visage.

Au sein de tels États, le centre du gouvernement s'effondre rapidement ; la police, le système judiciaire et les autres institutions chargées du maintien de l'ordre public n'existent plus ou ne sont plus en mesure d'assumer leurs fonctions. En RDC (le Zaïre, à l'époque), les milices, en se désintégrant, se sont constituées en gangs armés voués au pillage, et des commandants militaires établis à leur propre compte ont utilisé des unités de l'armée pour s'enrichir, tandis que les dirigeants exploitaient les ressources économiques de l'État à leurs fins personnelles. Selon des rapports de témoins oculaires provenant du Liberia et de la Sierra Leone, la société tout entière, les enfants comme les adultes, a sombré dans la folie collective lorsque les institutions gouvernementales se sont effondrées. L'une des caractéristiques de ces États en déliquescence est la brutalité et l'intensité de la violence à laquelle les citoyens font face. Dans ces conflits internes, on observe une dynamique fortement imprévisible, voire explosive, de même qu'une radicalisation de la violence.

Au cours des vingt dernières années, l'implosion d'États-nations aux quatre coins de la planète, mais surtout là où les grandes puissances ont eu des intérêts, a entraîné une vague de désastres humanitaires. Dans ce contexte, les factions en présence prennent les armes pour se procurer des avantages que des gouvernements incompétents sont impuissants à leur fournir. Aujourd'hui, le réchauffement de la planète menace de conduire le continent africain, en particulier, au bord de la catastrophe, qu'il s'agisse de soulèvements populaires ou de famines.

Au cœur même de cette tragédie se trouvent des millions d'enfants. Parmi eux, trop nombreux sont ceux qui ont été victimes d'un crime contre l'humanité à nul autre pareil, c'est-à-dire leur exploitation comme soldats.

Nous ne pouvons pas récrire l'histoire, mais nous pouvons nous engager dès aujourd'hui à créer un avenir dans lequel les enfants ne seront plus jamais appelés à participer à des guerres en tant que soldats. À partir des recherches préliminaires que j'ai menées au Carr Center ainsi que du travail d'ONG et de journalistes et enfin du projet de recherche intitulé Initiative Enfants soldats que j'ai fondé, je montrerai, dans le présent chapitre et dans les deux suivants, comment on fabrique et utilise des enfants soldats, mais aussi comment on les désarme, démobilise et réintègre (dans la mesure du possible). Je vise ainsi à déconstruire les pratiques aboutissant à leur asservissement et à trouver les moyens de les éliminer.

* * *

Comment en est-on venu à utiliser l'enfant soldat comme système d'armes ? De toute évidence, les raisons sont nombreuses et complexes. Elles sont aussi fondamentalement tragiques, mais, pour favoriser l'analyse critique et la recherche de solutions, je m'efforcerai de les énumérer et de donner des exemples sans céder trop souvent à la tentation de la diatribe ou à celle des larmes.

Les raisons sont sociales et historiques (qu'on songe à la pauvreté et à l'instabilité que j'ai déjà évoquées) aussi bien que pratiques et tactiques (pensons seulement au nombre grandissant d'enfants dans les pays en développement de même qu'à leur malléabilité et à l'accessibilité d'armes légères qu'ils peuvent manier sans mal). Dans certains cas, elles sont carrément sinistres («réussites» sur le terrain, impunité pénale et mépris total de l'humanité des enfants).

J'aimerais dans un premier temps m'intéresser au cas d'un garçon ou d'une fillette qui grandit dans un pays de la région des Grands Lacs et qui, par conséquent, est particulièrement susceptible d'être recruté comme enfant soldat.

Si les enfants sont naturellement résilients et portés au bonheur (à mon avis, plus encore dans les pays en développement, où, pour ainsi dire privés de jouets, ils doivent miser sur leur ingéniosité et leur créativité), l'instabilité qui règne dans la région fait en sorte que la vaste majorité d'entre eux grandit dans une pauvreté extrême et abjecte. Ils sont en proie à la malnutrition, avec de faibles taux de survie, de mauvaises conditions sanitaires et des services de santé quasi inexistants, un accès limité à l'éducation et plus encore à l'école gratuite.

Imaginez-vous dans la peau d'un enfant de cette région. Vous vivez vraisemblablement dans une collectivité rurale ou sur un petit lopin de terre, et votre subsistance dépend entièrement du rendement de la terre familiale. Si la terre est très féconde et si on parvient à en tirer deux récoltes les bonnes années, l'agriculture de subsistance demeure précaire, dans le meilleur des cas, en raison de la surpopulation, les grandes familles ayant accès à des terres de plus en plus petites. Même si les récoltes sont bonnes, vous arriverez à peine à survivre.

Pour l'essentiel, la situation se résume comme suit : si le temps est clément, vous mangez ; en cas de pluies trop abondantes ou insuffisantes, vous crevez de faim jusqu'à l'arrivée éventuelle de l'aide alimentaire. Vous êtes sous-alimenté en permanence ; selon toute vraisemblance, votre croissance est retardée et vous êtes en état d'insuffisance pondérale et de carence vitaminique, avec leur lot de maladies connexes. Le changement climatique imputable au réchauffement de la planète ainsi que la déforestation et l'érosion des sols qui en résultent laissent entrevoir un avenir fait de sécheresses, de famines et de morts, mais ce sont les problèmes de demain ; votre famille et vous devez survivre au jour le jour.

Une bonne récolte ne signifie pas nécessairement que vous mangerez à votre faim. Des bandits ou des soldats vous la voleront peut-être. Sinon, des combats risquent de la détruire. Ou encore, vous devrez l'abandonner pour fuir les violences intercommunautaires ou les désastreuses guerres civiles qui rongent votre patrie.

Puisque vous avez vu le jour dans cette région, vous avez sans doute plusieurs frères et sœurs, mais au moins un enfant sur cinq meurt à la naissance, un autre avant l'âge de cinq ans et, à cause de pandémies comme le VIH-sida et de maladies comme la tuberculose et le paludisme, un troisième avant l'âge de la majorité. Une mère sur treize meurt en couches, et toute votre famille est parfaitement consciente des effets des maladies, des affections et aussi, trop souvent, de la mort.

Les mesures d'hygiène et les soins de santé sont quasi inexistants ; si des services médicaux existent, ils sont probablement au-dessus des moyens de votre famille. Vos parents de même que vos sœurs et frères sexuellement actifs risquent de contracter le VIH-sida (une personne sur quinze), en général synonyme de mort lente et douloureuse. Dans cette région, j'ai vu le sida faucher toute une génération de la même famille en une seule année. Les grands-mères n'arrivaient pas à s'occuper de tous les orphelins, et il n'y avait pas non plus de programme gouvernemental destiné à les prendre en charge. Par le passé, il se trouvait toujours un membre de la famille élargie pour accueillir sous son toit les enfants dont les parents étaient morts, ce qui illustre bien la force de la culture et le sens de la responsabilité familiale dans la région. La notion même d'orphelin y est en fait toute nouvelle.

L'eau, besoin humain fondamental, représente un défi quotidien. Il est rare qu'on ait une source d'eau propre et potable à une distance raisonnable de chez soi. Aller puiser de l'eau est une corvée accablante ; si vous êtes une fille, elle vous échoit automatiquement. En effet, de nombreuses filles doivent chaque jour marcher des kilomètres pour aller chercher de l'eau sale et contaminée ; ce faisant, elles s'exposent à de nombreux dangers. Dans certains cas, elles commencent si tôt que les lourds fardeaux qu'elles transportent les déforment physiquement. Souvent, les corvées sont si accaparantes que les filles n'ont tout simplement pas le temps de fréquenter l'école.

Si vous avez vu le jour dans la région, vous êtes vraisemblablement à peine alphabétisé et vous avez un accès limité, voire inexistant, à l'éducation et à la formation technique qui vous permettraient d'améliorer votre sort. Dans votre famille, vous parlez une langue comme le kirundi, le kinyarwanda, le swahili ou l'une des dizaines de langues de la région, mais vous ne savez ni la lire ni l'écrire, à moins que vous ayez eu la chance d'aller à l'école. Au moment où la transmission orale traditionnelle de l'histoire et des coutumes est compromise par des pandémies comme le VIH-sida, les aînés étant surchargés de travail et souvent eux-mêmes malades, l'alphabétisation devient encore plus importante et, en même temps, plus difficile d'accès. Si vous n'allez pas à l'école, vous n'apprendrez pas à parler, à lire ni à écrire l'une des langues européennes, l'anglais ou le français, par exemple, lesquelles peuvent aussi ouvrir la porte à une vie meilleure.

La plupart des enfants ne fréquentent pas l'école parce que leur famille ne peut ni les dégager de leurs corvées quotidiennes ni acquitter les frais de scolarité : en effet, l'État ne verse qu'une maigre pitance aux instituteurs et ne fournit aucun matériel scolaire. Étant donné les conflits qui déchirent la région, il arrive que les enfants qui auraient le temps et les moyens de le faire ne puissent cependant pas fréquenter l'école parce qu'elle a été fermée (l'instituteur est mort ou a été tué, ou encore l'immeuble a été détruit). Trop souvent, les écoles sont tout simplement trop éloignées pour que les enfants puissent y aller à pied (en particulier dans les secteurs habités par des familles de réfugiés ou de déplacés internes).

Si vous vivez dans une région où il y a une école et que votre famille a les moyens de vous y envoyer, vous devrez peut-être accomplir un long trajet à pied pour vous y rendre et en revenir, au risque d'être attaqué par des animaux ou d'autres humains. Entassé dans une seule pièce avec plus de quarante élèves de tous les niveaux, devant un tableau noir peint sur un mur et une quantité très limitée de crayons et de papier, vous aurez toutes les peines du monde à obtenir un minimum d'éducation. Souvent, il est impossible de faire ses devoirs. Si près de l'équateur, le soleil se lève rapidement vers six heures du matin et se couche abruptement vers six heures du soir. Une fois vos corvées et votre maigre repas terminés, il fait nuit noire, à l'intérieur comme à l'extérieur. Or les chandelles coûtent cher et l'éclairage électrique est pratiquement inexistant. Et le matin, comme vous devez vous lever avant l'aube pour aller chercher de l'eau, allumer le feu et participer à la préparation du déjeuner, vous n'avez pas beaucoup le temps d'étudier non plus.

Et pourtant, la présence d'une école dans un village ou à proximité représente un avantage considérable dans la mesure où il s'agit d'un signe tangible de stabilité et de sécurité. Si rudimentaire soit-elle, une école est synonyme de discipline, d'uniformes colorés et d'amitiés. C'est aussi un endroit où jouer et échapper aux tâches journalières banales mais essentielles. Pour un enfant élevé dans un pays en développement, cet aspect est presque aussi capital que la satisfaction de la soif de connaissances. Là où il n'y a pas d'école, les enfants sont souvent privés du droit de jouer, de rêver et de grandir.

Trop souvent, cependant, ce sont les enfants appartenant à l'élite urbaine, ceux qui ont démontré des capacités «exceptionnelles», qui font effectivement des études avec l'aide de groupes religieux ou d'ONG. Imaginez les frictions ouvertes qu'entraînent de tels privilèges au sein de ces sociétés, l'envie que ressentent les enfants et les parents auxquels ces avantages sont refusés et qui sont assez lucides pour savoir que l'éducation est le seul moyen d'améliorer leur sort. Ajoutez dans la balance les disparités religieuses, ethniques ou tribales, que les programmes d'études transmettent de façon à la fois manifeste et subtile, et vous aurez réuni les ingrédients du pire scénario possible, comme celui qu'on a observé au Rwanda.

Si vous êtes un enfant pauvre vivant en milieu rural, ne pouvant fréquenter l'école depuis votre plus tendre jeunesse, vos activités quotidiennes, c'est-à-dire la recherche de nourriture, les petits boulots manuels et d'autres moyens moins honorables d'aider votre famille à survivre, vous laissent de nombreuses heures à tuer. Il est d'ailleurs possible que vous ne soyez plus auprès de votre famille, que, poussé par le manque de nourriture et la présence d'un trop grand nombre de frères et de sœurs, vous ayez quitté la maison dès que vous avez été en âge de voler de vos propres ailes. Aujourd'hui, grossissant le nombre des sans-abri, vous traînez dans les bidonvilles.

Dans ces secteurs urbains et même dans les zones rurales où l'agriculture a été chambardée par le changement climatique et la guerre, des millions de jeunes démunis vivotent sans occupation valable ou satisfaisante. Difficile d'imaginer terreau plus fertile pour tout groupe animé par une idée ou une idéologie, capable d'offrir de la nourriture, un réseau et une petite fraction du pouvoir dont s'accompagne l'appartenance à une organisation. Imaginez maintenant ces jeunes munis d'armes. Imaginez les dangereux délires d'autosatisfaction susceptibles d'en résulter.

C'est ainsi que, au cours des décennies mouvementées qui ont suivi la période des indépendances, à partir de la fin des années 1950, la guerre, la pauvreté abjecte, la maladie et la migration constantes ont rendu les enfants de la région particulièrement vulnérables à une myriade de tragédies, dont la moindre n'est pas leur recrutement (volontaire ou non) en tant que soldats par les groupes armés ou même par les forces gouvernementales. Dans la région des Grands Lacs, mais aussi ailleurs dans le monde, c'est dans des pays à l'environnement politique, économique et social déstructuré qu'éclatent les conflits auxquels des enfants soldats sont mêlés. Les gouvernements incompétents sont incapables de dénombrer leurs citoyens en âge de voter et encore moins les enfants. Souvent, les orphelins n'ont personne pour les regretter.

Les circonstances historiques et sociales que je viens de décrire servent de toile de fond à l'enlèvement et au recrutement des enfants, mais, sur ce plan, les gouvernements, les armées, les groupes rebelles et même les bandes de bandits obéissent aussi à d'autres motivations.

Parmi ces raisons pratiques, la toute première a trait aux simples chiffres : les nombreux conflits en cours exigent de plus en plus de soldats et il y a de plus en plus d'enfants.

Bien que le nombre de conflits internationaux semble diminuer, la situation s'enlise, selon un article récent de Jeffrey Gettleman publié dans le magazine *Foreign Policy* et intitulé « Africa's Forever Wars » (« Les guerres sans fin de l'Afrique ») :

> Il existe une explication très simple au fait que certaines des guerres les plus sanglantes et les plus brutales de l'Afrique n'en finissent plus : ce ne sont pas vraiment des guerres. Du moins au sens traditionnel du terme. Les combattants n'ont pas vraiment d'idéologie ; ils n'ont pas non plus d'objectifs clairs. La prise des capitales ou des grandes villes ne les intéresse pas. Ils préfèrent de loin les jungles profondes, où il est beaucoup plus facile de commettre des crimes. Les rebelles d'aujourd'hui semblent peu empressés de faire des convertis : ils volent les enfants des autres, leur mettent une Kalachnikov ou une hache entre les mains et les laissent se charger des tueries. Examinez de plus près certains des conflits interminables du continent, des ruisseaux infestés de rebelles du delta du Niger jusqu'à l'enfer de la République démocratique du Congo, et c'est ce que vous trouverez.

Ishmael Beah, ancien enfant soldat de la Sierra Leone et auteur du *Chemin parcouru. Mémoires d'un enfant soldat*, confirme ce diagnostic dans une entrevue accordée au *New York Times* après la parution de son livre : « Au début, il y a peut-être un peu de rhétorique. Très rapidement, cependant, on perd de vue l'idéologie. Après, on assiste à un bain de sang, les commandants se livrent au pillage, c'est une guerre de folie. »

Les bandits de grands chemins, profitant pleinement des carences des États en déliquescence (lois sur l'import-export faibles, voire inexistantes, richesses naturelles mal protégées), exploitent des entreprises criminelles qui transigent de précieuses ressources sur les marchés internationaux. Je traite ici de l'utilisation des enfants dans les conflits armés, mais on ne doit pas pour autant oublier un enjeu parallèle qui aggrave le problème, c'est-à-dire le recrutement d'enfants comme esclaves, lesquels transportent illégalement des diamants, des drogues, des bois précieux et du coltan, minerai essentiel à la fabrication des téléphones cellulaires, vers des marchés étrangers. L'inefficacité des contrôles frontaliers et la faiblesse des organismes chargés de l'application des lois ouvrent toute grande la porte à l'exploitation massive et illégale du travail des enfants. Ceux-ci agissent comme mineurs dans des conditions qui dépassent presque l'entendement : ils sont contraints de creuser des trous de plusieurs mètres et de se glisser dans des puits juste assez grands pour eux. Pour atteindre de l'or et d'autres minéraux, ils risquent leur vie dans des cavernes éboulées. Lorsque les puits s'écroulent sur eux, ils sont enterrés vivants, abandonnés dans les « tombes » qu'ils ont eux-mêmes creusées. Sans sourciller, les bandits créent une autre mine quelques mètres plus loin et y envoient une nouvelle vague d'enfants. En général sous la supervision de gardiens armés et contre leur gré, de nombreux enfants sont contraints de se glisser dans la boue et l'eau qui suinte, là où on prélève des diamants. Beaucoup d'entre eux se noient.

On utilise abondamment les enfants comme « acteurs non gouvernementaux », pour reprendre la terminologie en vogue. Ainsi, le représentant spécial du Secrétaire général de l'ONU pour la RDC écrit : « De nouveaux recrutements d'enfants ont été attribués à la Coalition des patriotes résistants congolais (PARECO) (29 %), à toutes les factions Maï-Maï (32 %), au Congrès national pour la défense du peuple (CNDP) (24 %) et aux Forces démocratiques de libération du Rwanda (FDLR) (13 %). Selon les preuves réunies, en tout, 1098 enfants, dont 48 filles, auraient été séparés de groupes armés ou s'en seraient enfuis. » Pensez maintenant à ceux qui ne se sont pas enfuis.

Ces forces, qui combattent dans certains cas pour des motifs qu'elles seules semblent comprendre, finissent par nuire considérablement aux efforts de paix, aux autres acteurs qui tentent de prévenir la dislocation du gouvernement ou encore de le stabiliser et de le rebâtir après coup. Pour préserver leur mainmise sur leurs zones d'influence, en marge de tout mécanisme de gouvernance juridique ou démocratique, ces groupes impitoyables sont parfaitement disposés à tuer les leurs tout autant que l'ennemi.

Au même titre que les bandes de criminels et les acteurs non gouvernementaux au comportement imprévisible, des combattants pour la liberté ou des groupes de rebelles au sens plus classique utilisent la force armée pour se faire entendre et protester contre les injustices commises par l'État souverain auquel ils appartiennent.

Ainsi donc, le recours aux enfants soldats s'étend au moment même où le nombre de jeunes est en pleine explosion. Quiconque visite la région des Grands Lacs, ou de nombreuses autres régions en proie à des conflits, sera immédiatement frappé par la multitude d'enfants qu'il croisera sur sa route. Dans la plupart de ces pays, les enfants de moins de dix-huit ans représentent plus de cinquante pour cent de la population. Dans la majorité des pays en développement, des taux de fertilité en chute rapide ont ainsi entraîné de façon paradoxale le plus important « excédent de jeunes » de l'histoire. Dans le monde, on évalue à 1,3 milliard le nombre de jeunes de douze à vingt-quatre ans ; en 2035, il s'établira à 1,5 milliard avant de diminuer progressivement. Les taux de fertilité sont en baisse, mais il existe toujours une énorme population en âge de procréer. Plus de bébés naîtront donc jusqu'au jour où la proportion de la population en âge de procréer commencera à décroître. Alors seulement, on assistera à une diminution du nombre de jeunes.

D'ici là, le monde dans lequel ceux-ci évoluent aura peu de sens et peu de sécurité à offrir. Ainsi, les jeunes de toute cette génération, qui aspirent pourtant à devenir ouvriers, instituteurs, parents et dirigeants, constituent des proies faciles pour les recruteurs adultes qui offrent un minimum d'espoir ou encore un sentiment d'appartenance, de l'argent, des drogues, des uniformes, des chants, des rassemblements, du pouvoir sur les autres et même une cause, si perverse soit-elle (le racisme ethnique, par exemple).

Cette simple réalité démographique nous conduit à l'une des raisons les plus tristes de la popularité des enfants soldats : ils sont considérés comme interchangeables, remplaçables. Pas toujours, mais trop souvent, on fait marcher les enfants recrues en première ligne afin qu'ils encaissent le plus gros du choc d'une attaque et des pertes de vies qui en découlent. Pourquoi ? Parce qu'il existe un bassin en apparence inépuisable d'enfants susceptibles de remplacer ceux qui tombent au combat. Les commandants adultes qui enlèvent ou recrutent des enfants âgés dans certains cas de sept ans à peine ne les considèrent pas comme de précieux êtres humains. Pour eux, ce sont plutôt des outils commodes, négligeables et jetables, des armes bon marché qu'ils peuvent mettre au rebut lorsqu'elles sont cassées et remplacer sans mal. Exploiter ces « ressources » équivaut à disposer d'un arsenal en production continue : une source de pouvoir grossier offerte en quantité illimitée, une force qu'aucune arme de riposte ne peut neutraliser. Pour un commandant, les enfants soldats sont en quelque sorte la concrétisation d'un rêve : un système d'armes à faible coefficient de technologie, peu coûteux et capable de se régénérer à l'infini. Un système parfait, en somme.

Bassin inépuisable, les enfants sont désirables en raison de leur vulnérabilité psychologique : il est facile de les manipuler, en particulier lorsqu'ils sont séparés de leur famille. Leur loyauté ira à un autre adulte, surtout si celui-ci a le pouvoir de distribuer les récompenses et les punitions. Pour mener à bien cette manipulation psychologique et forcer les jeunes à se plier aux exigences de leur nouvelle vie d'enfants soldats, les adultes n'hésitent pas à recourir à tout un arsenal, par exemple la faim, la soif, la fatigue, le vaudou, l'endoctrinement, les coups, l'alcool, les drogues et même l'exploitation sexuelle.

L'entretien des enfants, notamment des très jeunes, est facile et peu coûteux. Ils mangent et boivent peu, se passent de solde et n'exigent pas d'être bien habillés, logés, armés ni soutenus sur le plan logistique. Dans un système logistique, ils procurent même certains avantages. On peut leur confier les tâches qu'ils effectuent depuis qu'ils ont appris à marcher : transporter des fournitures, puiser de l'eau, trouver et préparer de la nourriture, faire la lessive.

Certains groupes, tels les Maï-Maï (terme désignant les milices locales du Congo et des régions avoisinantes), recrutent des enfants parce qu'ils prêtent à ces derniers des pouvoirs de protection mystiques. Ce sont donc les candidats les plus aptes à défendre les commandants et les combattants de première ligne. Ces jeunes sont aussi particulièrement bien placés pour préparer et administrer les potions magiques et effectuer les tatouages qui assureront la protection des soldats adultes, puisque leur pureté préserve les propriétés magiques de ces rituels. On croit que la participation des enfants à ces cérémonies a pour effet de les rendre invulnérables. Sous l'influence d'herbes et de potions hallucinatoires, ils deviennent des attaquants sans peur.

Dans des régions du nord de l'Ouganda, certains guérisseurs traditionnels, au service de groupes rebelles, ont recours à des rites et à des charmes magiques analogues pour « blinder » les enfants soldats, les rendre à l'épreuve des balles. Pour beaucoup d'habitants de la région, les garçons et les filles assurent un bon *juju* (pouvoir surnaturel) du seul fait de leur jeunesse. On prête particulièrement aux filles le pouvoir de communiquer ces traits protecteurs par l'entremise de rapports sexuels. La croyance a de terribles conséquences pour les jeunes filles recrutées ou enlevées.

La méthode la plus directe employée pour manipuler les enfants, plus élémentaire encore que les drogues, les rites occultes, les charmes et l'exposition répétée à la violence subie et infligée, est tout bonnement la peur. Les états d'intrépidité causés par les drogues ou les pratiques vaudous sont temporaires ; le reste du temps, les enfants soldats vivent dans un état de terreur et de vulnérabilité qui, souvent, brise leur psyché et leur âme.

Et il arrive aussi qu'ils constituent, de plein droit, des armes de terreur efficaces, des armes qui font hésiter, sans parler du perfectionnement de leurs compétences dans les domaines de la logistique et de la reconnaissance. En général, les adultes ne considèrent pas les enfants, surtout les très jeunes, comme une menace. Des commandants impitoyables exploitent cette impression fausse en incitant leurs jeunes soldats à se sacrifier ou à semer la terreur chez leurs adversaires.

En outre, la réticence psychologique des adultes, y compris les soldats et les policiers occidentaux, à tuer des enfants en cas d'autodéfense les amène parfois à hésiter à réagir, ce qui procure un avantage tactique à ces commandants sans scrupule.

Les enfants sont idéalement placés pour recueillir des renseignements. Des adultes rôdant autour d'un établissement militaire ou d'un avant-poste éveilleront des soupçons. Les enfants de la région, omniprésents et toujours curieux, observent les adultes. Ils peuvent espionner dans un campement ennemi, tendre l'oreille dans un marché, prévenir en cas de danger. Bref, ils peuvent voir sans être vus et fournir de précieuses informations à leur camp.

Dans des pays où les conflits s'enlisent, cette tactique échoue parfois, car les habitants apprennent à se méfier des bandes de jeunes garçons et parfois de jeunes filles qui apparaissent dans leurs villages et leurs marchés. On risque même de considérer comme une menace l'enfant inconnu qui ne cherche rien de particulier, celui qui est peut-être innocemment perdu, abandonné, affamé et qui a besoin des soins ou de la sympathie d'un adulte. La violation la plus grossière, la violation suprême vient du fait que les adultes craignent les enfants soldats démobilisés ou en cours de réintégration parce qu'ils risquent de recourir à la force pour arriver à leurs fins.

Dans la région où est née l'idée selon laquelle il faut un village pour élever un enfant, une telle perversion de l'ordre naturel des choses laisse pantois. La peur d'attaques perpétrées par des soldats armés, trop souvent des enfants, a dénaturé le rôle joué par les adultes et les aînés en tant que protecteurs naturels de tous les enfants.

\* \* \*

Les raisons que je viens d'énumérer ont toutes contribué à l'émergence de l'enfant soldat. Mais avant tout, une raison tactique explique la participation de plus en plus fréquente d'enfants à des combats au cours des dernières décennies : la mise au point et la disponibilité grandissante d'armes légères, dont l'utilisation et l'entretien n'exigent ni la force ni l'adresse d'un adulte. Il est facile d'enseigner leur maniement à des enfants, filles et garçons, âgés, dans les cas les plus extrêmes, de neuf ou dix ans, surtout s'ils ont déjà l'habitude du dur labeur physique.

Dans le monde d'aujourd'hui, la prolifération des armes légères, des pistolets aux fusils d'assaut en passant par les mitrailleuses légères et les lance-roquettes, est l'un des principaux facteurs susceptibles de favoriser l'apparition de conflits. Pendant la guerre froide, les deux camps ont constitué d'énormes stocks d'armes en vue de la mobilisation rapide des masses, et ils en ont vendu ou fourni à leurs prétendus alliés du monde en développement. Lorsque la guerre froide a pris fin et que le bloc de l'Est (avec son importante industrie de l'armement et ses réserves) s'est désintégré, bon nombre d'armes ont été écoulées sur les marchés internationaux, où les marchands de la mort les bradaient à vil prix.

Selon des spécialistes du contrôle des armements, il y aurait en circulation plus de six cent cinquante millions d'armes légères, faciles à utiliser, bon marché et mortelles. Elles sont offertes en tout lieu, en tout temps, à quiconque souhaite déclencher, mener et soutenir un conflit armé. Des nations industrialisées et responsables continuent d'en fabriquer environ un million par année (les cinq membres permanents du Conseil de sécurité des Nations unies, soit la Chine, la Russie, la France, le Royaume-Uni et les États-Unis, sont les principaux producteurs), et presque personne ne détruit les modèles plus anciens lors du renouvellement de l'arsenal. Dans des pays signataires de traités de non-prolifération des armes, des fonctionnaires responsables et soucieux de ne pas gaspiller des ressources publiques précieuses, quoique désuètes, passent par un complexe mécanisme international de contrôle et de limitation des armes pour trouver des acheteurs ; en vertu des règles en vigueur (lesquelles ne sont pas d'une efficacité absolue), ils les vendent au plus offrant.

Par ailleurs, malgré les conventions internationales destinées à freiner la prolifération des armes légères, ces armes existent déjà en trop grand nombre et la mise en œuvre des mesures restrictives est inégale. Ces mesures ont d'autant moins d'effet que les contrevenants ne risquent aucune sanction, à l'exception de rares embargos, par définition difficiles à faire respecter.

Si nous ne sommes pas en mesure d'éliminer les armes légères, nous pouvons à tout le moins tenter de limiter leur utilité en restreignant l'approvisionnement en munitions, lesquelles sont relativement coûteuses et moins facilement disponibles en quantité suffisante pour mener des combats soutenus. Mais là encore, il existe de multiples fabricants et la production est littéralement astronomique. Pourtant, je le répète, les belligérants ont besoin de beaucoup d'argent pour se procurer les projectiles que requiert une guerre, ce qui nous ramène aux enfants et à l'utilisation que les gouvernements et d'autres groupes font d'eux pour générer des revenus : extraire et transporter de l'or, des diamants et du coltan, récolter des bois précieux. Ils deviennent des instruments de financement de l'achat de munitions, de sorte que d'autres enfants puissent devenir des instruments de guerre. On crée ainsi un cercle de guerre et de mort parfait, durable et continu.

Dans ce contexte, comment peut-on réduire efficacement la disponibilité des munitions et des armes légères qui, entre autres maux, permettent le recours aux enfants soldats? Application stricte des règles existantes aux stades de la fabrication et de la distribution, renforcement des embargos, mise en œuvre des politiques prescrivant la destruction immédiate des armes mises au rancart et amnistie pour quiconque rend de telles armes: autant de mesures en vigueur dans certaines zones de conflit. Jusqu'à présent, elles se sont montrées impuissantes à freiner l'hémorragie. Les politiciens doivent s'engager non seulement à faire appliquer les règles existantes, mais aussi à pourchasser les trafiquants d'armes illégales et à les traduire en justice. Il faut mettre un terme à l'impunité dont ils bénéficient. Nous devons également presser nos dirigeants politiques d'ordonner à leurs fonctionnaires de faire détruire les armes excédentaires au lieu de les vendre, sauf à des États légitimes ayant des besoins légitimes en matière de sécurité, et encore, uniquement en cas d'extrême urgence.

Malgré les embargos, il y avait de si nombreuses armes en circulation au Rwanda que, avant le génocide, j'ai tenté de lancer une campagne visant leur rachat. L'initiative a produit le même résultat qu'ailleurs, notamment en Sierra Leone: les armes rendues par les soldats démobilisés étaient de la camelote. Les bonnes, ils les cachaient dans la brousse, «au cas où».

\* \* \*

Enfin, au cours des vingt dernières années, on n'a pas vraiment réussi à faire comprendre au plus grand nombre la nature particulièrement répugnante du crime contre l'humanité dont je traite ici. Au contraire, malheureusement, on dénombre beaucoup d'exemples de «réussite» au chapitre de l'utilisation des enfants soldats par des groupes notoires : l'Armée de résistance du Seigneur (Lord's Resistance Army ou LRA, dans le nord de l'Ouganda et aujourd'hui dans le sud du Soudan de même qu'en RDC), les Interahamwe (au Rwanda et en RDC) ainsi que le Front révolutionnaire uni (Revolutionary United Front ou RUF) et les milices gouvernementales de la Sierra Leone, pour n'en nommer que quelques-uns.

Comme je l'ai écrit dans le rapport de recherche sur les enfants soldats que j'ai préparé pour le compte du Carr Center, il est extrêmement difficile pour des observateurs rationnels de comprendre la situation et les causes sous-jacentes :

> Bien que les enfants capturés soient de la même tribu qu'eux, les membres de la LRA les exploitent sans merci. Par exemple, l'enfant qu'on envoie attaquer ses propres parents agit à la fois comme instrument de vengeance et comme bouclier pour ceux qui s'abritent derrière lui ; la petite qui meurt sous le poids des articles qu'elle a pillés et qu'on l'oblige à transporter est ravalée au rang d'objet jetable ; la fille contrainte d'« épouser » un guerrier de la LRA n'a de valeur que dans la mesure où elle travaille et procure une satisfaction sexuelle. Difficile d'expliquer une telle conduite sans faire appel à des termes extrêmement péjoratifs. Lorsqu'on poursuit un objectif, quel qu'il soit, le fait de tuer, d'asservir et de torturer, bien qu'on puisse le déplorer par ailleurs, s'explique au moins de façon rationnelle. Commettre de telles atrocités sans but ultime compréhensible de l'extérieur, c'est s'abandonner à une violence insensée.

Si, aux quatre coins de la planète, on compte autant d'enfants soldats, c'est d'abord et avant tout, vérité horrible à dire, parce qu'il se trouve des dirigeants – des politiciens et des militaires, des chefs issus des milieux gouvernementaux et non gouvernementaux, des soldats, des truands et des voleurs – qui ont eu beaucoup de « succès » grâce à eux et qui sont assez impitoyables, assez apathiques et assez immoraux pour continuer à les recruter, à les déployer, à en abuser et à les détruire. Ces dirigeants sont des criminels qui doivent répondre des sévices qu'ils font subir aux enfants et de leur mépris du droit international. Il faut mettre fin à l'impunité et appliquer les lois de manière si rigoureuse qu'on ne songera même plus à recruter des enfants pour faire la guerre. La Cour pénale internationale a enfin commencé à traduire en justice certains recruteurs adultes, mais le succès de cette démarche officielle, qui constitue un pas dans la bonne direction, n'est pas encore garanti.

Voici un exemple de l'ambiguïté qui règne parfois sur le terrain. Il s'agit d'un document préparatoire sur le recrutement d'enfants soldats par les Maï-Maï, publié en février 2010 par la Coalition pour mettre fin à l'utilisation des enfants soldats :

> Dans une deuxième affaire plus récente, Gédéon Kyungu Mutanga, commandant d'un groupe Maï-Maï basé dans la province du Katanga, après avoir eu des démêlés avec le Président, a été poursuivi avec vingt autres personnes pour un ensemble d'accusations, notamment pour crimes contre l'humanité et crimes de guerre relatifs au recrutement de trois cents enfants dans la province du Katanga entre 2003 et 2006. Bien que Gédéon et ses co-accusés aient été condamnés en mars 2009 pour avoir commis des crimes contre l'humanité et autres crimes graves, les charges relatives au recrutement et à l'utilisation d'enfants soldats ont été abandonnées après que

le juge a statué que les accusations de crimes de guerre n'étaient pas recevables en l'absence d'une déclaration de guerre.

Il est absolument essentiel que nous traduisions en justice les chefs adultes. Mais que faire des enfants soldats ? La quasi-totalité des États membres de l'ONU a adopté des instruments officiels, notamment des conventions et des procédures administratives (on trouvera à la fin du livre une liste des principales conventions juridiques et administratives de même que des mécanismes internationaux) pour mettre les enfants soldats à l'abri des poursuites et faire de leur utilisation un crime contre l'humanité. De la même façon, la Cour pénale internationale a statué que le recours à des enfants de moins de quinze ans dans des conflits armés était un crime de guerre et un crime contre l'humanité. Même chose pour leur recrutement ainsi que pour les attaques volontaires contre des hôpitaux ou des écoles, le viol des enfants et les autres formes de violence sexuelle dont ils sont victimes.

Et pourtant, dans le rapport mondial qu'elle a rendu public en 2008, la Coalition pour mettre fin à l'utilisation des enfants soldats fait état de nombreux cas de détention et de condamnation d'ex-enfants soldats, notamment au Burundi, en RDC et au Rwanda. Voici quelques extraits du rapport.

**Burundi**
Après l'entrée en fonction du nouveau gouvernement en août 2005, les forces gouvernementales s'en sont prises aux partisans avérés ou présumés des FNL [Forces nationales de libération], en arrêtant, torturant et même exécutant de manière sommaire les personnes soupçonnées d'appartenir aux FNL ou de soutenir ce groupe. Bien que

l'âge de la responsabilité pénale soit fixé à treize ans, des enfants âgés d'à peine neuf ans ont été détenus car ils étaient soupçonnés d'avoir collaboré avec les FNL. [...] Des enfants soldats, capturés, auraient été frappés avec brutalité lors de leur détention, certains avec des barres de métal et des marteaux. Certains ont été privés de soins médicaux jusqu'à ce que des groupes de défense des droits humains interviennent en leur faveur.

### République démocratique du Congo

Des membres des FARDC [Forces armées de la RDC] ont détenu des enfants servant au sein de groupes armés qu'ils avaient capturés, afin d'obtenir des renseignements sur ces groupes armés ou d'extorquer de l'argent à leurs familles. Certains de ces enfants ont été frappés au cours de leur détention. Des membres des FARDC ont intimidé et harcelé d'anciens enfants soldats, sans tenir compte des certificats attestant officiellement de leur démobilisation. [...] Des enfants ont été arrêtés, détenus et jugés par des tribunaux militaires pour des infractions militaires et d'autres crimes qu'ils auraient commis alors qu'ils servaient au sein de forces ou de groupes armés. Ces procès ont enfreint l'Article 114 du Code de justice militaire, lequel stipulait que toute personne âgée de moins de dix-huit ans ne relevait pas de la juridiction militaire. [...] Au moins douze enfants soldats ont été condamnés à mort depuis 2003. La Coalition contre les enfants soldats a été informée, à la mi-2007, qu'il n'y avait plus d'exécution en RDC, mais, en juillet 2007, au moins cinq enfants soldats semblaient toujours en détention dans l'est de la RDC sous le coup d'une condamnation à mort.

## Rwanda

Selon certaines informations, des enfants soldats rwandais rapatriés au Rwanda ont été arrêtés et maltraités par les autorités. [...] Parmi les cent vingt mille personnes détenues pour leur implication dans le génocide de 1994, quelque quatre mille cinq cents auraient eu moins de dix-huit ans au moment des faits. En janvier 2003, Paul Kagame, président du Rwanda, a ordonné la libération de tous les « mineurs ayant participé au génocide », mais, aux termes des règlements, seuls ont été déclarés admissibles à une libération ceux qui avaient purgé la période maximale de détention préalable à l'instruction.

Les enfants soldats bénéficient toutefois de l'appui de personnages influents au sein des hautes sphères politiques. En 2008, l'avocat américain David Crane, ancien procureur en chef du tribunal spécial des Nations unies chargé de l'étude des crimes de guerre commis en Sierra Leone (l'homme qui a inculpé Charles Taylor, à l'époque président du Liberia), a témoigné avec moi devant le Sous-comité des droits internationaux de la personne du Comité permanent des affaires étrangères et du développement international du Canada. Il a notamment déclaré ce qui suit :

[L]orsque j'étais procureur en chef [...] j'ai choisi de ne pas poursuivre les enfants soldats, car je crois qu'aucun enfant de moins de quinze ans ne peut commettre un crime de guerre. [...] j'ai littéralement parcouru la campagne en entier pour écouter les Sierra-Léoniens lors d'assemblées publiques que j'avais organisées. Ces gens me disaient ce qui s'était produit dans la région. Je me trouvais à Makeni, l'ancien quartier général du Front révolutionnaire uni, et je m'adressais à un groupe d'environ quatre cents personnes […] Je répondais à des questions qui portaient notamment sur le tribunal spécial, lorsqu'une petite main s'est levée à l'arrière. Je me suis rendu jusqu'au fond de la pièce, et ce jeune garçon d'environ douze ans s'est levé. Il avait été blessé et était devenu sourd à cause du conflit. Il s'exprimait par des signes, mais il a également parlé et, de la voix atonale d'une personne sourde, il m'a dit en me regardant droit dans les yeux qu'il avait tué des gens, qu'il en était désolé et que ce n'était pas intentionnel. Il avait douze ans, et le conflit était terminé depuis environ deux ans, alors vous pouvez faire le calcul. Il était probablement âgé de huit ou neuf ans lorsqu'il tuait des êtres humains. Je suis allé jusqu'à lui, avec des larmes qui coulaient sur mes joues ; je l'ai serré dans mes bras, où il a pleuré. Il s'agit d'un enfant soldat. Dans la seule Sierra Leone, ils étaient trente-cinq mille. On doit donc se demander, malgré ce qu'il a pu faire, à qui incombe réellement la faute, ici. Je dirais qu'un enfant soldat et sa victime sont tous les deux des victimes, car ils sont habituellement placés dans ces situations qui échappent à leur contrôle dans le cadre de conflits armés, que ce soit en Afghanistan, en Afrique orientale, en Ouganda ou en Afrique occidentale. […]

Dans ce domaine, le droit international est très clair, même s'il ne prévoit pas que les enfants sont à l'abri de poursuites pour avoir commis des crimes de guerre. On y dit seulement qu'ils doivent bénéficier d'une protection spéciale – les conventions de Genève. Cela laisse croire que nous ne devrions pas les placer dans des situations où ils seront induits à commettre ces actes, même s'ils le font volontairement, car un enfant n'est pas apte à faire de tels choix.

Ayant montré pourquoi les enfants sont ainsi ciblés, j'entends m'intéresser aux modalités de leur recrutement, mais avant d'aller plus loin, je dois revenir sur l'argument soulevé par David Crane dans son témoignage. Que les commandants enlèvent les enfants ou que ceux-ci s'engagent volontairement, le seul fait de les utiliser comme combattants fait de ces adultes des criminels. Dans un cas comme dans l'autre, les enfants doivent être considérés et traités comme des victimes; ils ne doivent pas être tenus responsables de décisions prises sous la contrainte.

Il peut être difficile d'imaginer que des enfants s'enrôlent de plein gré comme soldats, mais ne perdons pas de vue les conditions dans lesquelles ils vivent, notamment dans la région des Grands Lacs. En soi, une existence difficile à l'extrême peut inciter des enfants à se porter volontaires. Dans les pays en proie à la guerre ou à un conflit, les enfants voient des armées nationales, des milices ou des groupes rebelles dont les membres sont bien nourris, portent des vêtements attrayants, sont respectés en raison de l'arme qu'ils brandissent et prennent non seulement ce dont ils ont besoin, mais aussi ce qu'ils veulent. On comprend facilement qu'une telle vie puisse séduire un enfant qui n'a connu que la pauvreté, la faim et les privations, d'autant plus qu'il n'a aucune idée de la réalité des enfants soldats. Les conditions économiques et sociales désastreuses que connaissent de telles régions expliquent donc en grande partie les engagements volontaires.

On observe des cas semblables lors des déplacements de populations que provoquent les guerres civiles. Il arrive que des familles doivent fuir leur foyer pour se rendre dans un lieu plus sûr, en général un camp pour réfugiés et déplacés internes. Or, dans ces camps, la sécurité est le plus souvent inexistante, et il arrive que des groupes rebelles, des bandits ou même des forces gouvernementales les contrôlent par la force des armes. Ils imposent des règles, taxent les familles et s'adonnent à des formes de violence stratégique, en particulier le viol. Dans les camps, des membres du groupe ethnique dominant ont parfois des reproches légitimes à faire au gouvernement ou à la force rebelle; il arrive qu'ils manifestent une extrême loyauté envers leur pays ou leur groupe ethnique et acceptent sciemment de participer à la lutte pour ce qu'ils estiment être leurs droits. Dans certains cas, des familles ou des parents cèdent un enfant à un groupe armé et, en échange de ce «volontaire», espèrent bénéficier d'une protection pour eux-mêmes et pour l'ensemble du village.

De nombreux cas de recrutements volontaires et involontaires particulièrement déchirants se produisent lorsque, pendant un conflit, des enfants perdent leurs parents ou sont séparés d'eux. Des enfants solitaires en viennent parfois à la conclusion que leur seule chance de survie consiste à s'associer au premier groupe d'adultes capable de les protéger et de subvenir à leurs besoins. À l'intérieur de ces groupes, la pression ou le soutien des pairs renforcent ce faux sentiment de sécurité. Les groupes armés peuvent servir de substituts aux familles démunies à l'extrême et exploiter à leurs fins la peur ou la soif de vengeance des enfants. Beaucoup de ces enfants seront marqués pour la vie. Comme l'écrivent T.S. Betancourt et K.T. Khan dans un article sur la santé mentale des enfants affectés par les combats armés, publié en 2008 dans l'*International Review of Psychiatry*:

Pendant les conflits, lorsque l'approvisionnement est difficile et que les jeunes combattants sont entraînés loin de leurs foyers et de leurs villages, les groupes armés procurent de la nourriture et un abri en plus de répondre à d'autres besoins fondamentaux. L'enfant membre d'un groupe armé a « le sentiment d'appartenir à quelque chose, alors que rien d'autre ne fonctionne ». Plus les enfants sont jeunes au moment de leur capture, moins ils sont susceptibles de conserver plus tard des souvenirs de la société d'avant-guerre. Cette situation affaiblit leur volonté de mettre un terme aux hostilités et de rentrer dans leur village au lendemain des combats. On doit donc assurer la protection des enfants les plus jeunes.

Mais, dans la très grande majorité des cas, les recrutements sont involontaires. Le gouvernement, la police, l'armée, les rebelles ou les bandits en maraude ciblent les enfants, les détachent physiquement ou psychologiquement de leurs foyers et de leurs familles. Les rapts sont parfois de courte durée : dans certains cas, des enfants portent des fournitures ou des blessés jusqu'au jour où ils meurent d'épuisement ou d'inanition. Souvent, cependant, la captivité dure des années, et non des semaines ou des mois, et les enfants sont emmenés dans une base où ils sont entraînés et socialisés.

Il arrive qu'un groupe armé pénètre dans une école, un village ou une ferme et emmène des enfants de force. Souvent, dans de tels cas, les parents des enfants concernés, de même que leurs frères et sœurs, sont assassinés et leurs maisons sont détruites. Dans de nombreuses zones de conflit, on a recours à la force ou à la ruse (en leur bandant les yeux, par exemple) pour obliger des enfants à tirer sur leurs voisins, leurs amis ou des membres de leur famille. De tels actes, qui ont notamment fait la renommée de l'Armée de résistance du Seigneur, auront vraisemblablement pour effet de séparer de façon irrévocable les enfants de leur famille et de leur collectivité. Même s'ils parviennent à s'évader, ils ne peuvent pas rentrer à la maison.

Les filles représentent environ quarante pour cent des enfants soldats. Souvent, elles sont plus prisées que les garçons. De manière générale, les garçons sont limités à des rôles de combat et de soutien, tandis que, au sein de ces sociétés patriarcales, où les femmes se chargent de l'essentiel du travail ménager, les filles possèdent beaucoup plus de compétences utiles. Loin d'être plus faibles ou plus passives, elles ont prouvé qu'elles peuvent être aussi aisément et efficacement utilisées que les garçons dans les domaines de la psychologie, de la logistique, de la reconnaissance et des combats. À titre d'exemple, les filles constituent une proportion importante de la volatile et brutale Armée de résistance du Seigneur de l'Ouganda. Par rapport aux garçons, elles présentent un avantage supplémentaire dans la mesure où elles peuvent être offertes aux soldats comme récompense sexuelle (sort auquel tous les garçons n'échappent pas, du reste). Elles font office d'épouses de brousse (à titre de compagnes sexuelles monogames ou polygames d'un commandant ou d'un chef) ou servent d'esclaves sexuelles aux troupes. Dans la plupart de ces conflits, le viol des filles soldates est monnaie courante, et les séquelles psychologiques, les blessures physiques, les maladies transmissibles sexuellement, les grossesses et les complications pendant l'accouchement sont d'autres formes d'abus dont elles sont victimes.

Qu'arrive-t-il aux enfants issus de ces viols et de ces agressions sexuelles ? Selon certains rapports, des enfants de filles soldates engagées dans de longs conflits ont été entraînés et prennent aujourd'hui part à des combats. Je n'arrive même pas à concevoir le degré d'exploitation humaine et d'abjection dont est victime la fille utilisée pour engendrer la nouvelle génération d'enfants soldats.

Un mot d'avertissement : si les conditions dans lesquelles les enfants soldats sont recrutés font frémir, celles qui président à leur formation et à leur utilisation dans le cadre de missions de combat, lesquelles feront l'objet du chapitre suivant, sont encore plus horribles. D'où l'urgence de tout faire pour y mettre un terme dès aujourd'hui.

# COMMENT ON FORME ET UTILISE
# LES ENFANTS SOLDATS

P artout dans le monde, les forces militaires misent sur un régime organisé de formation pour faire acquérir aux recrues les connaissances, les compétences, l'expérience et la philosophie qu'elles jugent essentielles. De l'instruction de base ou du camp militaire à l'enseignement de compétences de pointe touchant le leadership et la technique, une telle formation a pour but d'imprégner les nouveaux venus comme les vétérans des normes, de l'identité, de la culture, des valeurs et des croyances de l'institution militaire qui régit le recours pondéré à la force par un État-nation.

Souvent, cependant, la formation à laquelle sont assujettis les enfants soldats est inhumaine et éreintante. Son objectif est de séparer les forts des faibles par les moyens les plus grossiers qui soient, le plus rapidement possible et à l'aide d'un minimum de ressources. Comme l'écrivent les auteurs du rapport de Human Rights Watch de 2003 intitulé *You'll Learn Not to Cry: Child Combatants in Colombia* (« Tu apprendras à ne pas pleurer. Les enfants combattants en Colombie ») :

Dès le début de leur formation, les guérilleros et les paramilitaires enseignent aux enfants recrues à traiter sans
merci les combattants ou les sympathisants de l'autre
camp. Les adultes ordonnent aux enfants de tuer, de
mutiler et de torturer, les conditionnent à commettre
les abus les plus cruels. Les enfants craignent de subir le
même traitement s'ils tombent aux mains de l'ennemi,
mais, en plus, ils se méfient des combattants de leur camp.
Il arrive que les enfants qui échouent dans leurs missions
militaires ou qui tentent de déserter soient exécutés sommairement par des camarades du même âge qu'eux.

Qu'ils aient été enlevés par l'armée gouvernementale, un
groupe rebelle ou toute autre force armée belligérante ou
qu'ils se soient portés volontaires, les enfants suivent tous une
formation, une socialisation ou un endoctrinement visant à
faire d'eux de « bons soldats », quitte à ce qu'ils se tuent à la
tâche pour y parvenir.

L'enfant recruté est d'abord évalué. Les plus jeunes et les
plus chétifs, mis au service du campement, seront affectés à
des tâches subalternes : ramasser du petit bois, entretenir les
feux, faire la cuisine, puiser de l'eau, transporter du matériel
et le butin des pillages, veiller sur les malades et les blessés,
nettoyer les latrines et ainsi de suite. En contrepartie, on leur
fournit de l'eau, de la nourriture, des vêtements d'occasion et
un minimum de sécurité. Mais le fait de combler ces besoins
essentiels est traité comme une récompense, et ceux qui
échouent dans les tâches qu'on leur confie ou qui manquent
de zèle en sont privés. Les enfants soldats n'ont pas de droits ;
ils n'ont que des privilèges.

La formation a essentiellement pour but d'inciter les
enfants à obéir docilement aux ordres et à suivre aveuglément

leurs supérieurs de même qu'à s'identifier au groupe armé. Lorsqu'ils gagnent en expérience et prennent des forces en vieillissant, ils seront peut-être initiés aux fonctions de combat proprement dites.

Avec un peu de chance, les enfants trop faibles pour transporter des charges ou assumer des fonctions de garnison seront abandonnés et auront la possibilité de rentrer dans leur village, s'ils en ont la force et si leur village existe encore. (Comme le raconte Ishmael Beah dans *Le Chemin parcouru*, les factions en lutte chez lui, en Sierra Leone, avaient l'habitude de détruire les villages des enfants qu'ils enlevaient pour les empêcher d'y revenir un jour.) Dans d'autres cas, les enfants « faibles » font l'objet de sévices ou sont exécutés pour servir d'exemples. L'Armée de résistance du Seigneur (LRA) a mis au point une méthode pour obliger les enfants à rapporter de lourds fardeaux jusqu'à la base. Ceux qui se révèlent incapables d'aller jusqu'au bout de ces marches forcées sont exécutés par d'autres enfants. On les coupe ainsi un peu plus de leurs liens antérieurs, on les endurcit et on les familiarise avec le fait de tuer. Les enfants qui refusent d'obéir aux ordres ou s'en montrent incapables font face à des conséquences immédiates et définitives.

Comme je l'ai mentionné dans les chapitres antérieurs, le viol est inévitable pour les filles et parfois pour les garçons. Une enfant résiliente a tôt fait d'apprendre qu'elle a intérêt à se placer sous la protection d'un soldat qui a une arme et le pouvoir de la protéger, plutôt que d'être exploitée comme un objet sexuel collectif. Plus le soldat adulte a de pouvoir, mieux la fille sera traitée. Comme l'écrit Chris Coulter dans *Bush Wives and Girl Soldiers* (« Épouses de brousse et filles soldates »), un compte rendu des conséquences de dix années de guerre civile sur les filles et les femmes de la Sierra Leone :

Les femmes des commandants avaient le pouvoir de punir et de récompenser. Souvent, elles obtenaient tout ce qu'elles désiraient : des vêtements, des chaussures, des bijoux, de la musique et des vidéos. Elles n'avaient qu'à les voler elles-mêmes ou à laisser d'autres le faire pour elles. Les femmes et les filles qui ne trouvaient pas de « mari » étaient assujetties au travail forcé, c'est-à-dire qu'elles effectuaient des travaux domestiques, faisaient la cuisine et le ménage, s'occupaient des petits enfants. [...] Victimes de mauvais traitements, elles étaient privées de nourriture, fréquemment violées. Une « épouse », en revanche, était à l'abri de la violence sexuelle des autres hommes, sans compter que des filles travaillaient pour elle, ce qui avait pour effet d'améliorer son sort.

Les garçons doivent également faire preuve de créativité pour se protéger. Emmanuel Jal, ancien enfant soldat soudanais devenu musicien et auteur de *War Child*, a relaté dans une entrevue récente une astuce mise au point par les garçons soudanais : en se couchant, ils bourraient leur pantalon de sacs en papier ou de journaux afin de se réveiller et d'alerter leurs compagnons si un commandant tentait de les agresser sexuellement. Ainsi, il devenait impossible de violer un garçon la nuit, en toute impunité et sans témoin.

En agressant les enfants, les dirigeants adultes soulagent leurs propres besoins, mais, de façon plus insidieuse, ils affaiblissent et aliènent leur victime de manière à en faire la créature du groupe armé. Cette forme de torture a également pour effet de stigmatiser les filles, surtout au sein de leur milieu d'origine, et, de fait, de les empêcher de rentrer chez elles.

* * *

La plupart des armées permanentes offrent une formation de base officielle dans l'école d'une installation ou d'une garnison militaire. Lorsqu'on a affaire à des belligérants autres que des États, la formation, moins structurée, est souvent donnée pendant que la force est en mouvement. Mais là où les enfants représentent une partie importante des effectifs, le traitement que leur réservent les armées gouvernementales et les groupes rebelles est en gros le même. La formation est violente : les erreurs ou les transgressions, si minimes soient-elles, sont sanctionnées par des coups ou des raclées en bonne et due forme. On encourage les enfants soldats plus vieux ou endurcis par les combats à recourir aux menaces, à la violence physique, au harcèlement et à l'intimidation au détriment des plus jeunes. L'enfant nouvellement intégré a tôt fait d'apprendre que l'obéissance et l'enthousiasme sont récompensés, tandis que la désobéissance et l'incompétence lui vaudront d'être puni. Il arrive que les faits graves (sommeil pendant une garde, tentative de désertion ou insolence) entraînent l'exécution, et souvent ce sont des amis ou encore des frères et des sœurs du « fautif » qui doivent s'en charger.

Orphelin de mère et abandonné par son père, commandant de l'Armée populaire de libération du Soudan (Sudan People's Liberation Army ou SPLA), Emmanuel Jal a été recruté par l'organisation après avoir fait un séjour dans un camp de réfugiés, où il a failli mourir de faim. Dans son autobiographie, il écrit :

> La SPLA imposait une discipline de fer. Si vous vous battiez avec un autre garçon, un des membres du groupe vous administrait la fessée ; si vous voliez, vous étiez battu. Souvent, j'ai été puni pour avoir oublié d'effectuer mes tâches, par exemple ramasser du petit bois et

puiser de l'eau, passer le balai ou faire la cuisine, parce que je cherchais à m'amuser.

Souvent, les enfants sont organisés en petites équipes au sein desquelles les défaillances individuelles font l'objet de sanctions collectives : l'erreur de l'un devient la punition de tous, la peine de mort y compris. Chaque enfant a vite fait de se familiariser avec la chaîne de commandement (hiérarchie et voies de communication) au sein de son unité et de chercher un mentor ou un modèle, quelqu'un à imiter pour obtenir des louanges, des récompenses et du prestige au sein du groupe. Dans une étude rigoureuse intitulée *Children at War* (« Enfants en guerre »), P.W. Singer écrit :

> Dans ces régions, les enfants ont l'habitude d'adopter des surnoms. Certains sont purement juvéniles, tel « Lieutenant la Crasse » pour celui qui ne se lave jamais, tandis que d'autres, comme « Coule-le-Sang », donnent froid dans le dos. [...] Souvent, l'endoctrinement s'accompagne d'un signe physique de la nouvelle appartenance. De nombreux groupes, les Tigres de libération de l'Eelam Tamoul (Liberation Tigers of Tamil Eelam ou LTTE), par exemple, rasent la tête de leurs enfants. [...] La mesure vise à marquer une rupture de l'identité, mais aussi à faciliter le repérage des fugitifs.

Pour favoriser le fanatisme, des commandants futés soumettent les enfants recrues à une forme de lavage de cerveau. On leur répète inlassablement les justifications ethniques, tribales, politiques ou religieuses de leur lutte, en particulier lorsqu'ils ont faim et soif ou sont fatigués. Les chefs profitent aussi de l'effet de renforcement des drogues, qu'il s'agisse de la marijuana, du haschich ou d'un mélange de cocaïne et de poudre à canon. Pour fouetter l'ardeur de ses jeunes combattants, Joseph Kony, célèbre commandant de la LRA, fait de la haine ethnique et de la religion les ingrédients d'un cocktail délétère où se mêlent l'aversion de l'autre, la magie et une vision déformée du christianisme. Selon ses dires, Kony serait l'intermédiaire direct de Dieu, doublé d'un médium, ayant pour mission d'établir un État chrétien fondé sur les dix commandements et les traditions tribales des Acholis. Qui sait quelles fins « chrétiennes » les viols, les meurtres et les mutilations peuvent bien servir ? Quoi qu'il en soit, le groupe de Kony est une faction dissidente du Mouvement du Saint-Esprit d'Alice Auma, lui-même créé pour repousser les avancées d'un groupe musulman, l'Armée de résistance nationale de Yoweri Museveni, laquelle avait renversé le président acholi de l'Ouganda, Tito Okello. Inutile que les enfants comprennent tous les rouages de la politique ; ils apprennent simplement à croire aux pouvoirs magiques de leur leader ou à payer le prix de leur tiédeur. Créer des réactions instinctives à des stimuli provoqués par les commandants : voilà l'essence même de la discipline inébranlable et robotisée qui, en fin de compte, aura raison de la peur pendant les combats et de l'horreur devant des massacres d'une barbarie inimaginable.

\* \* \*

Quant aux compétences susceptibles de leur sauver la vie sur le champ de bataille, la plupart des enfants recrues reçoivent un entraînement de base : démonter et remonter un fusil d'assaut, charger, viser et tirer, nettoyer et entretenir leur arme et le reste de leur équipement. D'incessantes répétitions font de ces connaissances élémentaires des automatismes, en particulier celui de tuer lorsqu'on en a reçu l'ordre. Il arrive aussi qu'on enseigne aux enfants quelques compétences élémentaires, par exemple les formations en mouvement, les méthodes d'embuscade, l'orientation et les techniques de brousse. En général, cependant, la formation demeure rudimentaire et repose fortement sur l'expérience acquise « sur le tas ». Là, ni théorie ni pédagogie.

Dans *Children at War*, un enfant soldat sud-américain de quinze ans, présenté sous le nom de « R », déclare ceci : « Ma période d'entraînement a duré quatre mois et demi. J'ai appris à me servir d'une boussole, à attaquer un poste de police, à tendre une embuscade et à manier des armes. À la fin, j'utilisais un AK-47, un Galil, un R-15, des mortiers, des grenades "ananas", des grenades M-26 et des *taucos* [lance-grenades multiples]. »

En l'occurrence, « R » a eu droit à une formation plutôt poussée pour un enfant soldat. D'habitude, le processus est réduit à l'extrême, les commandants considérant ces enfants comme interchangeables et remplaçables. On consacre aux recrues le minimum de temps et d'effort nécessaires pour produire les interventions et les réactions instinctives attendues, ceux qui tombent au combat pouvant toujours être remplacés. Les plus vifs survivront aux premières échauffourées et acquerront une certaine expérience du combat ; quelques-uns deviendront des enfants leaders. Quant aux autres, dont ceux qui commettent des erreurs, ils seront vraisemblablement blessés et abandonnés ou mourront tout simplement sur le champ de bataille. Moins les commandants consacrent de temps et de ressources à la formation, mieux ils se portent.

Il convient toutefois de souligner que ces mêmes leaders allouent du temps à la désensibilisation des enfants ; cette méthode d'endoctrinement et de soumission mise sur la peur.

Dans *Children at War*, un jeune Colombien de douze ans se souvient: «Dans les paramilitaires [...], la première tâche est de tuer. On vous le dit carrément: "Vous devez tuer." Dès le début, on apprend à tuer. À notre arrivée au camp, la première chose qu'on fait, c'est tuer quelqu'un; si vous êtes nouveau, on vous fait venir pour aiguillonner la victime, lui couper les mains et les bras.»

De la même façon, on oblige les enfants à tuer et à mutiler leurs proches pour se désensibiliser. Le jeune combattant colombien de douze ans a également confié à P.W. Singer: «Sept semaines après mon arrivée, il y a eu un combat. J'ai eu très peur. Ils ont tué l'un de nous. Nous devions boire son sang pour surmonter notre peur. Seuls ceux qui avaient peur devaient le faire. J'étais le plus effrayé du groupe parce que j'étais le plus nouveau et le plus jeune.»

Dans *Le Chemin parcouru*, Ishmael Beah décrit une méthode de désensibilisation plus familière: «Le soir, nous regardions des cassettes, des films de guerre – *Rambo, Rambo II, Commando*, etc. –, grâce à un générateur ou parfois à une batterie de voiture. Nous voulions tous être comme Rambo, nous étions impatients d'imiter ses techniques de combat.»

À la lecture des mémoires et des interviews approfondies menées auprès d'anciens enfants soldats, on constate que ces méthodes de formation et de socialisation sont en gros communes à toutes les forces armées qui misent sur les enfants. Si certaines factions comme la LRA, par exemple, semblent plus extrémistes, tous les «programmes» de formation ont pour but de créer des soldats possédant les compétences minimales que requiert la lutte ou le fonctionnement dans une zone de combat, des soldats dociles et souvent drogués, terrorisés par leurs aînés ou les combattants aguerris, qui exécutent les ordres, y compris celui de tuer et de mutiler, en fanatiques, sans poser de questions, sans remords, sans hésitation, voire sans doute rétrospectif, des soldats loyaux à leur leader, à leur groupe et à leur cause et, fait plus important encore, des soldats prêts à se battre et à mourir pour ce groupe, aveuglément, sans réfléchir. Marche ou crève, tue ou meurs, humilie et mutile ou prépare-toi à une mort dégradante, sème l'horreur et la terreur ou sois victime de traumatismes ou encore de la lame tranchante d'une machette.

Comment les enfants réagissent-ils à une telle expérience? Dans certains cas, le lavage de cerveau entraîne des dommages cérébraux permanents et ils deviennent des soldats fanatiques, ou plutôt des zombies. Cette forme d'aliénation, si contraire à leur nature soit-elle, est exactement celle que vise le système. Dans ses mémoires, Emmanuel Jal se souvient de la soirée où, après avoir tué un ennemi, ses camarades et lui se sont mis à chanter:

> J'ai senti l'excitation affluer dans mes veines et la peur s'échapper de moi pendant que je chantais. Désormais, j'étais un soldat. J'arrivais à ne dormir que d'un œil et à retenir mes cris lorsqu'on me rouait de coups jusqu'à ce que je me pisse et me chie dessus. Je savais qu'il existait onze manières d'attaquer une ville; je savais dégoupiller, amorcer et lancer une grenade; je savais charger et utiliser un AK-47; je savais frapper un ennemi à coups de machette et utiliser des pierres comme armes quand j'étais à court de munitions. Je n'avais rien à craindre.

Pas étonnant, dans ces conditions, que le sens des valeurs naissant des enfants mêlés à des conflits se gauchisse de façon tragique, en l'absence de tout respect pour la vie humaine et les conventions, quelles qu'elles soient. Le mal devient le bien, et le bien, le mal. Il est bon de tuer, mal d'avoir pitié. La vie ne vaut rien ; l'obéissance et la loyauté sont essentielles. La violence psychologique et physique ainsi que les traumatismes engendrent forcément des enfants profondément blessés, et les séquelles psychiques risquent fort d'être permanentes.

Les conséquences des assauts contre la conception du bien et du mal des enfants ne se limitent d'ailleurs pas à la destruction de leur psyché. À l'occasion d'une table ronde organisée par l'Initiative Enfants soldats et tenue à l'Université Dalhousie en août 2009, neuf anciens enfants soldats ont affirmé qu'ils s'étaient portés volontaires parce qu'ils croyaient fermement à la cause, aimaient leurs chefs et, après leur démobilisation, les avaient regrettés. Il leur arrivait d'avoir la nostalgie du terrain. À leurs yeux comme à ceux de tous les anciens combattants, la vie civile donne parfois l'impression d'être une pâle imitation de la guerre. Autre facteur aggravant et particulièrement désolant qui touche et déroute les enfants soldats : dans certains cas, on les a recrutés si jeunes qu'ils ne gardent pratiquement aucun souvenir de leur vie d'avant.

Les chercheurs font rarement état des enfants qui regrettent l'époque où ils étaient sur le terrain, avaient des camarades et du pouvoir, fût-il horrible et abusif ; ils se concentrent plutôt sur les torts qu'ils ont subis de même que sur la nomenclature des violations de leurs droits. S'il s'agit d'un exercice utile et nécessaire, on doit aller plus loin et étudier le recours aux enfants dans les opérations de combat en première ligne. En d'autres termes, nous devons comprendre leur fonctionnement en tant que système d'armes de même que la doctrine qui les « gouverne ». Alors seulement on réussira peut-être à les neutraliser et à les rendre inefficaces, voire à en faire des boulets pour leurs utilisateurs. Je crois que c'est le meilleur moyen de retirer cette arme de l'arsenal de guerre.

* * *

Mes recherches et mon expérience m'amènent à conclure que les enfants soldats sont, dans la plupart des forces, utilisés et exploités à quatre fins distinctes : combats de première ligne, guerre psychologique, soutien logistique et reconnaissance ou collecte d'informations. Je vais examiner tour à tour chacune de ces catégories.

Pendant les guerres civiles qu'ont connues l'Ouganda, le Rwanda, le Congo et le Burundi, certaines forces non gouvernementales (notamment la LRA et le FPR) ont fait des enfants la composante principale de leur infanterie. Au Soudan, par exemple, le régime de Khartoum n'a pas ciblé les enfants dans un premier temps ; il n'a commencé à le faire qu'après l'échec d'une campagne visant à recruter de jeunes hommes.

La méthode la plus fréquemment employée pour organiser de jeunes combattants consiste à les diviser en groupes confiés au plus petit nombre d'adultes possible. L'unité organisationnelle de base comporte de dix à trente enfants commandés par un nombre d'adultes et d'enfants plus âgés suffisant pour garantir sur eux une mainmise, une intimidation et une autorité affective adéquates. Cependant, on sait que de jeunes garçons et filles ont commandé de petits groupes d'enfants avec efficacité, courage et une certaine compétence. Très vite, les commandants apprennent à repérer ceux qui se révéleront les plus impitoyables, ceux qui feront de bons leaders. Souvent, ils choisissent l'élément le plus violent d'un groupe donné.

Ces enfants sont d'une cruauté ahurissante, inconcevable. Mariatu Kamara, qui étudie aujourd'hui à Toronto en plus d'être ambassadrice de Radhika Coomaraswamy, la représentante spéciale de l'UNICEF pour les enfants et les conflits armés, a grandi en Sierra Leone. Dans le livre qu'elle a écrit avec Susan McClelland, intitulé *Le Sang de la mangue*, elle explique dans quelles circonstances elle a subi une double amputation :

> Trois garçons m'ont hissée par les bras. Je donnais des coups de pied, je criais, j'essayais de les frapper. Mais, même si c'étaient de tout jeunes garçons, ils m'ont facilement maîtrisée. J'étais épuisée, trop faible pour me défendre. Ils m'ont conduite derrière les toilettes. Nous nous sommes arrêtés devant un gros rocher.
>
> Des coups de feu résonnaient dans la nuit. J'ai pensé que les rebelles devaient tirer sur quiconque était encore dans le village. « S'il vous plaît, Allah, faites qu'une balle perdue me frappe en plein cœur et que je meure », ai-je prié. J'ai cessé de me débattre et je me suis abandonnée aux garçons.
>
> À côté du rocher, j'ai vu un homme torse nu, mort. Il y avait de petites pierres tout autour de lui. Stupéfaite, j'ai reconnu le mari de la femme enceinte. Il vendait des produits d'une ville à l'autre, comme l'homme qui m'avait donné l'huile de palme. La femme qu'on avait abattue était sa deuxième épouse, et le bébé aurait été son premier enfant. À présent, son visage n'était plus qu'une bouillie sanguinolente. Je voyais même des parties de son cerveau. Les rebelles l'avaient lapidé.
>
> — S'il te plaît, je t'en supplie, ne me fais pas ça, ai-je imploré un des garçons. J'ai le même âge que toi. Tu parles themné. Tu dois venir des alentours. Nous aurions été des cousins si nous avions vécu dans le même village. Nous pourrions peut-être devenir amis.

— Nous ne sommes pas des amis, a-t-il répliqué en fronçant les sourcils et en tirant sa machette. Et nous ne sommes certainement pas cousins.

— Je t'aime bien, ai-je insisté, m'efforçant de trouver son bon côté. Pourquoi veux-tu faire du mal à quelqu'un qui t'aime bien ?

— Parce que je ne veux pas que tu votes.

Un des garçons a saisi mon bras droit, un autre a mis ma main à plat sur le rocher.

— Plutôt que de me couper les mains, tuez-moi, les ai-je suppliés.

— Nous n'allons pas te tuer, a dit le garçon. Nous voulons que tu ailles voir le président et que tu lui montres ce que nous t'avons fait. À présent, tu ne pourras plus voter pour lui. Tu lui demanderas de te donner de nouvelles mains.

Je vacillais, et deux garçons m'ont maintenue. La machette est tombée, et tout est devenu silencieux. J'ai fermé les yeux très fort, mais ils se sont ouverts et j'ai tout vu. Le garçon a dû s'y prendre à deux fois pour trancher ma main droite. Le premier coup n'a pas traversé les os, que je voyais jaillir en toutes sortes de formes et de tailles.

La dernière phrase du chapitre, infiniment poignante, se lit comme suit : « Pendant que tout devenait noir dans ma tête, je me rappelle m'être demandé : "C'est quoi, un président ?" »

La plupart des forces qui utilisent des enfants comme soldats adaptent leurs armes et leurs tactiques en conséquence ; voilà pourquoi je soutiens que ces jeunes eux-mêmes sont devenus un système d'armes. Ce sont les recherches que j'ai menées au Carr Center qui m'ont poussé à voir les enfants soldats sous cet éclairage nouveau. À ce sujet, j'ai écrit : « Les enfants soldats sont une arme de terreur efficace et, jusqu'ici, nous n'avons pas réussi à mettre au point une solution de rechange conforme à notre sens moral. » Les chefs des groupes rebelles et autres ont vite mesuré l'impact que des enfants armés ont sur les adultes. Il leur suffisait, à force de manipulations, de placer de petits êtres humains en première ligne, face à une armée composée d'adultes, pour bénéficier d'un avantage tactique. P.W. Singer écrit que « les forces exploitent souvent à leur avantage l'innocence présumée des enfants. En Irak, des groupes rebelles auraient ainsi utilisé des garçons et des filles comme éclaireurs et espions, particulièrement lorsqu'ils ciblaient des convois américains ». Probablement, est-on en droit de penser, parce que les soldats américains ne s'attendaient pas à avoir des enfants comme ennemis. Non seulement les enfants présentent un dilemme moral aux forces armées légitimes, mais ils transgressent complètement les règles du « jeu de la guerre ». Finie l'époque où nos soldats se battaient selon des normes généralement admises, dans des camps bien délimités et face à des adversaires clairement identifiés.

\* \* \*

Dans la plupart des cas, les enfants, lorsqu'ils font pour la première fois l'expérience du combat, ne sont pas armés. On ne leur confie des armes qu'à condition qu'ils aient fait leurs preuves, pour peu, évidemment, que du matériel soit disponible. L'omniprésent AK-47 est l'arme qu'on privilégie pour les enfants plus vieux, qui passent ensuite aux fusils mitrailleurs légers, comme le RPK, aux lance-roquettes de la famille RPG, notamment, et même aux mortiers légers de soixante millimètres. On récompense le bon rendement par l'attribution d'armes plus prestigieuses de même que de responsabilités et de pouvoirs accrus au sein du groupe. La plupart des ex-enfants soldats que j'ai rencontrés m'ont parlé avec attendrissement de leurs armes et du sentiment de force et de sécurité qu'elles leur procuraient.

Il a été démontré que, en situation de combat, les enfants peuvent plus facilement que les adultes être conduits à des paroxysmes émotifs et même physiques.

Après avoir surmonté leurs réticences initiales et subi un baptême du feu satisfaisant, bon nombre d'enfants en viennent à ignorer la peur et à chercher activement la confrontation. En général abondantes, les drogues contribuent à les désinhiber, à les débarrasser de leur peur. Elles induisent aussi la dépendance, ce qui assure aux adultes un autre moyen de contrôle. Dans les conflits de la région des Grands Lacs, où les opérations ont tendance à être plus fluides et moins tributaires de positions de défense fermes qu'il faut repousser au moyen d'assauts, les enfants soldats se révèlent particulièrement efficaces dans les raids, les embuscades, les patrouilles et les attaques éclair contre des ennemis sans méfiance. Sans oublier le pillage et les abus commis envers les « ennemis » civils.

Certaines forces, la LRA, par exemple, emploient des enfants soldats sans se soucier le moins du monde de leur survie. Des rapports, des témoignages et des communiqués quotidiens indiquent que les commandants de cette force n'attachent aucune valeur à la vie des soldats sous leurs ordres. Les enfants comme les adultes sont interchangeables. Quand on a besoin de recrues, on n'a qu'à aller se servir de l'autre côté de la frontière. Privés d'eau, de nourriture et de médicaments, les soldats pillent sans merci les villages qu'ils envahissent. Le pillage est leur seul moyen de survie.

D'autres forces, comme le FPR, valorisaient au plus haut point la vie de leurs soldats ; en contrepartie, elles étaient récompensées par des niveaux très élevés de loyauté et de compétence, ainsi que je l'ai moi-même observé pendant la mission de reconnaissance que j'ai effectuée avant mon entrée en fonction à Kigali.

Néanmoins, on a plutôt eu tendance à placer les enfants sur la ligne de front pour essuyer les feux de l'ennemi, faire détoner les mines et les objets piégés avec leur corps ou encore mener les assauts. En raison d'un tel positionnement, les enfants subissent l'essentiel des pertes de vie ; les adultes font ensuite main basse sur le butin et récompensent les jeunes survivants. Dans certains cas, les commandants obligent des enfants soldats à marcher devant eux pendant une attaque et n'hésitent pas à tirer sur ceux qui se montrent un peu trop tièdes. Plonger les enfants au cœur d'une bataille et les laisser se débrouiller tout seuls : telle semble être la stratégie d'apprentissage privilégiée. Il s'agit en quelque sorte d'une perversion moderne du sage conseil donné par Sun Tzu dans *L'Art de la guerre* : « Les troupes bien disciplinées résistent quand elles sont encerclées ; elles redoublent d'efforts dans les extrémités, elles affrontent les dangers sans crainte, elles se battent jusqu'à la mort quand il n'y a pas d'alternative, et obéissent implicitement. » Lorsqu'on vous tire dessus, vous apprenez rapidement à ne pas vous offrir en cible et à utiliser votre arme et toutes sortes de manœuvres pour vous défiler et vous donner un avantage. Tuer ou être tué.

Pendant une offensive, les enfants se montrent aussi capables que les adultes ; souvent, à condition d'être motivés, ils affichent moins de peur et plus d'agressivité qu'eux. Comme l'écrit P.W. Singer : « Les enfants font des combattants d'une grande efficacité. Ils ne posent pas beaucoup de questions. Ils

font ce qu'on leur dit et, souvent, ne sont en mesure ni d'évaluer les risques de la guerre ni de les comprendre. Des victimes
et des témoins ont affirmé redouter les enfants plus que les
adultes : en effet, les jeunes combattants ne se font pas une
idée bien nette de la valeur de la vie. Ils sont prêts à tout. Ils ne
connaissent pas la peur. Surtout lorsqu'ils sont bourrés de drogues. Se battre devient pour eux un jeu amusant. » Ou encore
ils ont été réduits à un état de désespoir tel que la seule chance
de survie qu'ils entrevoient consiste à attaquer avec férocité
dans l'espoir de l'emporter.

* * *

On peut aussi employer les enfants soldats comme armes
psychologiques. Un groupe dépourvu de la capacité technique de vaincre l'ennemi par la force doit faire preuve d'ingéniosité et utiliser les outils dont il dispose, habituellement
d'une manière qu'on en est venu à associer au terrorisme.
Sur ce plan, les enfants soldats constituent une ressource
particulièrement précieuse. Si on parvient à se servir d'eux
comme kamikazes ou comme engins explosifs improvisés
(EEI) ambulants, c'est principalement, mais pas uniquement,
parce que, dans la plupart des cas, on les bourre de stimu-
lants qui ont pour effet de les insensibiliser à la peur et à la
douleur.

Chris Coulter, qui se penche sur le conflit en Sierra Leone,
affirme que « les drogues sont la principale cause de cette
absurde escalade de violence. "C'est comme ça qu'ils trouvent
le courage de faire toutes ces choses. Sans elles, ils n'y arrive-
raient pas. Qui irait tuer sa mère ? Mais quand on est drogué,
on ne reconnaît personne", a dit Musu, un de mes informa-
teurs ». Dans un document préparatoire (daté de février 2010)

de la Coalition pour mettre fin à l'utilisation des enfants soldats, un ancien Maï-Maï déclare ceci : « Après avoir pris une
cuillerée de bouillie [bourrée de drogues], je ne vois pas la
différence entre les hommes et les animaux. » Un autre ex-
enfant soldat explique : « Après la prise du médicament, dès
que vous entendez un coup de feu, vous devenez fou et vous
vous mettez en chasse, comme un chien chasse un lièvre. »

S'adressant à nous à l'occasion de la table ronde organisée
par l'Initiative Enfants soldats en août 2009 à Halifax, Grace,
ancienne soldate de la LRA et participante au Réseau de jeunes
gens victimes de la guerre (Network of Young People Affected
by War ou NYPAW), a raconté que les filles se montraient particulièrement brutales vis-à-vis de leurs pairs parce qu'elles
se rendaient compte que c'était la bonne façon de diriger une
unité. Une fois désignées comme commandantes, elles étaient
envoyées, avec une supervision adulte minimale et parfois
même sans supervision du tout, en mission secondaire de harcèlement ou de pillage. Dans certains cas, elles tentaient de
conduire les membres de leur groupe vers la liberté et, parfois, elles y parvenaient.

Dans les sociétés africaines traditionnelles, on respecte
les aînés depuis toujours et, sur ce plan, rien n'a changé : les
enfants qui désobéissent ou font du grabuge sont aussitôt
réprimandés par les plus vieux. Chez les enfants soldats, on
a renforcé ce trait au moyen de la formation, de la socialisation et des expériences de combat. Des participants à la table
ronde du NYPAW nous ont dit que les chefs donnaient aux
enfants combattants le sentiment d'appartenir à une famille
et à une collectivité : « Les enfants issus d'une culture où on
les élève en communauté et où le respect des figures d'autorité est inculqué dès la prime jeunesse se sentent particulièrement à l'aise dans un tel environnement. »

Le corollaire de cette perversion des normes sociales est l'effet traumatisant induit par les enfants soldats, du seul fait qu'ils vont à l'encontre du respect du jeune pour ses aînés. La vue d'un enfant agité et armé d'un AK-47 a de quoi terrifier, ne serait-ce que parce qu'on a devant soi un terrible mélange d'obstination imprévisible et de force brute sur fond de renversement total des rôles traditionnels.

À la terreur que sèment de telles forces dans le cadre des guerres civiles s'ajoute la conscience qu'ont les sociétés concernées d'abriter en leur sein un grand nombre d'enfants susceptibles, sans qu'elles puissent y faire quoi que ce soit, d'être transformés en soldats. Les civils de cette région de l'Afrique centrale côtoient et aiment des enfants qui risquent un jour de les tuer.

L'utilisation d'enfants soldats contre des forces rivales ou étrangères ajoute une autre dimension à leur efficacité. Les soldats attaqués par des enfants font face à un dilemme moral supplémentaire. En effet, ils doivent sans cesse mettre en doute la légitimité de leurs actions et, en même temps, surmonter la tendance naturelle qu'ils ont à hésiter avant d'appuyer sur la détente. Les lois qui régissent les conflits armés reconnaissent explicitement le droit fondamental de tous les combattants à l'autodéfense. Au cours des vingt dernières années, des forces étrangères de protection aux capacités et à l'efficacité hélas très variables, auxquelles ont participé bien plus de cent mille casques bleus, ont été déployées dans le cadre de près de deux douzaines de missions de l'ONU menées dans des zones de conflit où des enfants soldats ont pris part à des altercations. Pourtant, les règles d'engagement auxquelles elles sont soumises ne définissent pas les modalités du recours à la force contre des enfants soldats, que la vie du casque bleu soit mise en danger ou que sa mission risque d'être compromise. Toute hésitation de la part des forces de protection, qu'elles soient nationales ou étrangères, risque de procurer un avantage tactique à ceux qui utilisent les enfants soldats comme système d'armes. En mettant des enfants soldats en première ligne, Joseph Kony, de la LRA, avait également une intention cachée. En effet, il espérait que la tempête médiatique que susciterait leur mort aurait pour effet de modérer la riposte militaire du gouvernement. C'est précisément pour cette raison que les Acholis, peuple auquel la LRA s'attaque sans cesse et auquel les forces de Kony prennent des enfants, se sont montrés très critiques envers les efforts déployés par le gouvernement ougandais pour combattre Kony : c'étaient leurs enfants qu'on tuait, même s'ils étaient eux-mêmes des tueurs. Comme le souligne P.W. Singer, affronter des enfants soldats « constitue un véritable cauchemar de relations publiques que les adversaires tentent parfois d'exploiter. L'une des plus grandes inquiétudes des militaires qui font face à des enfants soldats, c'est que la victoire au sens traditionnel risque de miner leurs appuis au niveau national et de provoquer un retournement de l'opinion publique internationale ».

L'utilisation des enfants soldats dans les zones de conflit crée un grand vide dans les réactions tactiques des armées et des forces de sécurité connexes. Mon Initiative Enfants soldats a justement pour but, ainsi que je l'expliquerai au chapitre 9, de définir cette faille opérationnelle critique, de mettre au point un cadre conceptuel capable de neutraliser ce système d'armes très efficace et de prévenir son renforcement par un afflux de nouvelles recrues. À partir de ce cadre conceptuel rigoureux, j'élaborerai les doctrines ou les principes nécessaires à la conception des tactiques, des équipements, des exercices, des programmes de formation et des organisations dont nous avons besoin pour mettre un terme au massacre pur et simple de ces enfants.

De plus, on observe chez les soldats qui ont fréquemment
été attaqués par des enfants appartenant à une force non professionnelle, quasi criminelle, un effet encore plus insidieux
et terrifiant. Parce qu'ils craignent pour leur propre sécurité,
ont perdu des camarades au combat, ont pris part à des engagements humiliants qui se sont retournés contre eux et ont
été témoins des brutalités que des enfants endoctrinés et drogués peuvent faire subir à des victimes innocentes, ces soldats
risquent de considérer tous les enfants comme des ennemis
en puissance et de commettre des abus contre des groupes de
jeunes qu'ils soupçonnent d'avoir de mauvaises intentions.

\* \* \*

On utilise également des enfants pour commettre des actes
terroristes, y compris des attentats suicide, contre des civils
ou des militaires du camp opposé. Dans les sociétés surpeu-
plées des pays en développement, les enfants sont si nombreux
que l'un d'eux, armé d'une grenade, pourra toujours passer par
un poste de contrôle sans se faire remarquer ou flâner dans
un secteur avant de se transformer en bombe humaine, de
détruire sa cible et, en vertu d'une loyauté tordue et induite
par les drogues, de se détruire lui-même. On les utilise également comme instruments de terreur contre des civils soumis
à des atrocités favorisées par la consommation de drogues ou
à des attaques d'une malicieuse sauvagerie. C'est au Congo
qu'on trouve le meilleur exemple de l'application systématique de cette méthode : trop souvent, les rebelles Maï-Maï et
les milices Interahamwe ont réussi à déstabiliser tout l'est de
ce pays gigantesque et à transporter la guerre civile au-delà des
frontières nationales. Pour des millions de civils innocents, les
conséquences sont dévastatrices.

\* \* \*

En plus de participer à des combats et de semer la terreur, les enfants soldats constituent l'ossature du soutien logistique. Dans la région des Grands Lacs, par exemple, les belligérants gouvernementaux et non gouvernementaux manquent de moyens de transport : là où ils en ont à leur disposition, seules quelques routes peuvent servir d'axes de ravitaillement. Souvent, la majeure partie du réseau routier, qui parcourt un terrain accidenté, est impraticable en raison de l'érosion et de l'entretien déficient. La meilleure façon de transporter de lourds fardeaux consiste donc à emprunter d'étroits sentiers qui sillonnent les forêts et les ravines ou contournent les montagnes et à utiliser des enfants légers et mobiles comme bêtes de somme. Si le terrain le permet et que les charges sont très lourdes (de volumineuses boîtes de munitions, par exemple), les commandants augmentent la force portante des enfants en leur fournissant des bicyclettes.

Là où des combats font rage sur fond de pénurie alimentaire, on envoie les enfants récolter des aliments sauvages dans la forêt, faire du troc dans les marchés et voler la nourriture des organisations humanitaires ou des fermiers à la pointe du fusil. À titre d'exemple, pendant la guerre civile du Burundi, les forces gouvernementales et les forces rebelles ont recueilli de nombreux enfants lors de la sécheresse de 2000-2001. L'insécurité, la mort de leurs parents et la faim ont poussé des enfants à s'attacher aux forces combattantes ; même si on les utilisait rarement pendant des combats, ils servaient de porteurs, de garçons de courses, de blanchisseuses, de cuisinières et même d'infirmières auprès des blessés.

On peut aussi se servir des enfants soldats comme espions ou éclaireurs affectés à des tâches de reconnaissance et de collecte d'informations. Les enfants ont ceci d'avantageux qu'ils peuvent en général se déplacer sans attirer l'attention, en particulier dans des pays populeux où ils sont nombreux et passent une bonne partie de la journée sans supervision. Dans des conditions normales, la plupart des êtres humains considèrent les enfants comme des objets d'affection, et non de peur ou de méfiance. Ils peuvent donc, et c'est un avantage pour ceux qui les emploient, s'approcher des installations de sécurité et d'autres points névralgiques, par exemple les adductions d'eau et les centrales hydroélectriques, sans éveiller de soupçons. Dans les faits, ils deviennent d'excellents agents secrets agissant comme espions ou comme éclaireurs.

De la même façon, on utilise les enfants comme coursiers et comme messagers. On espère qu'ils ne seront ni arrêtés ni même remarqués par les forces de sécurité ou les groupes d'autodéfense qui commandent les multiples barrages routiers. Au Rwanda, plus récemment, les attaques de l'Armée pour la libération du Rwanda (ALIR), groupe composé d'extrémistes hutus qui avait pour but de renverser le gouvernement de Paul Kagame et de rétablir le pouvoir hutu, ont souvent été précédées par des missions de reconnaissance menées par des enfants, que les forces rwandaises étaient plus susceptibles de laisser passer.

* * *

En résumé, les enfants offrent des capacités militaires, des avantages opérationnels et une efficacité tactique qui les rendent attrayants aux yeux de commandants sans scrupule. Ils peuvent se battre à l'aide des armes légères qu'on retrouve le plus souvent dans les zones de conflit, et ils ont montré qu'ils pouvaient faire preuve, en première ligne, d'un courage confinant au fanatisme. Dans les États en déliquescence, où ils servent d'instruments de terreur d'une grande efficacité, ils font désormais figure d'armes de choix. Ils peuvent se charger d'une multitude de tâches inférieures mais essentielles touchant la logistique et le soutien, permettant ainsi aux combattants (les soldats et les autres enfants) de se concentrer sur leurs fonctions opérationnelles. Au chapitre de la collecte de renseignements, ils peuvent aussi se montrer utiles lorsqu'on les emploie comme espions, éclaireurs, outils d'alerte avancée, messagers ou gardiens. Les filles et certains jeunes garçons sont agressés sexuellement et échangés comme des produits de consommation courante pour satisfaire les perversions des hommes et des garçons plus âgés.

En raison du bassin en apparence inépuisable de recrues potentielles, des commandants criminels, dans les pays en implosion de l'Afrique subsaharienne, en particulier, ont fait des enfants soldats un système d'armes privilégié, durable et à faible coefficient de technologie. Ils ont défini des tactiques fourbes et impitoyables, des structures de combat commandées par des enfants, dont les besoins en équipement sont rudimentaires, ainsi que des normes et des méthodes de formation simplifiées qui optimisent l'efficacité des jeunes corps et esprits. En somme, ces commandants criminels ont constitué une doctrine des enfants soldats qui varie un peu en fonction des usages locaux, mais dont les principes sont étonnamment similaires d'un endroit à l'autre. C'est grâce à la compréhension de ces principes que nous établirons les moyens les plus efficaces de neutraliser ce système d'armes inhumain et relativement nouveau. Je reviendrai sur ce point au chapitre 9.

Mais, d'abord, j'aimerais me pencher sur un autre aspect de la réalité des enfants soldats. Leur vie est déjà difficile et tragique. Or, s'il y a une chose que nous savons de façon certaine au sujet des guerres, c'est que, tôt ou tard, elles prennent fin. Qu'arrive-t-il aux enfants soldats, après ?

Ceux qui s'en sortent vivants feront inévitablement face à une multitude de problèmes sociaux, physiques et affectifs. Souvent, ils ont commis d'inconcevables atrocités ou en ont été témoins. Ils sont parfois malades, aux prises avec la toxicomanie et les blessures physiques de la guerre, lesquelles, en raison de l'insuffisance des soins médicaux et des conditions de convalescence peu sanitaires, risquent de se transformer en incapacités permanentes. Ils sont laissés à eux-mêmes et, sans amis ni parents, doivent assurer leur survie. Certains rentrent dans leurs villages ou, de dérive en dérive, se rendent dans les grandes villes, où ils ont entendu dire qu'il y avait du travail. Mais ils ont du mal à s'adapter à la vie civile, d'autant qu'ils sont pour la plupart peu scolarisés et habitués à se procurer par la force ce dont ils ont besoin ou envie. Ils ont perdu toute preuve de leur identité et de leur existence. Leurs commandants les ont si bien programmés qu'ils ont fini par croire que la fin de la guerre avait aussi marqué la fin de leur utilité.

Les plus chanceux (même s'ils ne s'en rendent pas toujours compte sur le coup) cessent tôt d'être soldats parce que l'UNICEF, d'autres ONG, des organisations internationales ou même des politiciens ou des diplomates nationaux et étrangers ont négocié leur libération avant la conclusion d'un cessez-le-feu ou la fin du conflit. Ceux qui ont moins de chance passeront par un mécanisme de démobilisation qui n'établit pas clairement qui ils sont ou qui ils ont été, et qui, pour cette raison, rate la cible, même s'il a pour but de leur rendre un semblant de normalité dans un pays qui, souvent, hésite encore entre la reconstruction nationale et la reprise des hostilités.

Le prochain chapitre porte sur les enfants soldats désarmés, démobilisés, réadaptés et réintégrés, de même que sur les efforts qu'ils doivent déployer pour reconquérir leur enfance. Dans leurs petits corps, ces âmes rompues aux usages de la brousse, mais toujours immatures, doivent lentement désapprendre les habiletés perverses et impitoyables qu'on leur a enseignées, s'extirper de la dépendance à l'alcool et aux drogues qu'on leur a fait prendre pour mieux les contrôler et oublier (ou transcender avec une résilience parfois étonnante) les expériences essentiellement prédatrices qui leur ont permis de survivre dans la brousse.

# 7
## COMMENT ON «DÉFAIT» UN ENFANT SOLDAT

près avoir étudié les enfants soldats depuis près d'une décennie, je sais au moins ceci : il est extrêmement difficile de recoller les morceaux d'un enfant brisé par un conflit, de maintenir les efforts soutenus qu'une telle opération suppose et d'en prévoir l'issue. Dans le présent chapitre, je me propose d'examiner certains aspects de cette question troublante, que l'ONU, les organisations de maintien de la paix et les humanitaires appellent «DDR» (désarmement, démobilisation et réintégration). Le «r» final renvoie d'ailleurs à plusieurs autres mots en «r», comme *réinsertion, réadaptation, réconciliation, reconstruction* ou *rapatriement*. Autant d'objectifs difficiles à atteindre. Je le répète : il vaut mieux empêcher en amont le recrutement et l'utilisation d'enfants au sein de forces belligérantes que faire face aux complications qu'entraîne leur réintégration au sein de leur collectivité d'origine (à supposer qu'elle existe toujours), une fois le conflit terminé. Le rappeur et ancien enfant soldat Emmanuel Jal évoque éloquemment les blessures qu'il a subies et la lutte qu'il mène pour sa guérison dans les paroles de sa chanson intitulée *Baaki*

*Wara*: « Je fais encore la guerre/mais cette fois/c'est pour mon âme que je me bats. »

Malgré les protocoles consensuels, malgré les bonnes intentions, un fait demeure : la question des enfants affectés par la guerre et des enfants soldats arrive rarement en tête de la liste des priorités des protagonistes nationaux et internationaux qui, au lendemain d'un conflit, s'emploient à la reconstruction d'un État-nation viable. Au fond, il n'y a pas lieu de s'en étonner. Y a-t-il, au sein des pays stables et industrialisés, une seule entité politique qui, s'agissant de faire passer les besoins des enfants en premier et de se rappeler l'importance que revêt la protection de leur imagination, de leur sens de l'émerveillement et de leur capacité de rêver et de grandir, ne se contente pas de belles paroles ? Non, nous mûrissons, on nous somme de laisser de côté les enfantillages et, dans une large mesure, nous acquiesçons : le milieu de l'éducation, en Amérique du Nord tout au moins, est de plus en plus soumis à des pressions utilitaires et financières. On supprime des bibliothèques et des programmes d'enseignement des arts et de la musique, bref tout ce qui cadre mal dans des budgets déjà étirés jusqu'à la limite. Nous abandonnons à eux-mêmes nos enfants les plus pauvres, comptons sur eux pour se sortir tout seuls de la misère. Aux États-Unis et dans certaines régions du Canada, pays pourtant riches et dotés de grandes ressources collectives, on observe des taux de pauvreté infantile révoltants, en particulier chez les Autochtones. Dans ma propre patrie, un enfant sur neuf vit sous le seuil de la pauvreté.

Par le passé, dans les zones de conflit où la paix s'instaurait tant bien que mal, on a eu tendance à oublier les enfants : essentiellement, des adultes en venaient à la conclusion que certains problèmes « adultes » l'emportaient sur ceux des enfants et des jeunes qui avaient été happés par des combats

ou que le conflit avait poussés à gauche et à droite. Cette relé-
gation au second plan quasi automatique des enfants affectés
par la guerre (y compris les enfants soldats responsables de
tant de destruction humaine), dont on se promettait toujours
de s'occuper « plus tard », est remise en question peu à peu,
au fur et à mesure qu'on prend conscience de l'effet inhibi-
teur d'une telle attitude sur les efforts de réconciliation et
de reconstruction. Ou, du moins, le langage se transforme.
En général, dans les accords de paix les plus récents, on fait
explicitement référence aux enfants soldats, de même qu'aux
moyens à employer pour répondre à leurs besoins en matière
de démobilisation et de réintégration. La mise en œuvre de
telles mesures demeure toutefois hésitante. Même si on formule des vœux pieux jusqu'aux plus hauts échelons de la
chaîne de commandement et que l'ONU affecte des agents
de protection des enfants à ses missions, les défenseurs des
enfants ont énormément de mal à attirer l'attention des dirigeants des missions en question et à obtenir leur part des crédits et des efforts.

Il est facile de sombrer dans les anciens schèmes de pensée.
« Bah, se dit-on, ce ne sont jamais que des enfants. Lorsque nous
aurons réglé les problèmes politiques, organisé des secours
et mis en place la structure de soutien capable d'apaiser les
acteurs principaux – des ex-commandants des belligérants aux
ONG en passant par le gouvernement embryonnaire nouvellement reconstitué et ses forces de sécurité intégrées –, nous
nous attaquerons aux problèmes sociaux, aux secteurs plus
"mous" que sont les femmes et les enfants, la santé communautaire et l'éducation. » De façon générale, les responsables
de tous ordres – organismes stratégiques, comme le Département des opérations de maintien de la paix de l'ONU ou le
Conseil de sécurité, d'où émanent les mandats de maintien

de la paix, ou missions sur le terrain chargées de les faire respecter et que le temps et les ressources pressent de produire
des résultats tangibles à court terme – considèrent les enfants
soldats comme une nuisance, un tracas, un problème d'ajus-
tement social méritant des efforts minimaux. L'ONU ne peut
tenter d'imposer une ligne de conduite qu'avec le soutien de
ses États membres. Si, pour ces derniers, les enfants soldats
ne constituent pas une priorité, il sera difficile de réserver des
fonds et des ressources pour les programmes de DDR. Si vous
avez du mal à vous expliquer une telle situation, rappelez-vous
que les enfants soldats sont peut-être mieux nourris et mieux
soignés au sein du groupe armé auquel ils appartiennent qu'ils
ne le seront dans leur collectivité. Or, les enfants, tout comme
ceux qui tentent de les démobiliser, en sont parfaitement
conscients. Certains d'entre eux, qui ont causé des ravages et
continuent vraisemblablement de le faire, aident les dirigeants
de toutes les mouvances à s'arroger des pouvoirs au moment
même où le conflit s'essouffle, d'où une situation encore plus
complexe pour les organismes qui s'occupent d'eux.

Pour faire justice à tous les autres mots en « r », je vais
ajouter un « r » au sigle DDR et parler de DDRR. En théorie, le
DDRR devrait être l'une des premières étapes de la reconstruction d'un pays, laquelle vise à permettre aux citoyens de réintégrer leur foyer et, une fois le conflit terminé, de retrouver
un minimum de normalité et de paix. En réalité, les choses ne
sont jamais aussi simples. Comme l'ONU le précise dans l'in-
troduction à ses normes officielles en matière de DDRR (les
*Integrated Disarmament, Demobilization and Reintegration Stan-
dards,* ou *IDDRS,* élaborés au milieu des années 2000 pour faire
connaître les pratiques exemplaires dans les régions troublées
du monde), l'objectif consiste à « contribuer à la sécurité et à
la stabilité post-conflit pour permettre le début de la reprise

et du développement ». Objectif louable, indiscutablement, mais nous devons veiller à ce que ces normes répondent effectivement aux besoins de tous les démobilisés. Jusqu'à présent, des personnes parmi les plus vulnérables – les millions d'enfants affectés par la guerre et les centaines de milliers d'enfants soldats – n'ont eu qu'un accès limité au processus de DDRR. Et, dans certains cas, ce processus, qui a pour but de les aider, les pousse, ironiquement, vers les groupes armés (gouvernementaux, rebelles ou paramilitaires), les bandes de bandits et la vie criminelle.

On a beaucoup étudié ces questions, et je n'ai pas l'intention de revenir sur ce qui a déjà été écrit. Je me propose plutôt de jeter un éclairage nouveau sur les aspects les plus problématiques. Certes, on a aussi épilogué sans fin sur ces difficultés. Beaucoup trop souvent, cependant, on abandonne à elles-mêmes les populations les plus vulnérables, pendant et après les conflits. Sur ce plan, l'ONU, soutenue par ses propres agences, comme l'UNICEF, et, dans certaines missions, par des représentants spéciaux du Secrétaire général, auxquels s'ajoutent quelques ONG qui œuvrent sur le terrain, par exemple Save the Children, War Child, Search for Common Ground, Vision mondiale et plusieurs autres, fait figure de chef de file.

En ce qui concerne la réadaptation des enfants affectés par la guerre et des enfants soldats, nous, adultes responsables et doués de raison, sommes néanmoins loin du compte. Pour ma part, je suis d'avis que la plupart des problèmes qui commencent par la lettre « r » s'expliquent par le rendement déficient des agences que j'ai mentionnées. Au début, elles tiennent de beaux discours et affichent de grandes ambitions ainsi qu'une détermination inébranlable, mais elles ont rarement la capacité de soutenir les efforts qu'exige la réalisation de leurs objectifs. Elles risquent aussi de s'embourber dans le dogmatisme, ce qui nuit à la mise en œuvre de nouvelles initiatives. L'UNICEF, par exemple, est mû par la ferme conviction que la réintégration des familles est la solution au problème des enfants soldats, mais la réussite de la réintégration dépend de multiples facteurs, notamment la formation professionnelle et l'emploi. Si on met l'accent sur un seul aspect, l'essentiel du financement des donateurs ira vers ce secteur, d'où un déséquilibre des ressources susceptible de nuire à l'établissement de la gamme élargie de mesures dont les enfants soldats ont besoin pour reprendre une vie normale. Et, en ce qui a trait à la correspondance entre les besoins des filles soldates (question que j'aborderai plus en détail à la fin du chapitre) et les programmes de DDRR tels qu'ils existent aujourd'hui, nous sommes encore plus loin du compte.

* * *

Traditionnellement, les programmes de DDRR, conçus pour les hommes adultes engagés comme combattants dans une guerre civile, visaient leur désarmement et leur réinsertion sociale à la fin des hostilités. Depuis une vingtaine d'années, toutefois, de plus en plus de femmes et d'enfants prennent les armes, volontairement ou de force, et se battent au sein de forces belligérantes. Après la guerre, ces combattants – femmes, garçons et filles – ont besoin d'aide, eux aussi, mais celle qu'on destine aux hommes adultes ne leur est pas adaptée. Le modèle « taille unique » ne se prête pas à toutes les situations, mais, pour des raisons de facilité et de pénurie de ressources, les enfants et les adultes sont souvent assujettis aux mêmes conditions touchant la sécurité et le soutien. Résultat : les jeunes demeurent soumis aux adultes qui les ont tant fait souffrir. Les premières ébauches de protocole distinct destiné aux jeunes avaient les mêmes faiblesses que celles qu'a observées Ishmael Beah lorsque son commandant l'a proposé à une ONG pour fins de DDRR : croyant que tous les jeunes aspiraient à redevenir « des enfants comme avant », les travailleurs humanitaires ont démobilisé dans un même endroit des garçons soldats de camps opposés. Il en est résulté un surcroît de violence. Il a fallu enseigner à ces garçons, avec des soins attentifs et une patience infinie, à redevenir des enfants, à renoncer à leur pouvoir de membres d'une unité de combat.

En ce qui concerne les enfants et la guerre, l'ONU, dans ses IDDRS, définit deux catégories :

Jeunes. S'il n'existe pas de définition juridique internationalement admise de la notion de « jeunes », les jeunes associés aux forces et aux groupes armés, qui constituent un segment important de la société, peuvent à la fois attiser un conflit et soutenir les efforts de réconciliation et de reprise qui y font suite. De nombreux ex-combattants ont été recrutés pendant leur enfance, mais, au moment de leur démobilisation, ils sont de jeunes adultes. Ils n'ont eu droit ni à la socialisation normalement offerte par les familles et les collectivités, ni à des possibilités d'éducation et de formation. Ils sont donc privés des compétences les plus élémentaires. *Dans la conception et l'exécution des programmes de DDR, on doit tenir compte du potentiel et des besoins particuliers des enfants plus âgés et des jeunes adultes associés à des forces et à des groupes armés.* [C'est moi qui souligne.] Les programmes de DDR conçus pour les jeunes peuvent aussi avoir un effet positif sur les jeunes de la collectivité susceptibles d'être recrutés par des forces ou des groupes armés ou encore par le crime organisé.

Enfants. Le recrutement d'enfants dans des forces et des groupes armés est une grave violation des droits humains, prohibée par le droit international. L'ONU favorise la libération inconditionnelle des enfants associés à des forces combattantes, quel que soit le moment, c'est-à-dire pendant les combats, durant les pourparlers de paix et avant l'établissement du processus national de DDR. En pratique, l'identification et la gestion des enfants associés à des forces et à des groupes armés se révèlent parfois difficiles. Si la Convention relative aux droits de l'enfant de l'ONU fixe à dix-huit ans l'âge de la majorité, les expériences et les concepts de l'enfance varient considérablement selon les cultures et les collectivités. Durant un conflit, que ce soit pendant leur association avec des forces ou des groupes armés ou dans des collectivités affectées par la guerre, les enfants sont susceptibles d'avoir assumé des rôles et des responsabilités qui échoient traditionnellement aux adultes. *Les filles en particulier sont souvent considérées comme des adultes si, pendant le conflit, elles ont été « mariées », ont eu des enfants ou ont agi comme chefs de famille dans les collectivités d'accueil.* [C'est moi qui souligne.] Les enfants ayant été associés à des forces ou à des groupes armés sont des parties intéressées ; à ce titre, on doit les consulter avec attention au moment de la conception des processus de DDR. Pour bien répondre aux besoins des enfants, on doit, au stade de l'élaboration et de l'exécution des programmes, tout mettre en œuvre pour assurer la participation des intéressés et, après le conflit, adapter les stratégies de réintégration aux besoins, aux responsabilités et aux rôles des enfants en fonction du contexte particulier. Pour faciliter la réintégration des anciens enfants soldats dans la vie civile, on doit les associer aux programmes destinés à tous les enfants affectés par la guerre.

Dans le contexte des programmes de DDRR, l'âge est l'un des critères les plus problématiques. Comment déterminer l'âge d'un enfant qui se présente sans papiers dans un centre de désarmement, d'un enfant pour qui l'âge chronologique n'a sans doute jamais beaucoup compté ? Ce critère figure dans toutes les normes internationales. La Convention relative aux droits de l'enfant fixe à dix-huit ans l'âge de la majorité, mais comment la notion de majorité s'applique-t-elle dans la réalité ? Souvent, les enfants ont subi des épreuves que de nombreux adultes du monde industrialisé auraient jugées intolérables. Pour cette raison, il est rare que l'indicateur de l'âge chronologique coïncide avec le niveau de maturité des enfants dont il est ici question. L'âge n'est pas une construction universelle délimitant le passage de l'enfance et de la jeunesse à l'âge adulte. Même si les organismes concernés s'emploient à résoudre ce problème, nous faisons toujours face à d'épineux problèmes d'interprétation lorsque nous tentons d'utiliser le critère de l'âge pour déterminer l'admissibilité des uns et des autres aux programmes de DDRR.

On voit de trop nombreux exemples d'enfants qui sont passés à travers les mailles du filet et qui, par conséquent, n'ont pas eu accès aux programmes d'éducation, de formation professionnelle ou d'adoption, principalement parce que, faute de preuves et de témoins capables de parler en leur nom, on n'a pas reconnu leur statut d'enfants soldats. Pendant un conflit, les enfants soldats qui désertent n'ont pas toujours d'endroit désigné où se réfugier. Ceux qui se rendent aux autorités, quelles qu'elles soient, ne sont pas nécessairement confiés au programme de démobilisation d'une ONG bienveillante. Comme je l'ai indiqué au chapitre 6, ils sont dans certains cas exécutés sommairement ou condamnés à de longues peines d'emprisonnement pour crimes de guerre. De nombreux enfants déserteurs doivent fuir pour échapper aux diverses forces en présence et ne peuvent pas rentrer chez eux. Comme je l'ai également montré au chapitre 6, nombre de commandants forcent les enfants à commettre des atrocités contre des amis, des voisins et même des membres de leur famille afin de les empêcher de réintégrer leur foyer.

Dans son Rapport mondial de 2008, la Coalition pour mettre fin à l'utilisation des enfants soldats estime que « [m]oins de la moitié des enfants soldats libérés se sont enregistrés dans le cadre du processus de démobilisation des UPDF [armée nationale ougandaise], par crainte de l'armée ou par peur d'être rejetés par leurs communautés s'ils étaient identifiés en tant que membres de la LRA. [...] Selon une enquête, des enfants rentrés dans leurs communautés d'origine dans la région de Teso ont été confrontés à un ostracisme systématique et généralisé et ont été rejetés par leurs communautés ; certains ont été brutalisés par leurs camarades de classe ». Au sein de la collectivité, ce ressentiment était attisé par l'envie et la jalousie que suscitaient les avantages dont bénéficiaient les ex-enfants soldats en vertu des programmes de DDRR, lesquels n'étaient pas offerts aux enfants affectés par la guerre. On imagine sans mal ce que ressent l'orphelin qui n'a jamais brandi un fusil de sa vie et qui voit un enfant soldat, peut-être responsable de la mort des membres de sa famille, recevoir la nourriture, l'accès à l'école et le soutien qui lui sont refusés.

Les auteurs du Rapport mondial de 2008 montrent aussi que la plupart des filles soldates de la RDC n'ont pas pris part aux programmes officiels de DDR, « par crainte d'être victimes d'ostracisme de la part de leur communauté si elles étaient identifiées comme étant des enfants soldats. D'autres jeunes filles sont restées auprès de leurs "époux" militaires par peur d'actes de violence ou de représailles si elles les quittaient. Seulement douze pour cent des enfants officiellement démobilisés étaient des jeunes filles, bien que, selon certaines estimations, les jeunes filles pourraient représenter jusqu'à quarante pour cent du nombre total des enfants soldats impliqués au cours de ce conflit armé ». Autre preuve que les problèmes des filles sont nettement plus grands que ceux des garçons.

Pour aider le lecteur à se faire une idée plus complète de la situation, je me propose de déconstruire les pratiques actuelles de DDRR et d'examiner autant les bénéfices qu'elles procurent aux enfants et aux jeunes que leurs lacunes. Sans les condamner en bloc, je montrerai clairement que les ressources engagées de même que les modalités du processus laissent encore à désirer. Pour cette raison, les jeunes concernés continuent d'être détruits par les leurs ou contraints, beaucoup trop souvent, de réintégrer les groupes qui leur ont volé leur enfance.

* * *

Le premier « d » du DDRR dont il faut traiter est le *désarmement*. Pour être admissible aux programmes traditionnels de DDR, on doit rendre son arme. Dans le conflit de la Sierra Leone, cependant, les enfants soldats, au lendemain du cessez-le-feu, n'ont pas été tenus de céder leurs armes. Bon nombre d'entre eux ont donc caché leurs AK-47 dans la brousse, « au cas où », ou les ont vendus à des adultes qui les ont monnayés dans le cadre des programmes de DDRR qui leur étaient destinés.

Et qu'est-il arrivé aux enfants qui n'avaient pas d'armes à rendre ? À ceux qui n'ont jamais été armés ? Dans les principes de Paris, adoptés en 2007, on définit comme suit la notion d'enfant soldat :

> Un « enfant associé à une force armée ou à un groupe armé » est toute personne âgée de moins de dix-huit ans qui est ou a été recrutée ou employée par une force ou un groupe armé, quelque [sic] soit la fonction qu'elle y exerce. Il peut s'agir, notamment mais pas exclusivement, d'enfants, filles ou garçons, utilisé [sic] comme combattants, cuisiniers, porteurs, messagers, espions ou à des fins sexuelles. Le terme ne désigne pas seulement un enfant qui participe ou a participé directement à des hostilités.

Mais comment désarmer ceux qui n'ont pas d'arme à rendre ? Dans *Bush Wives and Girl Soldiers*, Chris Coulter explique cette réalité : « Plus de la moitié des ex-combattantes que j'ai interviewées ont déclaré qu'elles voulaient être désarmées, mais seulement quelques-unes d'entre elles l'ont été. [...] Certaines de celles qui auraient aimé rendre les armes ne l'ont pas fait ou n'ont pas pu le faire parce qu'elles n'ont pas réussi à mettre la main sur une arme. »

Nous avons beaucoup appris au sujet de la mise en œuvre des programmes de DDRR, mais nous commettons toujours des erreurs et nous n'en tirons pas les leçons qui s'imposent. À titre d'exemple, les programmes dans le cadre desquels on offre de l'argent contre des armes ont incité de nombreux enfants, jeunes et adultes à désarmer. Cependant, le déploiement sur le terrain que j'ai fait pour le compte de l'ACDI et la mission d'enquête que j'ai menée auprès des forces rebelles de la Sierra Leone m'ont montré que verser de l'argent comptant aux enfants démobilisés les rend encore plus vulnérables aux abus. L'argent, qui fait d'eux la cible de l'attention des adultes, ne favorise absolument pas leur réintégration à long terme. Les conclusions des recherches que j'ai menées au Carr Center vont dans le même sens. Au Liberia, par exemple, de tels programmes mettent en péril le bien-être des enfants. Comme je l'ai écrit dans le rapport intitulé *Children in Conflict*: « Compte tenu de la corruption en vigueur et de l'absence évidente de mesures de protection complémentaires visant à assurer le respect du droit au paiement des enfants concernés, la rémunération des enfants soldats témoigne, dans ce cas, d'une grande naïveté. » Aujourd'hui, toujours dans le but louable de désarmer, on observe des applications plus novatrices du même concept, « des bicyclettes contre des armes » ou « des chèvres contre des armes », par exemple, notamment chez les Maï-Maï de la RDC. Sur le terrain, mon collègue de longue date Phil Lancaster (mon adjoint au cours des deux derniers mois de la Mission des Nations unies pour l'assistance au Rwanda et un précieux collaborateur aux travaux de recherche que j'ai menés à Harvard) a beaucoup travaillé auprès des enfants soldats. Au Burundi, il a observé un programme d'allocation de bicyclettes qui se retournait contre les enfants qu'il avait pour but d'aider : en effet, les sœurs et frères aînés ou les parents avaient tendance à s'approprier les vélos. En revanche, ces nouveaux modèles se révèlent relativement efficaces lorsqu'ils s'inscrivent dans un programme plus large visant à revitaliser la collectivité tout entière et qu'ils peuvent être soutenus et financés. Ce n'est pas une mince tâche quand on songe à la quantité d'armes à mettre au rancart dans les zones de conflit. La réussite de ces idées nouvelles dépend de l'importance des fonds reçus ainsi que de la constance et de la durabilité de l'engagement des donateurs.

La question demeure entière : comment, dans les faits, peut-on séparer les enfants de leurs armes ? À cause du phénomène de la prolifération de celles-ci, les forces belligérantes ont tant de facilité à s'approvisionner qu'il semble illusoire de vouloir freiner l'entrée des armes dans un pays en proie aux conflits. Comme je l'ai déjà indiqué, la production de ces armes légères et relativement bon marché ainsi que des munitions n'a pas diminué avec la fin de la guerre froide. Et les efforts herculéens de contrôle des armements déployés dans les années 1990, à l'instigation de pays comme le Canada, se sont essoufflés ou ont pris fin, sans que leur disparition provoque l'indignation des différentes parties œuvrant sur la scène internationale, ni même celle de capitales normalement responsables.

Je pense que la meilleure façon de désarmer les enfants consiste à réintroduire une campagne bien orchestrée de ralentissement de la prolifération des armes légères qui font l'objet de trafics illicites. Cette campagne irait beaucoup plus loin que le programme d'action adopté en 2001 par le Conseil de sécurité dans ce domaine et les rapports subséquents du Secrétaire général sur la prolifération des armes légères et les liens directs qu'elle entretient avec les conflits et l'armement des enfants soldats. L'un des principaux problèmes a trait à l'absence d'une étude en profondeur du sujet, ce qui montre bien, une fois de plus, que les intérêts des enfants sont rarement prioritaires. J'ai fait partie de la délégation canadienne à l'Assemblée générale des Nations unies qui, il y a quelques années, s'est penchée sur les moyens à prendre pour suivre à la trace le commerce illégal de telles armes. Le Canada a soutenu que les armes légères étaient le principal outil utilisé par les enfants et les jeunes engagés dans des conflits. En plus de donner un visage humain à la question, il a recommandé l'enregistrement du transit et de la propriété de ces fusils, de même que la destruction immédiate des armes non autorisées ou trouvées entre de mauvaises mains. Dans son rapport de 2008, le Secrétaire général a enfin élargi la discussion aux enjeux que sont la production, le marquage et le suivi. Mais c'est comme si le dossier avait fait du sur-place, tandis que des millions d'armes légères étaient produites et distribuées dans une impunité quasi totale.

Si nous parvenons à raviver la campagne contre les armes légères, en soulignant en particulier leurs liens avec les enfants soldats, nous pourrons mettre un terme à la surproduction des armes et des munitions en question, voire ralentir leur distribution. Dans ce but, il faudrait renforcer le Bureau des affaires du désarmement de l'ONU et sa pénétration sur le terrain, peut-être en mettant au point des approches beaucoup plus résolues et novatrices par le truchement des centaines d'ONG qui, de concert avec les forces de sécurité, pourraient collaborer avec les acteurs locaux à l'établissement de zones exemptes d'armes. À titre d'exemple, une initiative visant la création de « zones de paix » pendant les guerres de la drogue en Colombie a connu certains succès. Au milieu de conflits, des collectivités ont pris l'initiative de se constituer en zones exemptes de violence et de fusils, au sens propre ou géographique, ou de décréter des cessez-le-feu pendant les congés. Des ONG nationales ont appliqué le principe à l'échelle du pays dans le cadre des « 100 municipalités pour la paix ». De telles campagnes justifient assurément un réinvestissement conséquent et un réalignement des ressources et des efforts. Lorsqu'on songe au nombre de personnes qui, chaque année, sont tuées, blessées et menacées, les armes « légères » dont il est ici question sont en fait des armes de destruction massive.

* * *

Le deuxième « d » désigne la *démobilisation*, qui, là encore, suppose une procédure officielle. Disons que vous vous êtes présenté dans un centre de DDR, que vous avez rendu votre arme (ou non) et que vous quittez le groupe armé dans lequel vous combattiez pour entrer dans un centre de soins provisoire. Mais qu'en est-il des déserteurs mentionnés ci-dessus, des enfants qui se sont enfuis ? De ceux qui n'ont pas nécessairement été libérés par leurs commandants ? Ont-ils la possibilité de participer à un programme d'éducation ou de formation professionnelle ? Comment prouver qu'on a été soldat ? Le fardeau de la preuve incombe-t-il à l'enfant ? Il est essentiel que les membres du personnel qui entrent en contact avec ces enfants et ces jeunes soient en mesure de les évaluer correctement. Lorsqu'on a affaire à des enfants enlevés ou qui ont dû fuir leur foyer sans papiers ni objets personnels, la tâche est ardue. Bon nombre d'entre eux sont d'ailleurs issus de pays où l'accès à la documentation est inexistant : l'Afrique du Sud, par exemple, s'affaire toujours à délivrer des certificats de naissance aux millions de personnes défavorisées par l'apartheid.

Dans les nations en implosion, les conflits qui dégénèrent en guerres civiles sont complexes, ambigus et remplis d'imprévus. Il n'y a pas de solution uniforme à des problèmes chaque fois uniques. Encore aujourd'hui, les enfants sont dans une certaine mesure marginalisés par les processus de DDRR. Des agences de l'ONU, comme l'UNICEF, et des ONG, comme Save the Children, s'emploient avec acharnement à faire libérer les enfants par les groupes armés et à les réadapter, mais leurs efforts ne font pas le poids par rapport à ceux que déploient les groupes armés pour augmenter leurs effectifs au moyen de rapts et de recrutements d'enfants.

À cette situation complexe s'ajoute le fait suivant, lié aux normes de l'ONU : « L'ONU favorise la libération inconditionnelle des enfants associés à des forces combattantes, quel que soit le moment, c'est-à-dire pendant les combats, durant les pourparlers de paix et avant l'établissement du processus national de DDR. » Bien qu'il s'agisse d'un objectif louable, la libération d'enfants pendant un conflit constitue un défi de taille pour ceux qui tentent de mettre en œuvre des programmes de réadaptation. S'ils donnent suite à cette recommandation, les enfants risquent d'être réintégrés dans leur collectivité pendant que le conflit fait toujours rage. Ils sont alors susceptibles d'être enlevés de nouveau ou de faire face à des difficultés telles qu'ils retourneront dans la brousse en quête de la vie qu'ils connaissent déjà et à laquelle ils sont habitués.

* * *

Nous en arrivons aux multiples « r » du processus. Les IDDRS de l'ONU divisent le processus de réintégration en deux stades : le court terme et le long terme. Le premier stade, la *réinsertion*, désigne l'aide consentie aux combattants durant la démobilisation : il s'agit de combler les besoins de base de l'enfant (nourriture, vêtements, logement). Le deuxième stade, la *réintégration*, vise, à plus longue échéance, la réadaptation et le retour à la vie civile. Dans le cadre IDDRS, on précise qu'une réintégration adaptée à l'enfant devrait lui permettre

[...] d'accéder à l'éducation, à un gagne-pain, à des connaissances élémentaires et de jouer un rôle significatif au sein de la société. Les aspects socioéconomiques et psychologiques de la réintégration des enfants sont au cœur des programmes et des budgets généraux de DDR. Pour être couronnée de succès, la réintégration a besoin du financement à long terme des organismes et des programmes de protection des enfants. C'est à cette seule condition qu'ils pourront assurer le soutien continu de l'éducation et de la formation des enfants de même que les services de suivi ou de contrôle consécutifs à leur réintégration dans la vie civile.

Le processus de DDRR dans son ensemble doit avoir pour fin la réussite de la réintégration, garante de notre capacité à aider ces enfants à surmonter les graves abus dont ils ont été à la fois les auteurs et les victimes.

Toutefois, on a connu de nombreux échecs dans ce domaine. Les raisons en sont multiples, mais je demeure convaincu qu'elles se résument à ceci : si l'ex-enfant soldat n'est pas accepté, qu'on lui refuse le pardon et que, surtout, l'instabilité politique et économique de son pays l'empêche de refaire sa vie, il risque, s'il est futé et capable, de se tourner de nouveau vers les possibilités offertes par un fusil. En cas d'échec de la réintégration, les anciens enfants soldats risquent fort d'être re-recrutés, de s'engager volontairement dans un groupe armé ou, faute d'autre moyen de survie, de s'enliser dans la criminalité.

Il arrive que des programmes de réintégration valables et utiles se désagrègent en raison d'un financement erratique, d'une allocation de ressources irrégulière ou de l'impatience des donateurs, qui exigent des résultats immédiats et mesurables. Si bien intentionnés soient-ils, les donateurs éloignés oublient assez facilement que, dans ce domaine, les gratifications immédiates sont impossibles. Après la destruction de l'ordre social par une guerre civile cruelle et désastreuse, la reconstruction d'une société stable prend des décennies.

Je crois que le rétablissement de l'ordre social passe par le redressement et la restauration de la vie des enfants exploités en tant que soldats. Sinon, les effets destructeurs de la violence, des abus et de l'exploitation dont ils ont été victimes auront des ondes de choc dans la collectivité au sens large. Comme l'affirme l'Américain Michael Wessells, professeur et militant pour la protection des enfants, dans son livre de 2007 intitulé *Child Soldiers: From Violence to Protection* (« Enfants soldats. De la violence à la protection »), qui se fonde sur des centaines d'interviews menées auprès de jeunes combattants :

> Les enfants qui passent leurs années d'apprentissage à se battre adoptent les valeurs et les identités définies par les groupes militaires auxquels ils appartiennent. À la fin des hostilités, ces enfants, s'ils ne se voient aucun avenir au sein de leur collectivité ou de leur pays, risquent de traverser la frontière pour prendre part à des conflits qui font rage chez leurs voisins. Les adultes qui se proposent comme mercenaires ont un nombre limité d'années de vie active devant eux. *Ceux qui, pendant leur jeunesse, n'ont eu d'autre choix que de se battre pour assurer leur survie et leur subsistance sont plus susceptibles que les adultes de poursuivre la lutte armée pendant encore longtemps.* [C'est moi qui souligne.]

Le phénomène des enfants soldats représente une grave menace pour la stabilité régionale, même au stade de la reconstruction nationale qui suit la fin d'un conflit. Investir dans des programmes de réintégration efficaces et durables, c'est investir dans la sécurité et la stabilité de la nation, voire de la région. Pour réussir, les projets de réintégration doivent viser toutes les étapes du conflit, du début de la crise jusqu'à la conclusion d'un accord de paix et bien au-delà. Et ils doivent s'engager, de façon profonde et réfléchie, dans la réadaptation des enfants affectés par la guerre, faire passer ceux-ci du mal au bien, de l'abus à la mesure, de la simple survie à l'espoir d'un avenir meilleur.

Prenons le cas d'un enfant soldat (garçon ou fille) qui a commandé une unité, qui, dès l'âge de quatorze ans, a appris à diriger ses pairs et même des membres plus âgés de son groupe. Comment éviter que cet enfant de quatorze ans (qui semble en avoir vingt-cinq) soit désillusionné par des projets de réadaptation qui n'offrent que des programmes d'études et de formation professionnelle à court terme, le tout dans le contexte de la vie « normale » plus restrictive de son village ou, pis encore, dans le cadre encore plus étroit d'un camp de réfugiés ou de déplacés internes ?

De tels enfants comprendront sans peine que cette éducation élémentaire de base ne leur offre nullement les connaissances dont ils auraient besoin pour optimiser leurs aptitudes au leadership, à la fois pour leur profit personnel et celui de leur collectivité. Ce n'est pas un programme d'études de trois à six mois, suivi en compagnie d'enfants beaucoup plus jeunes dans la salle de classe temporaire d'un camp de DDRR, qui leur inculquera la persévérance nécessaire pour dépasser leurs pairs et miser sur leur intelligence et leur talent plutôt que sur la violence. Comment faire de ces enfants très particuliers des catalyseurs de la réconciliation et de la reconstruction nationales, des éléments de la nouvelle génération de leaders déterminés à se battre pour le bien démocratique de leurs concitoyens ? À défaut de mobiliser leur capacité à faire le bien, les sociétés continueront de pâtir de leur capacité à faire le mal. Comme l'a déclaré John Kon Kelei, ancien enfant soldat soudanais : « Pour survivre dans un groupe armé, les enfants doivent s'endurcir, se forger un cœur de pierre. Ce que je redoute le plus, c'est moi-même. »

* * *

« Réintégration » est un mot intéressant dans la mesure où il suppose que les conditions qui précédaient le conflit étaient adéquates. Il suggère le retour des enfants à leur vie d'avant, des retrouvailles avec des parents aimants et une situation économique décente. En fait, dans bien des cas, la vie d'avant n'avait rien d'extraordinaire et le quotidien était semé d'embûches. Que réintègrent donc les enfants ?

Comment une collectivité brisée peut-elle accueillir des enfants démobilisés ? Si elle n'a pas eu le temps de faire son deuil et d'accepter les événements survenus, comment peut-elle accueillir en son sein certains des protagonistes du conflit ? Où iront ces enfants, et qui doit s'occuper d'eux ? Quels mécanismes de protection a-t-on mis en place pour éviter qu'ils soient de nouveau enlevés et forcés de se battre ?

Si le conflit fait toujours rage, presque rien n'aura été fait pour régler les problèmes sociaux qui ont au départ favorisé l'enrôlement des enfants. Comment garantir le respect des droits des enfants lorsque le tissu social est brisé au-delà de tout ce qui peut s'imaginer ? Autant de questions difficiles qu'on doit soulever pour mettre au point des programmes de DDRR efficaces et faire en sorte qu'aucun enfant ne bascule de nouveau dans la vie militaire. Comment, en effet, élaborer de bonnes solutions sans regarder la réalité en face et poser les vraies questions ? Comme l'écrit P.W. Singer dans *Children at War* : « En fin de compte, la réussite de la réintégration dépend tout autant de la capacité d'acceptation des familles et des collectivités que de la réadaptation des enfants. » Nous devons trouver des façons de rompre le cycle des re-recrutements, faire en sorte que les enfants et les jeunes n'aient ni envie ni besoin de renouer avec la vie dans la brousse.

L'éducation est l'une des solutions de rechange que nous pouvons proposer aux enfants. Elle répond à l'un des besoins fondamentaux des jeunes démobilisés, mais il s'agit également d'un outil essentiel à la prévention du recours aux enfants soldats. On doit bien réfléchir au type de programmes offerts. Pendant l'exercice de simulation mené par l'Initiative Enfants soldats à Accra en 2007, quelques ex-enfants soldats ont dit vouloir faire les études qu'ils n'ont pas pu poursuivre en raison des années qu'ils ont passées à se battre. La communauté internationale et les autorités locales ont l'obligation de bien adapter le type d'éducation proposé. Combien de fois ai-je entendu des jeunes affirmer que les cours de formation professionnelle qu'on leur destinait étaient inadéquats ? Combien de cordonniers, de boulangers et de couturières faut-il à une collectivité ? Tenons-nous vraiment compte des besoins des enfants et de la collectivité, ou privilégions-nous plutôt les programmes de formation à court terme qui offrent le meilleur ratio coût-rendement ? Autrement dit, aux besoins de qui essayons-nous de répondre ? Dans *Le Chemin parcouru*, Ishmael Beah fait allusion au grand nombre de garçons qui, après la guerre de la Sierra Leone, ont été formés comme mécaniciens. De combien de mécaniciens la Sierra Leone, pays où peu de gens ont les moyens d'avoir une voiture, a-t-elle besoin ?

Si nous souhaitons vraiment réduire le nombre d'enfants qui, au lendemain d'un conflit, réintègrent les gangs ou d'autres groupes armés, nous devons veiller à ce que la formation offerte réponde effectivement aux besoins existants ou améliore la situation du monde dans lequel vivent ces enfants. Nous devons nous appliquer à faire des enfants et des jeunes des citoyens productifs, capables de contribuer à leur collectivité. En Sierra Leone, certains programmes ont commencé à doter d'anciens enfants soldats de compétences dont le pays a désespérément besoin, à former des spécialistes de l'assainissement de l'eau et des agronomes, par exemple, bref des professionnels et des éléments indispensables des collectivités. Du même coup, on favorise l'estime de soi des jeunes, qui se rendent compte qu'on a besoin d'eux et qu'ils sont utiles. Par ailleurs, les communautés se montrent mieux disposées à accepter les enfants qui apportent une contribution.

Il est improductif de penser que des jeunes qui ont commandé des groupes de leurs pairs et se sont débrouillés tout seuls dans la brousse pendant des mois ou des années accepteront de suivre des programmes d'éducation traditionnels aux côtés d'enfants de dix ans. Combien connaissez-vous de jeunes de dix-huit ans disposés à user leur fond de culotte sur les bancs d'école pour lire des albums illustrés en compagnie d'enfants prépubères ? De telles situations attisent leur frustration et favorisent les retours au combat. Dans des pays qui ont connu des conflits, nous devons miser sur des outils pédagogiques et des établissements coopératifs proposant une vaste gamme de programmes approfondis, comparables aux programmes européens et nord-américains, mais adaptés aux attentes et aux parcours des ex-enfants soldats tourmentés et difficiles.

Je suis de plus en plus persuadé qu'il faut exploiter les connaissances et les aptitudes au leadership de ces jeunes commandants souvent chevronnés. Ils incarnent l'avenir de leur pays. En refusant d'exploiter leur potentiel, on risque de rater l'occasion de mettre véritablement fin au conflit. Comme l'a déclaré le Secrétaire général des Nations unies Kofi Annan : « Les enfants sont notre avenir et si nous les utilisons pour combattre, nous détruisons l'avenir. Nous devons reconquérir tous les enfants, un par un. »

Peut-être faudrait-il financer la création d'établissements dans lesquels de tels jeunes pourraient, pendant une période de trois ou quatre ans, s'instruire aux côtés d'autres enfants affectés par la guerre, issus de camps de réfugiés et de déplacés internes et ayant fait la preuve de leurs capacités intellectuelles. Ils auraient ainsi le temps de se recentrer et de se préparer à participer à la reconstruction de leur pays, à devenir des exemples pour leurs pairs. Investir dans des maisons d'enseignement qui permettraient de cultiver le vaste potentiel des jeunes leaders d'une société et de former la nouvelle génération d'architectes de la nation. Quelle idée séduisante ! Faire en sorte que ces jeunes ne soient pas stigmatisés jusqu'à la fin de leurs jours et puissent devenir des êtres humains productifs. Quel beau défi ! L'entreprise se révélera d'une grande pertinence pour peu qu'on parvienne à mobiliser des fonds suffisants et des organismes disposés à entreprendre la tâche gigantesque qui consiste à transformer ces anciens combattants, qui, de source de crainte et de risque d'abus de pouvoir, deviendront des atouts et le fer de lance de la reconstruction nationale.

Imaginez ce que pourraient accomplir à elles seules les anciennes filles soldates, qui ont trouvé la force non seulement de survivre aux agressions sexuelles répétées, mais aussi de mener des troupes au combat et de faire preuve de leadership, malgré les stéréotypes culturels et les autres obstacles auxquels elles faisaient face. On a la possibilité de créer des programmes d'éducation susceptibles d'aider ces jeunes femmes à parfaire leurs aptitudes au leadership et à les mettre en pratique dans la vie civile. Du coup, elles pourront rompre avec le code qui marginalise les femmes ; on verra peut-être même émerger une cohorte de jeunes meneuses qui révolutionneront l'approche de la gouvernance et de la paix du monde en développement.

Mais il y a aussi un danger qu'on ne doit ni sous-estimer ni négliger. Les pays ravagés par les conflits doivent investir en eux-mêmes, se doter d'une capacité de production et d'une assiette fiscale stable capables de soutenir leur développement. Si ces pays s'en remettent entièrement à l'aide financière de lointains donateurs pour faire de leurs jeunes les leaders de demain, nous risquons une fois de plus de gauchir le développement en assumant les coûts de mesures qui serviront uniquement les intérêts d'une nouvelle élite. C'est un piège qui pourrait compromettre les initiatives de réconciliation, voire réactiver les frictions à l'origine du conflit initial. La collectivité locale et le gouvernement national, si fragile soit-il, doivent s'investir pleinement dans ces projets d'éducation.

Comme je l'ai déjà indiqué, je travaille aujourd'hui au Réseau de jeunes gens victimes de la guerre (NYPAW). Grace Akallo, ex-enfant soldate de la LRA et cofondatrice du Réseau, a déclaré : « Si personne ne m'avait indiqué le chemin de l'école et montré que j'étais capable de faire quelque chose de bien, je ne serais pas ici aujourd'hui. » John Kon Kelei, qui travaille lui aussi au Réseau, a un jour tenu des propos qui ont résonné dans mon esprit et que je cite à tous ceux qui m'accusent de faire preuve d'un idéalisme déraisonnable : « Ce n'est pas par idéalisme que nous croyons le changement possible. Notre conviction vient de notre propre réussite : si nous nous en sommes sortis, d'autres en sont eux aussi capables. »

On devrait donner à tous les enfants la possibilité d'exceller. Votre potentiel en tant qu'être humain ne devrait pas être dicté par votre lieu de naissance. Les jeunes du NYPAW ont réussi malgré des débuts difficiles. Ils ont grandi et sont devenus des chefs de file productifs au sein de leur collectivité ; aujourd'hui, ils viennent en aide à ceux qui se trouvent dans la situation qu'ils ont autrefois connue. Il y a des milliers d'enfants comme eux qui, au milieu des combats, n'attendent qu'une chose : que nous trouvions les bonnes réponses et que nous mettions en place l'infrastructure sur laquelle ils pourront bâtir.

En ce qui a trait au DDRR, nous ne devons d'ailleurs pas nous en tenir aux seuls enfants soldats. Les principes de Paris soulignent les torts qu'on cause en centrant la réintégration exclusivement sur les enfants combattants. En effet, d'autres enfants et jeunes dans le besoin sont jaloux et se sentent abandonnés. Bon nombre d'intervenants s'inquiètent des tensions entre le soutien ciblé sur les anciens enfants soldats et le soutien destiné à tous les enfants affectés par la guerre, dont certains sont dans une situation beaucoup plus précaire que celle des démobilisés. De même, les tentatives qui visent uniquement l'enfant sont vouées à l'échec puisque les enfants ne sont pas responsables de ce qui est arrivé. Il ne s'agit pas simplement de « guérir les enfants » et de les réinsérer dans la collectivité. La collectivité doit être guérie, elle aussi.

* * *

La *réintégration*, autre mot en « r », est sans doute l'aspect le plus important du processus de paix ; pourtant, ce volet est nettement sous-financé. Souvent, les programmes de réintégration souffrent de l'absence de crédits souples et à long terme, et le soutien des donateurs ne repose pas toujours sur une solide compréhension de la réalité du terrain. Les méthodes de DDRR sont conçues pour répondre aux problèmes précis associés à la réinsertion des combattants dans la société civile ; on ne doit pas les considérer comme des outils pouvant à eux seuls résoudre des conflits résiduels de nature essentiellement politique, lesquels requièrent un type d'attention qu'un programme de DDRR n'est pas en mesure de fournir.

Comme je l'ai écrit dans *Children in Conflict*, les recherches que j'ai effectuées au Carr Center montrent elles aussi que

> [...] les ultimes phases des programmes de DDRR ont souvent été mal soutenues. On a laissé entendre que cette situation était imputable au fait que peu de donateurs acceptent de s'engager à soutenir à long terme des projets qui risquent de se prolonger bien après que l'attention des médias sera tournée ailleurs. Au risque de présenter les choses sous un jour trop cynique, on pourrait affirmer que l'argent suit l'intérêt et que l'intérêt est pour une large part motivé par l'attention médiatique. Or cette dernière se laisse plus volontiers captiver par le conflit et les drames qu'il engendre que par la paix.

De façon générale, on peut rarement séparer les programmes de DDRR des enjeux plus vastes, de nature souvent économique, qui affectent la sécurité et la cohésion des États pauvres et assiégés. Si nous persistons à ignorer les besoins réels parce que les donateurs refusent de subventionner des projets de longue durée ou qu'un conflit plus «accrocheur» a éclaté ailleurs dans le monde, j'ai bien peur que, tôt ou tard, notre chance tourne.

Une façon de repenser les programmes de DDRR, du point de vue des particuliers comme des pays donateurs, consisterait peut-être à renforcer les missions de l'ONU qui les appuient, ainsi que d'autres agences de l'ONU, au moyen d'un modèle plus résolu d'intégration des mesures de soutien des ONG et des gouvernements. En Sierra Leone, l'UNICEF a coordonné le programme de DDR en collaboration avec des acteurs de toutes sortes de disciplines, y compris les forces de sécurité déployées dans le pays, et l'initiative a connu un certain succès. Ne pourrions-nous pas simplement, au lieu de toujours repartir de zéro, officialiser de tels accords, sans négliger les particularités de chaque situation ? Il est vrai que, dans une zone de conflit engagée dans un processus de paix, il vaut mieux laisser une tierce partie, par exemple une mission neutre de maintien de la paix, se charger du désarmement et de la démobilisation. Mais des années de travail sur la réinté-gration ont inexorablement conduit à la conclusion suivante : sans consultation des membres de la collectivité, le processus est voué à l'échec. Les programmes doivent tenir rigoureuse-ment compte de la nature du conflit et de la société où il a éclaté. Ils doivent aussi mobiliser tous les éléments de la col-lectivité, y compris les enfants et leurs familles. Le soutien de ces derniers est essentiel à la réussite et à la viabilité du projet à long terme.

Au bout du compte, le risque des promesses non tenues est l'un des principaux obstacles à l'établissement de pro-grammes de réintégration efficaces. Lorsque l'écart entre les paroles et les gestes se creuse, les intéressés commencent à douter des bonnes intentions affichées. Pour éviter les pro-blèmes qu'engendre la méfiance, on doit absolument offrir le soutien promis. Il est crucial que toutes les parties concernées par le processus de DDRR, au lendemain d'un conflit, com-prennent que leur fonction principale consiste à favoriser la confiance.

Trop souvent, les donateurs, les ONG et, en particulier, les médias ont du mal à s'engager dans la reconstruction à long terme d'une zone de conflit. Ils se laissent vite attirer par une nouvelle crise et emportent avec eux leurs fonds, leurs pro-grammes et leurs caméras. Dans de tels cas, le coup porté à la confiance et au progrès est parfois dévastateur. La commu-nauté internationale, toujours impatiente et assoiffée de résultats, doit s'engager dans la réfection ou la création d'infrastructures, travail qui exige parfois des décennies. C'est beaucoup lui en demander, mais il n'y a pas d'autre solution.

Charles Achodo, directeur du programme de DDR de l'ONU au Liberia, soutient que les fonds ont tendance à se tarir au stade de la réintégration. Les donateurs « oublient que les gens ont besoin d'aide pour devenir des membres productifs de la société, qu'il s'agisse de services de consultation psychologique, de soutien aux victimes de traumatismes ou d'accès au marché du travail ». Lorsqu'ils s'effacent pour s'attaquer à des crises plus pressantes, comme aujourd'hui en Sierra Leone, les donateurs laissent derrière eux un vide impossible à combler, car rien n'a encore été bâti sur du solide. Il s'agit non pas de pérenniser la dépendance à l'aide, mais bien de conduire ces collectivités à l'autonomie. Or, c'est une démarche qui suppose l'engagement durable de nombreux partenaires.

Dans une étude de cas sur la reconstruction de la Sierra Leone affichée en mars 2008 dans le site d'information sur la résolution de conflits de l'Université du Colorado (www. beyondintractability.org), Christi F. Freeman écrit :

> À cause de l'incapacité des donateurs à assurer la reconstruction de l'infrastructure et à générer des emplois, les jeunes et les ex-combattants ne sont pas en mesure de tirer leur subsistance de l'agriculture. [...] Les possibilités offertes par le secteur agricole ont également été freinées par l'élimination des barrières tarifaires préconisée par la communauté internationale, d'où une inondation du marché local par le riz asiatique meilleur marché, que les petits producteurs n'ont pas réussi à concurrencer. Ensemble, les lacunes des programmes de réintégration et les exigences des institutions financières

internationales ont produit une infrastructure déficiente, un accès insuffisant à des terres productives, un
manque de formation ciblée et un désenchantement
plus profond de la jeunesse.

Dans des zones de conflit, de nombreux enfants ont appris
à manipuler le système à leur avantage. Linda Dale, de Chil-
dren/Youth as Peacebuilders (Enfants et jeunes bâtisseurs de
la paix), souligne que des jeunes du nord de l'Ouganda ont
trouvé le moyen de faire payer deux fois leurs frais de scolarité ; d'autres ont faussement déclaré avoir été enfants soldats pour avoir droit à l'aide. En Sierra Leone, les écoles reçoivent des fournitures et du matériel destinés à l'intégration des
anciens enfants soldats dans les salles de classe. C'est d'ailleurs
une bonne chose : si la collectivité tout entière bénéficie de
l'aide destinée à ces enfants, la stigmatisation s'efface.

La grande vérité, celle sur laquelle je suis fréquemment
revenu depuis le début, c'est que les solutions simples et techniques suffisent rarement et que la réintégration exige l'engagement à long terme des donateurs et des organisations
internationales, mais aussi le dévouement inconditionnel de
la collectivité et de la nation.

\* \* \*

Aux horreurs que vivent tous les enfants soldats s'ajoutent
encore, pour certains membres de cette grande catégorie,
d'autres formes de discrimination. Environ quarante pour
cent des enfants soldats sont des filles ; toutefois, les intervenants du domaine ne prennent pas toujours en compte leurs
besoins particuliers. Parmi les plus grands échecs du processus
de DDR et des programmes de protection de l'enfance, on note

justement cette incapacité à intégrer la dimension sexuée de la question des enfants soldats. Malgré les efforts des militants, l'idée que tous les enfants soldats sont des garçons persiste. Les filles ont une expérience particulière de la guerre et des besoins propres en matière de réintégration.

Les jeunes filles violées qui accouchent dans des conditions peu favorables et peu hygiéniques subissent souvent des séquelles physiques irréparables. À la souffrance des corps immatures s'ajoute la vulnérabilité culturelle : la société rejette ces jeunes filles à cause du traitement qu'on leur a infligé, bien qu'elles n'y soient pour rien. Comment briser le silence, la culpabilité et la honte dont elles portent la marque – dans leurs bras, souvent, sous la forme d'un bébé non désiré – et leur offrir ne serait-ce qu'un minimum d'acceptation sociale et un avenir de mère aimante ?

Les programmes de DDRR destinés aux filles exigent des efforts, des ressources et des modifications culturelles dont on a rarement besoin pour assurer le retour au bercail des garçons. Le tissu culturel de nombreuses sociétés africaines, en particulier, est marqué par la domination masculine. Lorsqu'un conflit perturbe ou bouleverse les us et coutumes, comme l'illustre le cas tragique de la région des Grands Lacs, les jeunes hommes sont purement et simplement récompensés par leurs supérieurs lorsqu'ils agressent des femmes. Une suggestion novatrice : cibler les jeunes gens et les familles grâce à des programmes visant à mettre fin à la stigmatisation des jeunes soldates et des femmes ou des jeunes filles violées.

Parce que les jeunes soldates sont moins visibles et moins bien comprises que les jeunes soldats, le processus de DDRR a souvent pour effet de les marginaliser. Bien qu'on les perçoive comme jouant un rôle passif, ce sont parfois des combattantes très actives. En situation de conflit, elles sont arrachées

à leur rôle traditionnel et se voient confier des postes impli-
quant du pouvoir, de l'indépendance et des responsabilités.
Une fois démobilisées, elles ne perdent pas les qualités qu'elles
ont acquises de force.

Au stade de la réintégration du processus de DDRR, beaucoup de jeunes filles hésitent à reprendre les rôles féminins traditionnels qu'elles ont volontiers abandonnés. Souvent, leur
expérience leur a fait développer des mécanismes de survie
qui les rendent plus agressives et plus combatives. Elles ont
parfois des comportements qu'on considère, socialement ou
culturellement, comme non féminins, tels l'emploi de jurons,
la consommation de drogues et la multiplication des partenaires sexuels, et cette différence renforce leur isolement. À
propos de leur sort et de celui des personnes dont elles ont la
charge, il faut absolument les consulter. Comme l'écrit Susan
McKay dans un article intitulé « Reconstructing Fragile Lives:
Girls' Social Reintegration in Northern Uganda and Sierra
Leone » (« La reconstruction de vies fragiles : la réintégration
sociale des filles dans le nord de l'Ouganda et en Sierra Leone »)
et publié dans la revue *Gender and Development* en novembre
2004 : « Alors que les combattantes ont pu être les égales des
combattants dans les groupes armés, l'accès à de nombreux
métiers leur est refusé une fois la paix revenue. » De plus, les
filles agressées sexuellement et qui ont eu des enfants non
désirés ne bénéficient d'aucun moyen reconnu, au sein de la
structure sociale en place, de refaire leur vie. Sans le soutien
de méthodes de réintégration novatrices de longue durée – par
exemple, l'apprentissage d'habiletés non traditionnelles, telles
que la menuiserie, la plomberie et la gestion financière à petite
échelle, de manière à balayer les perceptions surannées touchant le rôle des femmes –, elles et les enfants qu'elles doivent
parfois élever seules risquent l'ostracisme.

Un grand opprobre pèse sur les jeunes filles violées. De crainte d'être reconnues et poursuivies ou stigmatisées, bon nombre d'entre elles se démobilisent d'elles-mêmes et réintègrent en douce la collectivité ou un camp de réfugiés et de déplacés internes. Souvent, en effet, les filles tentent de rentrer chez elles discrètement, sans attirer l'attention sur leur association avec des groupes armés, mais il n'est pas rare qu'elles éprouvent de la difficulté à renouer des liens avec la collectivité et finissent par vivre en marge. Souvent, la grossesse ou les soins à donner à l'enfant les empêchent de fréquenter l'école ou les cours de formation professionnelle. La présence d'un enfant les singularise et suscite des questions gênantes ; par surcroît, l'école est au-dessus de leurs moyens.

De plus en plus, le viol et la violence sexuelle sont utilisés comme armes de guerre. La violence sexuelle touche non seulement les villageoises, mais aussi les filles membres des groupes armés. Dans les zones de conflit, les jeunes filles sont ainsi victimes de deux tragédies déshumanisantes : exercer sous la contrainte le métier d'enfant soldat et subir d'horribles formes de violence sexuelle, notamment le viol. S'ils sont parfois victimes de violence sexuelle, les garçons ne font pas face au même opprobre. Le processus de réintégration d'un garçon sera très différent : il aura la possibilité de gagner sa vie et de faire ses preuves en travaillant et en acquérant de nouvelles compétences. Au sein de la collectivité, une fille violée, cependant, n'a plus de raison d'être. Elle n'a plus la même valeur comme épouse éventuelle, et ses enfants sont considérés comme des non-personnes. L'ex-fille soldate sait pertinemment qu'elle sera la honte de sa famille et de sa collectivité, à supposer qu'elle rentre un jour dans son village, même si elle n'est pour rien dans ce qui lui est arrivé. D'un seul coup, ces jeunes filles ont perdu leur innocence et la spontanéité de l'amour. On les a dépossédées du droit aux rapports intimes.

La santé physique de ces jeunes filles est elle aussi menacée. Souvent, elles ont été battues et ont contracté des infections transmissibles sexuellement, comme l'hépatite et le VIH-sida. En raison des mauvaises conditions dans lesquelles elles accouchent, elles risquent d'avoir des fistules, affection dont la prévalence est beaucoup plus élevée qu'on l'imagine. Ces séquelles les rendront peut-être stériles. Au même titre que leurs homologues masculins, elles risquent aussi de souffrir de paludisme, de tuberculose et de malnutrition.

Sur le plan affectif, ces jeunes filles doivent composer avec le souvenir des sévices qu'elles ont subis ou vu infliger à leurs semblables, la destruction de leur estime de soi et les traumatismes psychologiques. Elles sont ostracisées, tournées en ridicule et rejetées par les enfants qui n'ont pas nécessairement été mêlés au conflit. Souvent, elles sont reniées par leur famille. De façon générale, le processus de DDRR ne tient pas compte de ces aspects.

Qu'arrive-t-il aux enfants dont ces jeunes filles ont accouché dans la brousse après avoir eu des relations avec des chefs rebelles ou été victimes de multiples viols ? Les jeunes mères ont du mal à aimer ces enfants non désirés. Certaines s'attachent à eux malgré tout, car ce sont les seuls êtres à les aimer de façon inconditionnelle ; d'autres les haïssent parce que leur présence rappelle constamment les circonstances de leur conception. Dans la collectivité au sens plus large, les « bébés rebelles » portent une honte ineffaçable et ne seront jamais acceptés, tandis qu'ils jouissent d'un statut supérieur au sein des groupes armés. La jeune mère qui aime son enfant jugera peut-être qu'il est préférable pour l'avenir de ce dernier de rester là où elle est plutôt que de tenter de rentrer chez elle.

À ces traumatismes physiques et psychologiques s'ajoute le fait que les programmes habituels de DDRR relèguent les jeunes filles qui suivent des cours de formation professionnelle à des compétences traditionnellement féminines, comme la cuisine et la couture. De retour chez elles, elles sont donc essentiellement impuissantes, quelles que soient les fonctions qu'elles ont exercées dans la brousse. Les filles assurent la perpétuation des groupes armés, y compris au sens propre. Ainsi, Joseph Kony aurait engendré au moins deux cents enfants. À la table ronde organisée par le NYPAW à Halifax, l'année dernière, les participants ont confirmé que, sans les filles soldates, la plupart des groupes armés se disloqueraient.

Pourtant, on a fait du processus de DDRR une question purement masculine. Les hommes ont été et demeurent les instigateurs des guerres, tandis que les filles et les jeunes femmes sont contraintes de se joindre à eux. Comme le cadre tout entier a été conçu en fonction des hommes adultes, on ne répondra pas adéquatement aux besoins des filles en se contentant d'ajouter un volet féminin aux programmes de DDRR. On devra plutôt mettre au point un cadre parallèle.

Pour les programmes de DDRR, les garçons représentent aussi un défi. L'alcoolisme et la toxicomanie transcendent la frontière des sexes. L'héroïne, la marijuana et la cocaïne mêlée à de la poudre à canon apaisent la souffrance des enfants et leur donnent du cœur au combat. Comme P.W. Singer le rapporte dans *Children at War*, à la fin du conflit en Sierra Leone, plus de quatre-vingts pour cent des combattants du RUF avaient consommé de l'héroïne ou de la cocaïne.

En raison des activités sexuelles collectives, les maladies transmissibles sexuellement, en particulier le VIH-sida, sont également monnaie courante chez les garçons. Si on ne dispose pas de données officielles sur les taux d'infection au

VIH-sida chez les enfants soldats, l'ONU a clairement reconnu la prévalence de la maladie chez les combattants : selon le site Web du cadre IDDRS, elle fournit « aux législateurs, aux planificateurs opérationnels et aux agents de DDR des orientations sur les modalités de planification et de mise en œuvre de programmes relatifs au VIH-sida dans le cadre du DDR ». De plus, le site Web de la représentante spéciale de l'ONU pour les enfants et les conflits armés comporte le passage suivant :

> Là où sévit la guerre, il existe un rapport entre la diffusion du VIH/sida [...] et les sévices et l'exploitation sexuels des femmes et des jeunes filles. Le Programme commun des Nations unies sur le VIH/sida (ONUSIDA) estime que les taux d'infection due au VIH sont trois ou quatre fois plus élevés chez les combattants que dans les populations locales. Lorsque le viol devient une arme de guerre, les conséquences sont souvent mortelles pour les jeunes filles et les femmes. Les conflits armés exacerbent aussi les autres conditions favorables au VIH/sida, telles que l'extrême pauvreté, le déplacement des populations et la séparation des familles. Il conviendrait par conséquent de poursuivre et de renforcer les programmes de sensibilisation, de soins et d'appui concernant le VIH/sida dans le contexte des opérations de paix et de l'action humanitaire.

Ce passage, aussi effrayant qu'explicite, se passe de commentaires.

* * *

Quelle est la place de l'imputabilité et de la justice dans le domaine des programmes de DDRR ? Comme je l'ai déjà indiqué, il arrive que d'anciens enfants soldats soient sommairement exécutés pour leurs crimes ou encore emprisonnés, sans qu'on leur donne jamais l'occasion de récupérer une partie de leur enfance volée.

Souvent, dans le cadre de la réintégration, les ex-enfants soldats – les garçons, du moins – passent par des cérémonies du pardon au cours desquelles la collectivité les accueille de nouveau en son sein. Cependant, rien n'est prévu pour permettre à l'enfant de pardonner à la collectivité de l'avoir abandonné et d'avoir laissé la situation se dégrader au point où les combats sont devenus inévitables. Le pardon n'est pas à sens unique. Dans tout conflit auquel ont été mêlés des enfants soldats, des questions d'équité et de réparation des injustices se posent de part et d'autre. Pour réussir la réintégration d'un enfant, on doit d'abord s'attaquer à ces graves questions de justice sociale.

Certains pays instituent leurs propres tribunaux militaires, lesquels risquent d'avoir un préjugé défavorable envers les anciens enfants soldats. Mais comment peut-on espérer que le système de justice d'un pays dépourvu d'un gouvernement, d'un processus judiciaire, d'une force policière et d'un secteur de la sécurité fonctionnels sera en mesure de tenir des procès justes et équitables ? Au Rwanda et au Congo, par exemple, les tribunaux militaires, à la recherche de coupables dans le contexte de la reconstruction consécutive au conflit, ont pris les enfants comme boucs émissaires. Les jeunes Rwandais qui s'étaient volontairement enrôlés dans les Interahamwe avant le génocide ont automatiquement été déclarés coupables de crimes de génocide, et ils ont été arrêtés et emprisonnés en très grand nombre. Avec le temps, cependant, la voix de la raison s'est fait entendre, et le gouvernement du Rwanda a institué une politique selon laquelle aucun enfant âgé de moins de quatorze ans au moment des faits ne pouvait être tenu responsable de ses actions. Le gouvernement a également réinstauré un rite de justice traditionnel appelé *Gacaca*, en vertu duquel les accusés et leurs victimes comparaissent devant des aînés, sans avocats : des auteurs de crimes ont demandé pardon et bon nombre d'entre eux ont effectivement été pardonnés et réintégrés dans la collectivité. Les présumés violeurs, en revanche, sont restés en prison et ont été jugés par le système judiciaire national (la peine de mort a été abolie il y a quelques années).

Pour éviter que les ex-enfants soldats soient victimes d'une population décidée à se faire elle-même justice, la Sierra Leone a pour sa part misé sur un tribunal spécial qui avait compétence sur les jeunes contrevenants de dix-huit ans et moins. Mais, comme je l'ai déjà souligné, le procureur spécial, David Crane, a refusé d'inculper les jeunes contrevenants au motif qu'ils avaient eux-mêmes été victimes d'une injustice.

Il arrive malgré tout que la collectivité punisse elle-même les coupables. Lorsque les enfants rentrent dans leur village, ils sont parfois victimes d'agressions physiques. Les villageois se vengent ainsi de la souffrance que ces enfants leur ont infligée durant le conflit. Mais il ne faut y voir ni une forme de justice véritable ni une façon de ramener les enfants dans le droit chemin.

Et, dans la lutte qui a pour but la justice et la reddition de comptes pour la collectivité au sens large et la guérison pour les enfants, tel est l'ultime point de basculement : comment compter que les enfants s'inscriront aux programmes de DDRR s'ils savent qu'ils risquent d'être châtiés par leur famille ou leurs voisins, ou d'être poursuivis en justice, ou encore les deux ? Des enfants qui ont la capacité de se battre et les armes nécessaires pour le faire se laisseront-ils convaincre de s'en séparer ?

En soi, il est déjà difficile de faire connaître les programmes de DDRR. En cautionnant les procès d'enfants, nous risquons d'avoir encore plus de mal à persuader les ex-enfants soldats de se rendre. À ce stade-ci, je ne peux m'empêcher de dire quelques mots sur la position du gouvernement du Canada dans le dossier d'un jeune citoyen canadien qui, quelle que soit la définition qu'on utilise, doit être considéré comme un enfant soldat. Depuis plus de sept ans, le Canada, l'un des premiers rédacteurs et signataires des Protocoles facultatifs à la Convention relative aux droits de l'enfant, instrument qui vise à prémunir les enfants contre les poursuites et à garantir leur passage par le processus officiel de DDRR, laisse croupir Omar Khadr dans la prison illégale de Guantanamo sans jamais lever le petit doigt pour réclamer son rapatriement. Au moment où nous allons sous presse, Khadr subit son procès devant un tribunal militaire à Guantanamo. Le gouvernement du Canada réitère sa confiance à l'égard du système judiciaire américain et soutient que, si le Canada a ratifié la Convention, il n'a toujours pas adopté le texte de loi qui la mettra en œuvre. Je présenterai sous peu au Sénat un projet de loi destiné à combler cette lacune. L'affaire Khadr entache la réputation internationale de mon pays et porte atteinte à la lutte pour le respect des droits des enfants et des droits de la personne en général.

Trop peu d'ex-enfants soldats parviennent à s'extirper du sombre milieu dans lequel ils évoluent depuis des mois ou des années, et plus rares encore sont ceux qui, avec diligence, courage et un peu de chance, font tout pour réussir en tant que membres à part entière de la société. Nombreux sont ceux qui sont détruits par la criminalité, la toxicomanie ou la maladie, ou sont tout bonnement abandonnés. D'autres vivotent sans avenir et gonflent les rangs des désespérés. Quelques-uns, une fois de plus grâce à la chance et à un mélange de courage et d'acharnement, sans oublier les généreux efforts d'amis à l'étranger, parviennent à fuir la région et, en faisant preuve d'une résilience proprement extraordinaire, à repartir de zéro dans un autre lieu.

Mais qu'en est-il des enfants soldats qui paient le prix ultime ? Que dire de ceux dont les ossements sont disséminés sur le sol des États-nations en proie à la guerre ou à un conflit civil ? Nous savons si peu de choses à leur sujet. Nous ne disposons même pas de données fiables sur le moment et l'endroit où, dans le cadre d'une embuscade, d'une attaque, d'une patrouille ou d'une incursion clandestine, ils ont succombé à des balles, à des grenades, à des coups de machette, ont sauté sur une mine ou encore ont trouvé la mort dans une mine d'or ou de diamants, toujours au profit de la cause de leurs leaders adultes.

Qui pleure la mort de ces enfants ? Qui rend compte de la perte qu'ils représentent pour l'humanité ? Dans la liste des problèmes pressants à régler au moment de la cessation d'un conflit, qui prend le temps de verser des larmes sur l'endroit anonyme où ils sont tombés, sur le sol imbibé de leur sang, où ils ont été abandonnés par l'éthique « guerrière » et trahis par la machine de combat, où se sont tus leurs mantras de tueurs intrépides soutenus par la drogue, où ils sont morts, seuls, le cœur brisé, sacrifiés aux desseins maléfiques des adultes ? Qui donc chante leurs chants de tristesse et leur promet « de ne jamais oublier » ? Personne, sans doute.

# 8
## LE MOMENT FATIDIQUE : TUER UN ENFANT SOLDAT

Parfois, le temps s'arrête et le moment présent s'étire à l'infini. Et cet instant vous habitera à jamais, même une fois que les horloges auront repris leur tic-tac.

Le casque bleu qui atteint et tue l'enfant soldat à la fin du chapitre 4 est catapulté dans un tel instant d'éternité. Dans le récit qui suit, je tente de mon mieux de sentir, de voir et d'entendre les mêmes choses que lui. Il s'agit d'un personnage fictif, mais fondé sur mon expérience militaire et mon intuition. La violence faite au monde d'un enfant qu'on force à s'armer d'un fusil est extrême, mais au moins la plupart des gens sentent dans leur chair qu'une telle transgression est inacceptable. Aux casques bleus qui risquent de se retrouver face à des enfants soldats, on dit pourtant de faire tout simplement leur travail, de se fier à l'entraînement qu'ils ont reçu, de se concentrer sur leur mission et de respecter les règles d'engagement. Il me semble qu'on ne devrait pas s'en tenir à ces seules consignes.

Le fait d'affronter un enfant armé échappe au cadre que nous définissons pour nos soldats. Souvent idéalistes, nos casques bleus, qu'ils soient chargés du maintien ou du rétablissement de la paix, croient que leur formation, leur force, leur savoir-faire et leurs armes les aideront à sauver des vies et non à en détruire. Pendant leur entraînement, nous apprenons à nos recrues mûrissantes à transgresser leur pulsion instinctive de protéger la vie justement dans ce but : protéger la vie, la nation, le pays et les personnes vulnérables de contrées étrangères. Il s'agit d'une vive contradiction, qui marque en profondeur les nerfs et les réactions d'un soldat.

Je le répète : pour défendre votre propre vie ou celle d'autrui contre d'autres êtres humains qui, sur le plan de l'espèce et de l'évolution, sont vos égaux, mais qui, en contexte, représentent votre ennemi et peuvent entraîner votre destruction, vous devez employer des instruments de mort et enfreindre la prohibition de tuer que nous avons mis des siècles à définir dans le droit, la philosophie, la religion ainsi que dans les conventions et les procédures humanitaires. Prendre la vie d'un autre être humain pour le vaincre ou simplement pour survivre et poursuivre la lutte est un acte qui n'a pas sa place dans la croissance naturelle d'un être humain. Malgré l'avis des sociobiologistes qui soutiennent que la guerre est innée, j'affirme pour ma part que la pulsion de tuer a été inculquée, instillée et inscrite de force dans les processus décisionnels qui président aux gestes que nous posons, enrobée de justifications qui font de la carrière militaire une vocation supérieure. Sur le champ de bataille, nous sommes entraînés à faire notre devoir non seulement au péril de notre vie, mais aussi au péril de la vie de nos camarades et de nos ennemis. Dans nos établissements militaires, nous enseignons des aptitudes à tuer qui, avec l'entraînement, deviennent des réflexes, lesquels s'appuient sur de hautes justifications morales. Grâce à elles, nous pouvons tuer s'il le faut et survivre spirituellement à un tel geste.

Chaque soldat qui voit le feu devient un vétéran de la peur, du carnage et des conséquences inéluctables du combat ; il doit trouver le moyen de faire face, concrètement, au fait de tuer. Bien saisir la réalité de ce que vous faites en tant que soldat, c'est-à-dire utiliser votre savoir-faire pour prendre la vie d'un autre, peut avoir un effet dévastateur sur votre esprit, votre âme, votre sens moral et votre humanité. Si vous considérez vraiment l'autre, l'ennemi, comme un être humain, vous vous posez des questions sans fin. Dans le viseur de votre arme, vous voyez des bras et des jambes, une tête et un torse, toutes les parties d'un corps comme les autres. Selon toute vraisemblance, les parties de ce corps se concertent et se coordonnent dans le dessein de vous infliger le préjudice le plus extrême qui soit.

Vous n'êtes peut-être pas en mesure de déterminer si votre cible est grande ou petite. Tout dépend de la distance, de la qualité de la lumière, de la limpidité de l'air et des obstacles qui vous obstruent la vue. Dans une escarmouche ou dans une bataille rangée, on n'a pas toujours la possibilité de contempler l'humanité des cibles qui se présentent dans le viseur. Dans la cacophonie des explosions, avec la terre et les débris qui volent dans les airs et vous tombent dessus comme une pluie, le crépitement ou le craquement des balles autour de vous, le sifflement des fragments de métal brûlant que crachent les fusils, les mitrailleuses, les grenades, les obus et les bombes, l'adrénaline et l'instinct de survie prennent le dessus. Avez-vous seulement le temps de penser ? Il vaut mieux vous en abstenir. Votre survie est à ce prix. Non, vos sens sont en état d'alerte maximale. Vous détectez l'odeur âcre de la poudre, la puanteur de la chair calcinée, le goût métallique et humide du sang, accentués par les bruits sinistres qui retentissent dans vos oreilles, le choc des explosions qui se juxtapose aux voix apeurées, aux ordres vociférés, aux gémissements de supplication, aux cris de douleur. Les ondes de choc provoquées par les munitions qui explosent vous engourdissent au moment où vous vous jetez par terre ou vous faites plaquer au sol, étourdi, des bourdonnements dans les oreilles. Vous vous relevez en titubant, presque sourd, aveugle et muet, mortellement conscient de votre vulnérabilité.

C'est alors que, en tant que soldat professionnel, vous vous rendez compte que vous êtes de nouveau en mouvement, que, fort des exercices que vous avez faits, de la discipline que vous avez acquise et des tactiques qu'on a gravées dans votre cerveau pour vous aider à outrepasser votre instinct de préservation et d'effacement de soi devant la scène d'horreur qui se joue sous vos yeux, vous vous adaptez à la situation. Sur le fil tranchant qui sépare la vie de la mort, vous agissez conformément à la formation que vous avez reçue. Cette formation a-t-elle pour effet de fermer votre esprit, votre cœur, votre âme, votre moralité?

Les circonstances ont-elles pour effet de supprimer ou de réduire l'humanité d'un soldat et donc de lui permettre de recourir à une force destructrice? Dans l'intensité du moment, entend-il les ordres? Comprend-il encore les règles d'engagement? Est-il en mesure de réfléchir de façon objective aux dilemmes éthiques, moraux et juridiques qui se présentent à lui? Son esprit conserve-t-il la capacité de tenir compte des contraintes ou des limites à l'action du soldat engagé dans un conflit? Est-il en mesure de voir l'ennemi comme un être humain? L'humain n'est-il pas plutôt devenu une cible faite de métal, de bois, de tissu et de chair, tous de valeur égale et tous aussi menaçants? L'ennemi est-il encore humain? Êtes-vous encore humain?

Autant de questions qui se posent dans le cadre d'un combat entre égaux. En voici une autre: pourrez-vous tuer un enfant si celui-ci est vêtu et armé à la façon d'un guerrier ? Dans l'affirmative, combien de fois réussirez-vous à le faire avant que la révulsion, le dégoût et le doute grillent vos neurones ?

## 20

Il n'y a pas eu d'avertissement. Le battement assourdissant de la pluie sur les toits en tôle ondulée de l'école et de l'église voisine étouffait les bruits habituels de l'aube, ceux de la dense brousse environnante comme ceux des villageois qui entreprenaient leur journée. Des flaques se formaient instantanément et les sentiers entre les huttes étaient inondés par de petits torrents de boue rouge.

Nous étions arrivés la veille, dans l'après-midi, après un long trajet sur des routes cahoteuses et poussiéreuses. Nous nous étions faufilés au milieu de colonnes sans fin de gens qui allaient et venaient dans tous les sens, envahissaient les moindres clairières, à la recherche d'un endroit sûr où s'établir en attendant l'arrivée des secours.

Déjà, des forces rebelles composées d'adultes, de jeunes et d'enfants armés avaient attaqué ce hameau avec sa petite église et son école, avaient semé la terreur au moyen d'actes de barbarie et pillé tout ce qui leur tombait sous la main : chèvres, maïs, enfants. Elles utilisaient les enfants à plusieurs fins, par exemple comme porteurs, cuisinières et épouses de brousse, mais, pour ces forces rebelles, l'essentiel était d'apprendre à ces enfants à manier les armes afin qu'ils livrent leur guerre. Correction : il s'agit non pas d'une guerre au sens où je l'entends, mais plutôt d'une descente aux enfers dans une nation en pleine implosion. Des forces politiques rivales, des troupes gouvernementales et des groupes de rebelles autonomes harcelaient sans cesse la population, volaient, enlevaient, violaient, mutilaient et tuaient les leurs.

Les villageois avaient déjà payé un lourd tribut : plusieurs enfants avaient disparu et, lors du dernier blitz des rebelles, l'instituteur avait été démembré dans la clairière principale. Mais ces gens vivaient là depuis des décennies, comme leurs ancêtres avant eux, et ils n'avaient aucune envie d'abandonner leur école, leur église, leurs terres... Le commandant de la force de maintien de la paix de l'ONU y avait donc dépêché une petite patrouille (nous étions une douzaine au total) pour les protéger jusqu'à ce que nous réussissions à les convaincre de gagner la relative sécurité du camp de déplacés internes le plus proche.

Le sergent avait passé le plus clair de la soirée à discuter avec les anciens, qui n'avaient toujours pas accepté de partir. Le lendemain matin, cependant, ils se réuniraient de nouveau. Nous nous étions déployés dans le village et aux alentours, dans ce que nous croyions être les meilleures positions de tir et de défense contre une force qui surgirait sans doute de la brousse. La forêt dense, verte et luxuriante qui isolait le hameau du village le plus proche, situé à environ un kilomètre sur la crête de la chaîne de basses montagnes, offrait aux rebelles un couvert idéal.

Les règles d'engagement étaient explicites : au besoin, nous devions faire usage d'une force mortelle pour assurer la protection des populations contre tout groupe qui menaçait d'utiliser une force mortelle contre elles. Nous devions faire connaître notre présence en garant bien en vue nos jeeps blanches surmontées de leurs drapeaux bleu pâle. Ainsi, aucun élément de reconnaissance parcourant le secteur ne pourrait ignorer que des casques bleus étaient sur place. Jusque-là, les rebelles avaient évité d'engager le combat avec les forces de l'ONU, même si, par bravade et par indiscipline, certains d'entre eux, parmi les plus jeunes en particulier, avaient provoqué des confrontations tendues qui, par miracle, ne s'étaient pas soldées par des échanges de coups de feu.

Dès que les anciens auraient donné leur accord, nous escorterions les civils jusqu'au camp le plus proche, où l'aide et la sécurité seraient garanties tant et aussi longtemps que la situation politique demeurerait instable. La tâche à accomplir était relativement simple, pour moi, en tout cas, sinon pour tous ces gens.

Je n'en étais pas à ma première mission, et les autres membres de la patrouille étaient au moins aussi aguerris que moi. Des conflits éclataient un peu partout dans le monde, en particulier dans des pays pauvres comme celui-ci, en Afrique centrale. Au fil des ans, nous avions appris notre métier, par tâtonnements mais avec diligence, trouvé des

moyens de limiter le recours à la force et d'optimiser notre pouvoir de dissuasion. Dans d'autres
théâtres d'opération, nous avions tous eu notre
lot de souffrances, d'abus et d'échecs. Ce soir-là,
pour une raison ou pour une autre, je me sentais
optimiste. Peut-être parce que l'air était frais, et
les bruits de la nuit, apaisants. En étirant le cou,
j'apercevais le ciel, limpide et si rempli d'étoiles
qu'on l'aurait dit éclaboussé de peinture blanche.
Je ne me lassais pas de l'éclat des étoiles dans des
lieux comme celui-ci, où la pollution était presque
inexistante, et la lumière ambiante minimale. De
quoi faire honte au ciel de chez nous.

Après mes deux heures de faction, au cours
desquelles je n'avais observé aucun mouvement,
sinon ceux des habituelles créatures nocturnes,
j'ai nettoyé et huilé mon arme, puis je me suis
allongé sur mon lit pliant dans l'espoir de m'offrir quatre heures de sommeil. Je me suis blotti
sous ma vieille moustiquaire imparfaite : elle laissait entrer juste assez de moustiques pour que
leurs bourdonnements me réveillent chaque fois
que j'étais sur le point de m'assoupir. Mais, au
contraire des gens qui vivaient ici, j'avais une
moustiquaire et des médicaments contre le paludisme. Les piqûres et les morsures d'insectes les
faisaient beaucoup souffrir, et le paludisme était
la principale cause de mortalité chez les enfants,
avec le manque d'installations sanitaires et d'eau
potable. Ces hommes, ces femmes et ces enfants
innocents vivaient dans une pauvreté abjecte, et
leurs conditions de vie se détérioraient encore

sous l'effet de l'interminable guerre civile qui ravageait le secteur. On avait négocié des accords de paix, mais ils étaient appliqués et respectés de façon inégale par les prétendus ex-belligérants. Des factions en engendraient d'autres, et toutes se disputaient le pouvoir et le butin.

Autant les rebelles que les forces gouvernementales disaient aux gens qu'ils représentaient leur meilleure chance d'accéder à la paix et à une prospérité nouvelle, même si les deux camps leur volaient de la nourriture et des biens et qu'ils les tuaient sans raison. Personne ne jouait franc jeu. Pour ma part, je n'aurais pas voulu parier sur l'issue du conflit. Je préférais aussi ne pas réfléchir à l'ampleur de la brutalité qui régnait dans ce lieu, en particulier au sort qu'on réservait aux femmes et aux enfants. Le cas échéant, je risquais de me laisser submerger par la colère. Pour survivre à ma période de service, je devais me concentrer sur mes tâches ponctuelles et sur l'objectif de la mission.

Autour de moi, pourtant, je voyais des gens s'efforcer de mener une vie ordinaire, d'ensemencer leurs champs, de protéger leurs enfants, de les envoyer à l'école, de leur assurer un avenir. Je crois qu'ils auraient eu besoin de plus d'aide de la part de gens comme nous, de plus de militaires sur le terrain, en tout cas, mais la décision revenait aux instances supérieures, je suppose.

J'étais si fatigué que même les moustiques n'ont pas réussi à m'empêcher de sombrer dans le sommeil. Pendant que je m'assoupissais, j'ai pensé à mes enfants. Ils avaient douze et quatorze ans. Sara et Jeff avaient tous deux célébré leur anniversaire en mon absence. Ils étaient absorbés par la musique et le sport (un peu moins par le travail scolaire), occupés à tripoter l'ordinateur, leur téléphone cellulaire, tous les gadgets rutilants qui faisaient leur apparition sur le marché et leur permettaient de parler à leurs amis ou de leur envoyer des messages textes. Leurs amis... Ces jours-ci, les amis comptaient plus que tout à leurs yeux.

La vie de mes enfants était si remplie de divertissements et d'activités que je me demandais parfois si des souvenirs se gravaient dans leur mémoire ou si, au contraire, tout s'envolait en fumée à l'approche de la nouvelle vague de gadgets à la mode. Je savais qu'ils en avaient ras-le-bol des sermons au sujet de la chance qu'ils avaient, mais j'avais conscience d'avoir beaucoup de chance, moi aussi. C'étaient de bons enfants. Et, en raison de mon travail, ils en savaient plus sur le monde que la plupart de leurs amis. J'essayais de ne pas penser au prix de mes longues absences. Leur maman tenait le fort de son mieux et, lorsque je réussissais à téléphoner, s'efforçait de contenir ses émotions. Une famille militaire exemplaire accepte stoïquement les sacrifices.

J'avais l'impression de dormir depuis deux minutes à peine lorsqu'un déluge a éclaté, si soudain que j'étais déjà trempé jusqu'aux os lorsque j'ai revêtu ma combinaison imperméable. J'ai quand même couru jusqu'à la jeep. À quoi bon être misérable et encore plus mouillé ? La nuit tirait à sa fin et j'ai somnolé jusqu'à ce que, aux premières lueurs de l'aube, le sergent tape sur le capot et me fasse signe de reprendre mon poste. Il était près de six heures du matin. Un jour nouveau se levait.

## 21

À moitié endormi, je me suis traîné dans la boue rouge jusqu'à l'école, devant laquelle le sergent et les autres membres de la patrouille s'étaient réunis. Là, malgré le déluge, nous avons entendu les premiers bruits de coups de feu et d'explosions de roquettes à l'autre bout du village.

Il ne s'agissait pas uniquement de coups de feu tirés en l'air pour effrayer des gens à peine sortis du lit, au moment où ils sont le plus vulnérables. C'était au contraire une attaque soutenue. Lorsque les premiers cris ont retenti, la cadence de tir a augmenté d'un cran. Ces salauds avaient décidé d'attaquer le village malgré notre présence. De toute évidence, ils nous défiaient : leur but était de prendre un minuscule regroupement de huttes et de nous obliger à nous replier sur des positions défensives autour des camps plus importants. S'ils arrivaient à nous intimider, les civils, se sentant encore plus vulnérables, perdraient tout espoir.

Au pas de course, nous avons regagné nos postes en passant au milieu des plants de maïs qui séparaient les huttes, au-delà des bouts de bois qui délimitaient mollement les enclos des chèvres et des poules. Sept ou huit centimètres de vase et d'eau de pluie avaient transformé le sol en patinoire. Nous avons tous chuté salement et repris pied, souillés de boue et d'autres substances qui n'aident en rien le moral. J'ai malgré tout fini par rallier ma position sur le flanc droit de la rangée de huttes la plus éloignée. J'y étais : le chaos, les éclairs et les explosions, la poussière, la boue et l'eau, des débris et peut-être aussi des restes de corps humains qui volaient de dix à quinze mètres dans les airs avant de retomber autour de moi, tandis que l'odeur entêtante de la poudre et de la fumée viciait l'air.

Les rebelles, en tenue de camouflage verte trempée, étaient nombreux. Tels des coyotes traquant leurs proies, ils avaient lancé un assaut direct à partir de la limite des arbres, à une centaine de mètres de la première rangée de huttes. Ils donnaient l'impression de vouloir encercler les huttes et avancer vers le centre du village en courant, en criant et en tirant.

Depuis ma position sur le flanc, j'ai pu engager le combat avec quelques-uns d'entre eux, mais les premiers attaquants étaient déjà trop près des huttes. Impossible d'ouvrir le feu sur eux : directement ou par ricochet, des balles risquaient de traverser les murs faits de boue et de branches et d'atteindre les civils qui se trouvaient à l'intérieur. Immédiatement, j'ai quitté ma position avancée pour aller me poster entre la première et la deuxième rangée de huttes et de maisons en brique. Ainsi, je pourrais tirer sans obstruction sur les rebelles qui fonçaient vers le centre du village.

Au détour d'une hutte rectangulaire, je me suis retrouvé à moins de dix mètres d'un rebelle qui avait surgi de l'autre côté en déchargeant l'AK-47 qu'il tenait à la taille. Alors que ses camarades se ruaient vers le centre, celui-ci était manifestement chargé de sécuriser le flanc en tirant sans arrêt pour protéger ses camarades, tout en veillant à ce qu'il n'y ait pas un seul survivant dans les huttes les plus rapprochées de ma position.

Fin prêt à affronter ce genre de situation, j'ai aussitôt ouvert le feu avec résolution. Sous l'effet de l'adrénaline, mon cœur battait vite et fort. J'ai visé juste et le rebelle a été touché avec une force telle qu'il a été stoppé dans son élan. Son corps a basculé vers l'arrière comme celui d'un joueur de football victime du coup de la corde à linge.

Un de moins, ai-je pensé. Sa mitrailleuse est tombée d'un côté et son corps de l'autre. Mû par l'instinct, tandis que nous poursuivions notre offensive par le flanc en faisant feu sur les autres rebelles, j'ai baissé les yeux sur l'homme que j'avais abattu pour m'assurer qu'il ne présentait plus de danger.

C'était surréel. Pour la première fois, j'ai pu bien examiner le guerrier, dos contre terre, les bras en croix, les jambes à moitié repliées sous lui dans la boue, et je me suis arrêté, au mépris du bon sens et des ordres reçus. Le rebelle à la mitrailleuse emballée qui avait surgi au coin de la hutte en tirant sur tout ce qui bougeait, moi y compris, agonisait dans la boue, face au ciel, désarticulé. Il saignait abondamment, à peine capable de respirer. Ce n'est pourtant pas cette horreur-là qui a sur-le-champ grillé les neurones de mon cerveau, tellement que j'ai fini par figurer au nombre des victimes, moi aussi.

L'uniforme déchiré gisait dans la boue, avec la mitrailleuse, mais le guerrier avait disparu. À sa place, il y avait un jeune, un adolescent âgé de treize à quatorze ans tout au plus. Un enfant. Une fille.

J'avais descendu une fille, habillée en rebelle, qui avait agi comme un guerrier, s'était donné des airs de combattant décidé à tuer. J'ai tenté de repousser le témoignage de mes yeux : c'était peut-être un garçon, après tout. Le soldat avait les cheveux très courts, et ses traits fins auraient pu être ceux d'un garçon ou d'une fille. Mais en y regardant de plus près, tout à fait indifférent au combat qui faisait rage autour de nous, j'ai remarqué qu'au moins deux projectiles avaient touché sa veste en haillons. Juste au-dessus de son sein gauche, je voyais du sang, de la chair déchiquetée et des éclats d'os. Sur son abdomen, il y avait une autre tache de sang, mais je n'ai pas réussi à évaluer la gravité de cette blessure-là.

J'étais paralysé par ce que je voyais, par ce que j'avais fait. Je n'arrivais pas à détacher mes yeux de la fille. J'étais témoin de l'opposé d'un miracle, témoin de la plus grossière indécence humaine. Pendant un moment qui m'a semblé aussi long que la vie que j'avais vécue jusque-là, mais qui n'a sans doute duré que quelques secondes, j'ai vu un guerrier redevenir enfant, et cet enfant se mourait des suites des blessures que j'avais infligées à son corps d'enfant.

## 22

Tétanisé, je ne pouvais ni bouger ni détacher mon regard de la fille. Elle a agrippé la jambe de mon pantalon et j'ai finalement aperçu ses yeux brun foncé. C'était comme si j'entendais sa stupeur, ses cris de souffrance et de peur. Mais son expression disait encore autre chose : j'avais l'impression qu'elle me suppliait de lui rendre son enfance, son innocence, le monde mythique de ses rêves, son sens de l'émerveillement, l'époque où elle était sereine, protégée, aimée et dorlotée, au centre du cercle familial. De restaurer la fille qu'elle avait été.

La douce emprise de ses doigts a planté des aiguilles de feu jusqu'au tréfonds de mon être. Autour de moi, on se battait toujours, mais rien ou presque ne troublait l'échange que j'avais avec cette jeune fille qui agonisait dans la vase et l'eau sale, vêtue d'une veste de camouflage déchirée et mouillée, symbole de son statut de guerrier redoutable. Ce qu'avait camouflé cette veste, dans les faits, c'était une jeune fille abandonnée qui se mourait sous mes yeux. Elle ne savait pas pourquoi et, désormais, moi non plus.

Mon cerveau cherchait fébrilement des justifications, examinait la logique des événements.
Si on vous tire dessus, vous ripostez ou vous
mourez. J'avais agi en état de légitime défense.
C'était l'évidence même. Personne ne soutiendrait
qu'il y avait là un dilemme éthique, moral ou juridique. Mais, puisque je n'avais rien fait de mal,
comment expliquer la nausée qui m'avait envahi ?
J'avais abattu une fille habillée en soldat rebelle
et armée jusqu'aux dents. Elle avait tiré sur des
villageois innocents et aussi sur moi, mais elle
avait raté la cible. J'avais riposté et mis dans le
mille. Voilà tout.

Son regard adressait une série de messages à
celui qui avait pris sa vie, seul témoin de sa disparition. Dans ce regard, je reconnaissais des signes
de résilience juvénile. Elle s'efforçait de repousser
les horreurs qu'elle endurait depuis Dieu seul
sait combien de temps. Mais à cet ultime élan
de résistance se mêlait aussi le sentiment de sa
propre impuissance : sa vie était terminée. Elle
savait qu'elle était en train de mourir, dans la
mesure où un enfant est capable d'une telle luci-
dité. La douleur, la perte, la résignation, le souvenir, l'amour : un véritable torrent d'émotions et
d'histoires jaillissait de ses yeux, qui ne se fer-
maient pas, ne pouvaient pas se fermer, étaient
encore incapables de renoncer à la vie. Oui, ses
souffrances, ses humiliations et ses traumatismes
s'évanouiraient bientôt, mais le reste aussi, le bon
comme le mauvais. Et j'étais celui qui avait mis
fin à tout cela.

Tuer ou être tué. Les mots ne me paraissaient plus aussi justes qu'avant. Ils n'avaient rien à voir avec les valeurs qui m'avaient guidé jusque-là, même avant de devenir soldat. Pourtant, c'était exactement ce que j'avais fait : tuer pour ne pas être tué. La preuve en était cette jeune fille qui se cramponnait toujours à la jambe de mon pantalon, les yeux grands ouverts, mais soudain parfaitement silencieuse. Plus de messages. Elle était morte sans un bruit.

Retenu par ses doigts, j'ai finalement regardé autour de moi. La bataille était terminée. Ce jour-là, nous avions remporté la victoire et sauvé de nombreux villageois, mais l'échauffourée avait fait des victimes chez les civils et plus encore chez les rebelles. Après avoir dépassé la première rangée de huttes, ils avaient été coupés dans leur élan et avaient battu en retraite dans le plus grand désordre, en proie à la panique, laissant les morts et les blessés dans la boue rouge qui rougissait encore à mesure que le sang des victimes se répandait dans les petites rigoles d'eau coulant vers le centre du village. Un silence de mort s'était abattu sur les lieux, comme toujours après un violent échange de coups de feu.

# 23

Les survivants semblaient tous aussi paralysés que moi. Le silence de l'après-combat était assourdissant, déstabilisant. Je sentais la poudre à

canon sur les herbes et mes habits ; de la hutte à
côté de moi s'élevait une odeur de chair calcinée.
J'avais le sentiment de suffoquer, mais, pour respirer, j'aurais dû me défaire des doigts de la fille
refermés sur mon pantalon, et je ne me sentais
pas le courage de la toucher. J'ai donc dégagé ma
jambe et frissonné en voyant son corps se tordre
de façon encore plus grotesque dans la boue.

Puis le chant d'un oiseau a rompu le silence,
et j'ai eu le sentiment d'être libéré d'un sorti-
lège. Je suis parti à la recherche du sergent et des
autres membres de la section. Nous devions nous
occuper des blessés et déplacer les survivants.
Plus question qu'ils restent là. J'ai aperçu le sergent. Sous l'effet de l'euphorie, mon rythme car-
diaque s'est accéléré. Les balles et les grenades qui
avaient cherché à nous tailler en pièces avaient
toutes raté leur cible : nous tenions debout et ma
chair était intacte. Pendant un moment, je me
suis senti invincible et j'ai éprouvé un sentiment
de soulagement et de libération d'une surprenante
intimité.

Mais alors j'ai eu la sensation que la fille
s'agrippait une fois de plus à mon pantalon, et ces
quelques secondes de renouveau vital ont volé en
éclats. J'ai éprouvé une vague de malaise absolu,
un sentiment de transgression totale. J'étais mort
de soif, et ma langue se collait à mon palais. Cette
soif était si intense que j'avais peine à parler, mais
ce n'était rien à côté de la souffrance mentale,
mélange d'angoisse, de remords et même d'une
sorte de peur, qui s'est abattue sur moi et m'a

littéralement fait plier en deux. J'ai vomi de la bile et j'ai eu du mal à reprendre mon souffle, à retrouver mon éthique guerrière, ma contenance de vétéran.

Je me suis ordonné de me ressaisir, et j'ai réussi à me redresser, à regarder autour de moi. Les villageois allaient et venaient, ébranlés. Au-dessus des gémissements des blessés, rebelles comme civils, le sergent donnait des ordres, parlait dans la radio de son véhicule. D'autres membres de la patrouille réagissaient, épuisés mais déterminés à faire leur devoir, à rassurer les survivants, à réconforter les paniqués, à soigner les victimes, là, dans la boue, à côté des huttes pour la plupart détruites. Le village bourdonnait d'activité et, pourtant, je n'arrivais pas à me secouer, à passer à l'étape suivante, celle de la sécurité et du soutien, comme j'en avais le devoir, comme j'en avais reçu l'ordre. Lorsque j'ai enfin réussi à me remettre en marche, je me suis fait l'impression d'être un imposteur. Je savais que rien ne serait plus jamais comme avant.

## 24

Ma période de service a pris fin peu après cet engagement, et on m'a conduit avec d'autres à l'aéroport. La mission n'était pas terminée ; au contraire, les combats se généralisaient. Au mieux, nous les avions contenus pendant un certain temps, et nous avions empêché la mort de certains civils. Nous en avions conduit d'autres dans les camps de déplacés internes où ils existeraient – et ce serait une simple existence, pas une vie –, avec l'aide de nombreuses ONG et de dons venus de pays éloignés comme le mien. Pendant un moment, ces pays avaient écouté leur cœur et donné généreusement, puis ils avaient de nouveau oublié les pauvres et fait comme si rien de notable, à l'échelle du monde, ne s'était produit ici.

Oui, nous avions escorté de précieux convois d'aide jusqu'à ces camps. Les gens avaient de quoi manger et ils ne mourraient ni du typhus ni du choléra. Ce n'était déjà pas mal.

Après six mois sur une autre planète, pas d'accueil triomphal à la base. Cette discrétion m'a plutôt arrangé. J'ai été heureux de revoir ma femme et de serrer mes enfants dans mes bras, mais j'avais le sentiment de ne pas être chez moi.

On parle parfois de choc culturel, et je dois dire que, cette fois, j'en ai eu plus que ma dose. Le calme qui régnait dans les rues sûres me paraissait bizarre, et notre maison pourtant modeste me semblait d'une obscène opulence par rapport à ce que je venais de voir. Le rythme de la vie m'affolait et je n'arrivais pas à répondre aux exigences de ma famille, de mes patrons et même de la caissière de la banque. Je criais beaucoup. Ou je me cachais.

J'ai fait des efforts. J'ai assisté aux matchs de soccer de Sara et conduit Jeff à ses cours de guitare. Assis à la table de la cuisine, j'ai haché les légumes pour le ragoût que je préparais chaque fois que je revenais à la maison. Quand ma femme a fait saisir la viande, j'ai tenté de mon mieux de ne pas réagir à l'odeur. Les fois précédentes, à mon retour, je m'étais réinséré sans mal dans notre vie familiale et j'avais ressenti une joie et un soulagement sans mélange à l'idée d'être de nouveau parmi les miens, en particulier lorsque je passais du temps avec les enfants.

Cette fois-ci, le contact ne se rétablissait pas aussi facilement. Un mur se dressait entre eux et moi. Franchement, je n'avais pas vraiment envie de le franchir et, du reste, je ne m'en sentais pas capable. Les événements surréels survenus dans ce village lointain avaient entraîné plus que la mort d'une fille soldate. Celle-ci s'était incrustée à l'endroit où mon cœur se trouvait autrefois, avait enveloppé tous mes sens dans la boue rouge et glissante de la brutale réalité. J'étais tout simplement incapable d'éprouver les mêmes sentiments qu'avant.

J'ai repoussé toutes les tentatives de rapprochement de ceux que j'aimais. Je ne voulais pas qu'ils soient contaminés par ce que j'avais vu et fait, et je ne voulais pas non plus parler des souvenirs que je ressassais interminablement. Je ne voulais pas que mon fils et ma fille sachent que j'avais causé la mort d'une fille de leur âge. Ce n'était pas conforme à l'image qu'ils se faisaient de leur père et de son travail. Même chose pour ma femme. Si je lui avouais tout, serait-elle encore capable de me regarder avec amour ? Nous étions pris dans un cercle vicieux : je refusais de leur parler de ce qui me hantait et, en même temps, je repoussais tous les gestes de soutien, que je considérais comme maladroits et insuffisants. Le tribunal qui siégeait dans ma tête les avait reconnus coupables d'ignorer bêtement l'extrême gravité de la blessure que j'avais rapportée. Ma blessure psychologique. J'avais beau savoir que je me montrais irrationnel et injuste, je ne pouvais pas faire autrement.

Au travail, j'évoluais au milieu de gens qui ne faisaient aucun effort pour me soutenir. Ils semblaient croire que la blessure était superficielle et que le soleil et l'air frais de mon pays la cicatriseraient si j'évitais d'y toucher. Je devais simplement laisser le temps au temps, qui nivelle tout. Je finirais par oublier les yeux de cette jeune fille et je redeviendrais comme avant. En raison des expériences de vie uniques que j'avais accumulées, peut-être même deviendrais-je meilleur qu'avant.

Ces arguments semblaient si plausibles que je me suis pris à y croire. En même temps, ils étaient trop faciles, trop commodes pour me procurer un véritable réconfort. Je savais que mon cerveau avait subi une blessure physique qui m'empêchait de faire face aux stress et aux pressions de la vie de tous les jours. Cette blessure liée au stress opérationnel suppurait, provoquait une gangrène affective qui rongeait ma raison et mon sentiment de sécurité. À la façon d'un rouleau compresseur, le souvenir des événements qui

avaient marqué cette journée-là écrasait mes pensées, mes sentiments, mes désirs et ma logique.
Après, je me sentais trop vulnérable et trop coupable pour monter une défense. Je cherchais
sans cesse un peu de paix et de répit, mais, en
même temps, je me disais qu'il était juste que je
souffre.

Tard un soir, une fois mes êtres chers endormis
en sécurité dans leurs lits, j'ai pris sur une tablette
du séjour un gros recueil de poèmes illustrés de
croquis au crayon. Pendant un moment, il m'a
fasciné. Je ne me souvenais pas du moment où
j'en avais fait l'acquisition, moi qui n'avais jamais
été un grand amateur de poésie. À l'école, on
nous avait enseigné que les poètes étaient la
voix d'une culture, d'une société et d'un peuple ;
devant les instituteurs, j'avais repris servilement
la même idée. Lorsque mes yeux sont passés des
croquis aux mots, quelques vers m'ont sauté au
visage, m'ont fait penser à ce que j'éprouvais. Le
poème était *La Complainte de l'ancien marin*, de
Coleridge :

Je fermai mes paupières et les gardai fermées ;
Et mes prunelles battaient comme des artères,
Car le ciel et la mer, et la mer et le ciel
Pesaient lourdement sur mes yeux fatigués,
Et les morts étaient à mes pieds.
[...]
Le regard avec lequel ils m'avaient regardé
N'est jamais passé depuis.
[...]

Mais, oh, combien plus terrible que cela
Est une malédiction dans les yeux d'un mort[3] !

Pour moi, désormais, vivre à la maison, c'était préserver un semblant de normalité pour ne pas troubler ma femme, mes enfants, mes parents. Ils me voulaient tel que j'étais autrefois, et j'étais persuadé qu'ils ne désiraient pas savoir que, pour moi, ce lieu « étranger » était désormais plus réel que la vie que je menais ici. Quand on a côtoyé des êtres humains aux prises avec des conditions de vie extrêmes, il est difficile de croire au monde douillet et serein qui est le nôtre.

Une partie de moi – mon âme, peut-être, qui sait ? – habitait toujours cette lointaine contrée, et elle revivait sans cesse l'attaque lancée contre le village et la mort de cette jeune soldate, le moment où, de guerrière, elle était redevenue enfant, celui où la mort s'était emparée de ses yeux et les avait éteints pour toujours. Pour moi, ces images étaient désormais mon monde, un monde plus réel que tout le reste.

Parce que je n'avais aucun moyen d'y échapper, je doutais de l'avenir, de ma capacité à recoller les morceaux de mon être. Parfois, je tentais de me défiler à l'approche du souvenir de cette scène ; dans d'autres cas, je le pourchassais rageusement, revivais chaque seconde pour en éprouver la véracité. D'autres fois encore, je me disais que je pourrais enfin corriger mon geste ou, à tout le moins,

3.  Traduction de Valéry Larbaud. (*N.d.t.*)

l'expier, à condition de le garder assez longtemps en moi. Dans ce village, à cet instant précis, ma vie avait basculé. La plupart du temps, j'étais sûr de ne jamais m'en remettre.

Je sais que cette petite soldate, cette rebelle, cette jeune martyre a été tuée dans le respect de l'éthique et du droit. Mais jamais le temps n'affaiblira l'impact de ce geste sur la psyché du soldat que je suis. Aucune pénitence ne pourra me réconcilier avec ce crime contre l'humanité. Comment expliquer que nous en ayons été réduits à ainsi faire le mal ?

## 9

## L'INITIATIVE ENFANTS SOLDATS

**A**ucun enfant ne devrait mourir comme Rose, mon personnage fictif. Aucun casque bleu ne devrait être l'agent d'une telle mort. Après six années de travail au sein de l'Initiative Enfants soldats (IES), j'aimerais pouvoir vous dire que nous sommes tout près d'abolir l'utilisation des enfants soldats dans les conflits. Il est vrai que nous en savons beaucoup plus sur la question ; dans les chapitres précédents, je vous ai présenté une bonne part de ces connaissances ainsi que certaines analyses nouvelles. Mais nous sommes encore loin du but. S'il y a une chose dont je demeure fermement convaincu après avoir lancé l'IES, c'est que nous faisons toujours face à un défi considérable, à la fois sur le terrain et dans les agences, les ONG et les organismes, grands et petits, les forces de sécurité (militaires et policières) et les cercles politiques et diplomatiques : changer les mentalités et les anciennes façons de faire dans le dossier des enfants soldats.

Avant d'aborder certains des obstacles incroyablement frustrants que nous nous efforçons de surmonter, je tiens à exposer quelques idées sur la manière dont nous pouvons transformer l'approche de la question des enfants soldats. Il nous faut absolument passer du mode actuel, essentiellement réactif et conçu pour réparer les dommages au moyen des programmes de DDRR, au mode préventif. Tous nos efforts auraient alors pour but d'empêcher les forces belligérantes d'utiliser des enfants soldats, de quelque façon que ce soit, et même d'éviter en amont le recrutement et l'enlèvement d'enfants.

Dans le scénario idéal, celui que vise notre travail, aucun casque bleu ne serait à ce point surpris d'être mêlé à un échange de coups de feu avec des enfants soldats qu'il se défendrait avec une force mortelle s'il était pris pour cible par un enfant en haillons armé d'un AK-47. Le casque bleu de mon récit aurait été entraîné, mandaté, déployé et peut-être même armé différemment, et il aurait fait partie d'une opération intégrée dans laquelle les forces de sécurité (militaires et policières) ainsi que les humanitaires et les travailleurs de l'aide au développement, les ONG et les autorités locales uniraient leurs efforts et préviendraient les conflits au lieu d'y réagir. Tous ces acteurs comprendraient que l'élimination du recours aux enfants soldats est le meilleur moyen d'éviter l'éclatement d'un conflit ou de freiner son escalade. Leur objectif serait à la fois d'éviter les enlèvements et de convaincre les parents que rien ne les oblige à céder leurs enfants à des chefs de groupes rebelles contre un peu d'argent et la promesse que leur village sera épargné. Ils diffuseraient ce message de protection de multiples façons, y compris sur les ondes des radios locales, qui, dans les régions aux routes et aux infrastructures déficientes, constituent souvent le meilleur moyen de faire circuler les idées et les informations. L'un de nos partenaires au sein de l'IES, Search for Common Ground, une ONG établie à Washington, a justement mis au point une telle émission de radio, conçue et réalisée par des jeunes de quinze à dix-sept ans à l'intention des jeunes du Sud-Kivu, dans l'est de la République démocratique du Congo. Dans un sondage, quatorze pour cent des enfants démobilisés de cette région troublée du monde ont affirmé avoir été incités à quitter le groupe armé auquel ils appartenaient par des informations entendues à l'émission intitulée *Sisi Watoto*, ce qui signifie « Nous, les enfants » en swahili. (Malheureusement, au moment d'aller sous presse, l'émission était suspendue, faute de fonds.)

Dans ce scénario optimal, les casques bleus multiplieraient les occasions de s'adresser aux gens du coin. Les membres de la mission, les civils comme les militaires, auraient étudié les meilleures façons d'établir le contact avec eux et, en particulier, avec les enfants. Les ONG n'hésiteraient pas à partager avec les forces militaires et policières les informations cruciales recueillies dans la zone de conflit, car les unes et les autres auraient établi une relation de confiance fondée sur des objectifs communs et sur la compréhension de leurs besoins opérationnels respectifs. En facilitant la tâche de la mission, les ONG n'auraient pas le sentiment d'être « salies » par la politique ou de cautionner l'usage de la force. Au sein d'une telle mission intégrée, les risques d'usage de la force seraient en fait réduits puisque les troupes et leurs commandants auraient d'autres recours et n'utiliseraient leurs armes qu'en dernier ressort.

Les commandants militaires de la mission s'efforceraient d'établir des relations directes avec les chefs des groupes armés au lieu de s'en remettre aux politiciens et à des négociations à l'éthique parfois douteuse avec des humanitaires concernant l'accès à l'aide alimentaire et aux fournitures médicales. La mission militaire ferait comprendre aux chefs de ces groupes que le recours aux enfants pour mener leurs combats n'aurait bientôt plus rien d'avantageux. On leur expliquerait clairement les sanctions liées à ces activités : poursuites pour crimes contre l'humanité, risque d'être arrêtés aux frontières, appréhension des enfants soldats, qui leur seraient enlevés et seraient confiés à des programmes de DDRR. Enfin, ils auraient la certitude que, dorénavant, la mission veillerait à ce qu'ils aient beaucoup de mal à enlever ou à recruter des remplaçants.

De telles idées, dont certaines se concrétisent peu à peu, pourraient faire beaucoup pour éliminer le recours aux enfants soldats. Dans le cadre de mes travaux, je tente toujours de jeter des ponts entre les forces de sécurité (militaires et policières) et les ONG, de même que les humanitaires. À mon avis, il est essentiel d'éliminer ce fossé, même s'il semble parfois impossible à combler. Nous nous efforçons toujours d'obtenir que les gens admettent la nécessité absolue de mener ces missions autrement ; nous sommes encore loin de l'acceptation sans réserve de nouvelles tactiques opérationnelles. Faute d'une telle entente, les vies des soldats chargés de l'établissement ou du maintien de la paix dans les zones de conflit des quatre coins du monde, ainsi que celles des civils qu'ils ont pour tâche de protéger, sont mises en péril à chaque minute.

Mais nous savons au moins quelle direction prendre, ce qui n'était pas du tout le cas lorsque tout a commencé au terme de mon séjour au Carr Center en juin 2005. Au sein de l'IES, nous avons réussi, en dépit d'obstacles redoutables, à réunir tous les intervenants indispensables autour d'une même table, à parrainer des recherches sur le terrain et à trouver un foyer permanent à l'Université Dalhousie d'Halifax. Nous nous apprêtons à faire l'essai sur le terrain du guide pratique que nous mettons au point à l'intention des forces militaires et policières ainsi que des ONG. Et, au-delà de ces réalisations utiles, nous avons récemment décidé que, pour éliminer le recours aux enfants soldats, nous devons élargir la portée de l'IES et transformer notre mission en mouvement.

Dans le prochain chapitre, je vous inciterai à vous engager dans ce mouvement. Mais d'abord, j'aimerais vous donner une idée de ce que j'ai cherché à accomplir. Selon moi, l'optimisme et l'idéalisme ont notamment pour bienfait de vous pousser à tenter des choses que vous n'auriez jamais osé faire si vous aviez eu une idée des difficultés à venir. Sur la foi des travaux que j'ai menés au Carr Center en 2004 et en 2005, je savais que mon équipe de recherche et moi avions mis au jour des façons éclairantes de poser le problème des enfants soldats. Avant que nous conceptualisions la question en ces termes, personne n'avait vraiment vu les enfants soldats comme des « systèmes d'armes ». Aux yeux de la plupart, ils étaient non pas des agents des conflits, mais au contraire les victimes d'horribles abus : en réalité, ils sont les deux. Vérité difficile à faire admettre, ainsi que je n'ai pas tardé à m'en rendre compte, et les premières réunions que j'ai convoquées ont été pour le moins intéressantes.

* * *

À mon entrée dans la salle de conférence du gratte-ciel de verre, les murmures tendus se sont interrompus. D'un côté de la table en chêne massif se tenaient des militaires aux chaussures lustrées et à la mine solennelle ; de l'autre se trouvait un groupe plus bigarré, composé de jeunes débraillés et de types plus vieux à la barbe grise, vêtus de chemises sans col de couleur vive, légèrement fripées. La table elle-même illustrait le fossé qui séparait les deux camps : du côté des uniformes, des calepins réglementaires et des documents de référence, des crayons bien taillés et des verres d'eau glacée ; du côté des ONG, un désordre de feuilles et de bouts de papier, de cahiers de notes défraîchis, de stylos de couleurs criardes et de tasses de café en carton.

J'avais interrompu un échange prévisible, caractéristique de nombreux autres à venir. Ils suivaient tous le même modèle.

Le point de vue des ONG : « Ces enfants sont des êtres humains, pas des armes ! Vous ne vous attendez tout de même pas à ce que nous discutions sérieusement de la possibilité de tirer sur des enfants ! »

La réponse des militaires : « Eh bien, on voit que vous n'avez jamais été dans l'obligation de recourir à la force pour sauver la vie des gens placés sous votre protection ! »

« À votre avis, qui était sur place avant votre arrivée ? Qui, avec des t-shirts blancs et des logos pour seules protections, fournissait de l'aide médicale et du soutien au milieu des balles qui volaient déjà et des victimes qui s'accumulaient ? Nous, évidemment ! C'est nous qui intervenons en temps de crise, tandis que vous attendez tranquillement votre mandat. Nos collègues sont déjà sur le terrain et connaissent la situation et les parties en présence. »

« Et en quoi votre présence a-t-elle empêché l'escalade de la crise ? Pendant que nous attendions que les politiciens fignolent notre mandat, vous avez dû décamper et abandonner les gens que vous aviez promis d'aider. Plus personne n'était sur le terrain pour les secourir. »

Et ils ont trouvé là au moins un terrain d'entente : les uns comme les autres, les porteurs d'uniforme et de jeans finissaient par se faire tirer dessus parce que, quand l'ONU sollicite des engagements et des troupes auprès de ses États membres, les mandarins politiques conseillent à leurs patrons de se montrer préoccupés, mais pas trop, en particulier lorsqu'il s'agit de populations qui vivent dans des lieux sans importance stratégique.

Lorsque j'ai pris place au bout de la table – ou plutôt du grand fossé –, les militaires, qui m'ont remarqué en premier, se sont levés pour m'accueillir, tandis que les membres des ONG m'ont salué d'un geste de la tête tout en continuant de discuter.

« Sacré début », me suis-je dit en posant devant moi une pile de documents rendant compte de mes recherches au Carr Center. Comment amener ces représentants typiques de deux cultures si diamétralement opposées et si jalouses de leurs prérogatives à commencer à travailler ensemble ou même à avoir envie de le faire ? De part et d'autre, ils étaient déterminés à alléger les souffrances des citoyens innocents des États-nations troublés du monde, à les aider à accéder à la paix, à la bonne gouvernance, à la justice, à la sécurité, au respect des droits de la personne, à l'égalité entre hommes et femmes, à la démocratie et à l'éducation dans une nouvelle atmosphère d'espoir et d'optimisme. Pour avoir une chance de mener ma mission à bien, je devais compter sur le savoir-faire et l'engagement de toutes les parties. Dans le cadre de mes recherches au Carr Center, j'avais déjà relevé le manque de données rigoureuses et de recherches approfondies sur les modes d'utilisation des enfants soldats sur le terrain, en particulier l'absence criante d'informations sur les défis posés aux filles soldates. Pour guérir une maladie, on doit d'abord en déterminer les causes et les facteurs aggravants, puis trouver le moyen de les éliminer. Pas plus les ONG et les humanitaires que les forces de sécurité n'étaient en mesure de régler seuls le problème ; chacun des deux groupes avait besoin des connaissances et des compétences de l'autre.

Jusque-là, les groupes humanitaires et les militants pour les droits des enfants n'avaient jamais cru que les militaires pouvaient se montrer sensibles aux besoins des enfants – dans une large mesure, la situation n'a pas changé. Dans leur for intérieur, la plupart des représentants des ONG – même ceux qui, à l'occasion des rencontres où je trônais au bout de la table, côtoyaient des militaires qui avaient participé activement à des programmes de DDRR dans certaines des régions les plus dangereuses du monde (et risqué leur vie pour venir en aide aux enfants) – demeuraient convaincus que l'armée ne se souciait pas sincèrement de cette question. Ils ne savaient pas quels étaient leurs collaborateurs potentiels au sein des forces militaires et de sécurité des pays où ils étaient à pied d'œuvre ; ils ne savaient même pas comment établir le contact avec eux. Comme les enfants relèvent des sciences sociales, il était tout naturel, croyaient-ils, que les organismes s'occupant de la protection des enfants et du respect des droits assument la responsabilité des enfants soldats et en fassent leur cause. Il était rare qu'ils considèrent les militaires comme des alliés possibles ou des éléments de solution. Jusqu'à tout récemment, la plupart des organismes étaient d'avis que l'unique rôle des femmes et des hommes en uniforme consistait à assurer la protection des camps de réfugiés et de déplacés internes, des enceintes, des civils et des travailleurs des ONG. Et comme les ONG et les groupes d'aide devaient éviter à tout prix que leur neutralité semble compromise, la relation qu'ils avaient avec les militaires chargés de la protection était une voie à sens unique. C'était leur neutralité, croyaient-ils, qui assurait leur immunité dans les zones de conflit et leur permettait d'œuvrer à l'amélioration du sort des innocents au sein des groupes armés et autour d'eux. Voilà pourquoi bon nombre d'entre eux cherchaient à tenir les forces de sécurité « extérieures » (celles qui essayaient de mettre fin au conflit) à l'écart des enfants et ne songeaient jamais à leur confier un rôle dans leurs missions de sauvetage.

En raison de l'importance que les ONG attachent à la neutralité, de nombreux membres des forces militaires et policières ont naturellement tenu pour acquis que les humanitaires verraient d'un mauvais œil toute initiative de leur part dans le dossier des enfants soldats. Du reste, eux-mêmes n'étaient pas du tout certains d'avoir envie de collaborer avec des groupes aussi « indisciplinés ». Les militaires ont tendance à considérer que les humanitaires sont « mous » et désorganisés, peu au fait des dures réalités auxquelles les soldats font face, et même ceux que j'ai invités à bon nombre de tables de l'IES jugeaient peu probable la collaboration entre les groupes disciplinés, organisés et respectueux des protocoles qu'ils formaient et les « âmes sensibles » qui ne saluaient pas correctement un général à son entrée dans une pièce. Sur le terrain, de nombreux militaires et policiers voyaient dans le recours à la force le seul moyen de répondre au problème des enfants soldats. Quand on cherche à vous tuer et à s'en prendre à ceux que vous devez protéger, le principe de la légitime défense et l'entraînement militaire vous dictent de tirer. Par ailleurs, les militaires soutenaient que les défaites infligées sur le champ de bataille sont la seule façon de « persuader » les commandants que les enfants soldats ne sont pas à la hauteur. Pour eux, seules des règles d'engagement autorisant l'usage *in extremis* d'une force mortelle (si les objectifs de la mission l'exigent) permettaient d'inciter les commandants à cesser de recruter et d'utiliser des enfants.

À titre de général à la retraite et d'humanitaire dévoué, crédible comme militant des droits de la personne et de la prévention des conflits en raison de mon expérience au Rwanda et du travail de prévention des génocides que j'effectue depuis, j'étais idéalement placé pour rejoindre les deux camps : j'étais en effet un amalgame des deux. Comme j'avais été soldat pendant la majeure partie de ma vie d'adulte, j'étais encore légèrement suspect aux yeux de la plupart des humanitaires, mais j'avais été témoin d'un génocide massif et brutal ; depuis la fin de la guerre froide, aucun autre commandant militaire n'avait observé à ce titre un massacre d'une telle ampleur. Au Rwanda, j'avais vu les humanitaires et les ONG se montrer capables du meilleur comme du pire, et eux-mêmes avaient constaté les efforts que j'avais déployés pour tenter de jeter des ponts entre nous et de sauver des vies. Mais je me doutais bien que, de part et d'autre, on se demandait de quel côté je penchais : j'étais trop militaire pour les humanitaires, trop « âme sensible » pour les militaires. Les idées que nous brassions se traduiraient-elles par l'avènement d'une nouvelle entité militaire et policière trop molle pour être efficace ? M'étais-je donné pour mission de subvertir la neutralité tant vantée des ONG et de les pousser à conclure avec les militaires une alliance qui, au bout du compte, leur ferait du tort ? Eh bien, je ne suis ni l'un ni l'autre, et je suis les deux. Je tente d'être un amalgame parce que j'ai le sentiment que, pour résoudre les problèmes complexes des États en déliquescence, nous avons justement besoin d'amalgames, en particulier dans le dossier des enfants soldats.

Le moins qu'on puisse dire, pourtant, c'est que ce double défi – persuader les militaires de tenir compte des facteurs psychosociaux et convaincre les ONG qui défendent les droits de la personne d'accepter que, dans de rares cas, seul le recours à la force mortelle contre des enfants permet d'assurer le bien et la sécurité de nombreuses autres victimes innocentes – n'allait pas de soi.

* * *

Je n'entends pas rendre compte ici de toutes les étapes du voyage que nous avons entrepris au sein de l'IES : six années de réunions, de conférences, de tables rondes, de jeux de guerre, de documents de travail préliminaires minutieusement revus et corrigés. Tel est le prix pour changer les mentalités et les cœurs : petit à petit, mais inlassablement, tenter de rapprocher les parties et leur faire partager leurs connaissances respectives, puis mettre au point des solutions novatrices pour concrétiser cette compréhension réciproque.

En m'entendant qualifier les enfants de « plateformes d'armement », certains collaborateurs éprouvaient un malaise physique, se tortillaient sur leurs chaises, marmonnaient tout bas. Comment pouvait-on décrire les enfants comme des armes ? Jamais on n'avait employé pareil lexique, et le terme a soulevé des objections et des débats nombreux.

Les gens sont extraordinairement sensibles au poids des mots, et certains ne sont pas disposés à prendre le temps de réfléchir à un nouveau vocable avant de sauter aux conclusions. De nombreuses séances ont été marquées par des querelles linguistiques et culturelles peu propices à une véritable communion des esprits.

Les représentants des forces militaires et policières tenaient à des définitions claires qui autorisent une certaine souplesse, mais dont l'intention est sans ambiguïté. Pour les militaires, les mots aident à comprendre le fonctionnement des choses et leur éventuelle déconstruction. Ils ont l'habitude de définir et d'analyser les tâches de façon à éviter la confusion : au bout du compte, après tout, ce sont eux qui assument la responsabilité du recours discipliné à la force mortelle et de ses conséquences. Ils doivent savoir avec exactitude dans quelles circonstances y recourir et comment doser leurs actions, de la façon la moins ambiguë possible, faute de quoi leurs soldats perdent la vie ou (comme le casque bleu de mon récit) subissent des blessures physiques ou psychologiques. Mais les ONG et les acteurs de la société civile ont une réaction presque allergique au langage militaire, qu'ils jugent trop fort, trop résolu et trop peu subtil – insuffisamment sensible aux facteurs humains et sociaux.

Inversement, le sens fluide que les humanitaires accordent aux mots, dont les définitions changent au gré des circonstances, donne de l'urticaire aux militaires. Séance après séance, ils se blindaient contre les nuances du langage des humanitaires et leur reprochaient en grommelant de refuser toute précision.

Cependant, pour que les uns et les autres puissent se parler, j'estimais qu'il serait improductif qu'ils mettent trop d'eau dans leur vin linguistique : je craignais la perte des informations et des perceptions de chacune des disciplines. Qui a vraiment envie de boire du vin dilué ? Le goût en est médiocre, et on a la fâcheuse impression de s'être fait rouler par le barman, d'où un surcroît de frictions et même d'échanges de coups. En censurant sans cesse ses propos, au fond, on ne livre qu'une partie de son être véritable et de sa connaissance de la situation, une version de soi jugée sûre et donc présentable. J'avais le sentiment que nous ne trouverions de vraies solutions que le jour où nous nous comprendrions mutuellement ; lors de nombreuses rencontres, toutefois, les mots ont semblé nous séparer au lieu de nous rapprocher. Je songe par exemple au mot « intégration », que j'ai proposé pour décrire la mise en commun de nos forces. À mes yeux, il allait au-delà de la coordination, de la coopération et de la collaboration, et j'espérais qu'il pourrait donner naissance à une nouvelle base conceptuelle.

Pendant des années, à l'occasion de diverses tables rondes, la notion d'intégration, soit l'idée de réunir la communauté des ONG et les militaires au sein d'une mission concertée, a fait l'objet de nombreuses discussions. Les humanitaires se méfiaient de ce terme qui, selon eux, pouvait entraîner la domination d'une discipline par une autre : ceux qui avaient des armes et ceux qui n'en avaient pas risquaient de ne pas être sur un pied d'égalité. D'innombrables débats sur cette question se sont résumés à ceci : nous devions, pour désigner cette idée, trouver un nouveau vocable moins connoté, soit la « cohésion ». Nous avons commencé à mettre l'accent sur des plans d'action « cohésifs » dans lesquels les enfants soldats faisaient office de catalyseurs auxquels les uns et les autres cherchaient à venir en aide.

Personne n'avait dit que ce serait facile. Depuis 2005, trouver un terrain d'entente entre ces acteurs aux points de vue divergents est pour moi une source à la fois de frustration et de détermination.

* * *

Ce qui m'a aidé à garder la foi, c'est le simple fait que, dès le début, j'ai pu compter sur un solide partenaire issu de la communauté des ONG. En 2005, Sandra Melone, directrice générale de Search for Common Ground, organisme établi à Washington, D.C., a eu vent de mes travaux sur la question des enfants soldats. En compagnie de ses collègues, elle est donc venue nous rencontrer, mes assistants de recherche (dont Phil Lancaster) et moi, dans une petite salle de classe du Carr Center à Harvard. L'idée que les enfants soldats puissent être définis autrement que comme des victimes – comme des instruments de la guerre, en l'occurrence – les intriguait. Melone et Search for Common Ground comptent toujours parmi les principaux collaborateurs de l'IES.

En juin 2005, nous avons donc organisé une table ronde d'une journée à la Brookings Institution de Washington, D.C., pour présenter mes recherches aux plus importants organismes et ONG qui travaillaient sur la question des enfants affectés par la guerre. Une quarantaine de personnes étaient réunies autour de cette première table, y compris Mike Wessells, chercheur de premier plan dans le dossier des enfants soldats, et Peter W. Singer, qui étudiait l'impact des enfants soldats sur les militaires américains de même que les traumatismes causés par les confrontations avec eux. À l'occasion de cette réunion, j'ai insisté sur le fait que, jusque-là, nous n'avions que timidement tenté de régler le problème des enfants soldats actifs dans plus de trente guerres civiles, et encore, nous étions intervenus surtout dans le cadre d'efforts de DDRR post-conflit. Il était grand temps d'envisager de nouvelles perspectives, de débattre de méthodes et de concepts inédits.

Nous sommes convenus d'une approche progressive commençant par une conférence tenue au Canada pour faire suite à celle de Winnipeg sur les enfants affectés par la guerre à laquelle j'avais participé en 2000. Notre conférence, qui s'intitulerait *Expanding the Dialogue: Preventing the Use of Child Soldiers* («Élargir le dialogue: prévenir le recours aux enfants soldats»), se concentrerait sur les lacunes des programmes de DDRR et de nos efforts visant à mettre un terme au recrutement et à l'utilisation des enfants soldats, de même que sur la recherche d'approches nouvelles. Ensuite, nous colligerions les résultats et entreprendrions la deuxième phase de la recherche: mettre nos idées à l'épreuve dans le cadre d'un jeu de guerre imitant le plus fidèlement possible la situation des zones de conflit du continent africain, là où le recours aux enfants soldats est le plus répandu. Nous avons décidé que le Kofi Annan International Peacekeeping Training Centre d'Accra, au Ghana, constituerait un cadre idéal: là, nous bénéficierions d'un accès relativement facile aux enfants soldats et même à leurs commandants. Enfin, après avoir assimilé les résultats du jeu de guerre, nous passerions à la troisième phase : appliquer les solutions sur le terrain en menant des essais d'une année dans une zone de conflit, comme la RDC, avant de mettre au point une série d'initiatives que nous diffuserions auprès des missions déjà en cours.

Forts des recherches que j'avais menées à Harvard et de l'alliance avec Search for Common Ground et UNICEF Canada (son P.-D.G., Nigel Fisher, était à mes côtés pendant le génocide rwandais), nous avons obtenu l'appui de quelques-unes des plus importantes ONG travaillant sur la question pour la conférence d'une semaine prévue pour août 2006 à Winnipeg, ainsi qu'une subvention de recherche considérable de la part de l'ACDI, laquelle permettrait de couvrir une bonne partie des coûts de la rencontre. Je me suis tourné vers les militaires, et le ministère de la Défense nationale a délégué une dizaine d'officiers de réserve. Je leur ai demandé de venir en uniforme, en me disant que les civils devaient s'habituer à parler à des militaires s'affichant comme tels. En l'occurrence, l'idée ne s'est pas révélée très bonne. À l'époque, je n'avais pas encore vraiment compris à quel point les signes extérieurs de la vie militaire entravent la communication avec les civils.

Malgré la participation du ministre des Affaires étrangères de l'époque, Peter MacKay, qui a accepté de prononcer le discours liminaire de la conférence, nous avons eu du mal à obtenir que certains délégués essentiels – des ex-enfants soldats de divers pays africains qui, après des années de conflit, s'employaient à se reconstruire – soient admis au pays. Arguant qu'ils présentaient un risque pour la sécurité nationale, le gouvernement canadien se montrait réticent à l'idée de leur délivrer des visas. J'ai été indigné de constater que les bureaucrates avec qui nous traitions ne se rendaient pas compte que les jeunes concernés n'étaient justement plus soldats, et j'avais l'impression que leur refus était plutôt motivé par la crainte que les jeunes se sauvent et demandent le statut de réfugié. Et s'ils se sauvaient, me suis-je dit, ce ne serait pas si dramatique puisque leur vie serait peut-être plus sûre et plus enrichissante au Canada que chez eux. Au bout du compte, la douzaine de jeunes qui ont participé à la conférence étaient d'ex-enfants soldats qui vivaient déjà au Canada comme réfugiés, la plupart dans la région de Winnipeg.

Dans son discours d'ouverture, Peter MacKay a souligné l'importance que le Canada attachait à la protection de l'enfance. Il a aussi indiqué qu'il était essentiel de donner suite aux promesses de la conférence en travaillant ensemble pour remédier au problème des enfants soldats :

> On a établi un solide régime juridique, une série de résolutions du Conseil de sécurité a défini un cadre de mise en œuvre et diverses organisations gouvernementales et non gouvernementales internationales travaillent en plus étroite collaboration que jamais pour assurer la protection des enfants pris dans des conflits armés. Pourtant, la nature des abus subis par les enfants dans des dizaines de zones de conflit dépasse toujours l'entendement. Les intervenants de tous les niveaux doivent se concerter pour prévenir les violations des droits des enfants et y réagir. Les investissements consentis aux stades précoces des conflits se révéleront extrêmement efficaces dans la mesure où ils permettront de prévenir de futurs abus.

Au cours de la semaine suivante, plus d'une centaine de participants réunis en ateliers se sont employés à trouver des façons novatrices de faire avancer notre projet de neutralisation du recours aux enfants soldats sur les champs de bataille du monde entier. Malgré d'interminables disputes entraînant de multiples ruptures de la communication, des idées sont ressorties de l'exercice : inciter les commandants à engager un dialogue militaire direct avec les chefs rebelles ; élaborer des procédures pour contrecarrer ce système d'armes ; mettre au point de bonnes tactiques et stratégies militaires pour prévenir le recrutement ; s'attaquer au problème des armes légères, dont la prolifération est liée au recours aux enfants soldats ; définir des stratégies médiatiques (aux niveaux local et international) pour accroître la sensibilisation et fournir de l'information sur tout un éventail de questions touchant les droits de la personne. Fait plus important encore, les participants ont plaidé en faveur de l'adoption d'un plan de recherche mieux articulé et réclamé qu'on mette l'accent sur la compréhension des stratégies de recrutement, les méthodes qui permettent d'éviter le recrutement, l'utilisation des enfants à des fins militaires et la question des filles soldates. Ils ont demandé que cet effort de recherche s'inscrive dans une analyse intégrée et interdisciplinaire du conflit. Essentiellement, ils ont entériné la mission de l'IES.

*  *  *

La conférence de Winnipeg a donné lieu à une guerre de mots qui s'est poursuivie pendant une bonne partie de l'année suivante. Si les militaires se sont montrés entêtés au sujet de l'usage de la force (ils étaient peut-être trop nombreux à espérer un retour au « bon vieux temps » de la guerre froide, où on misait sur du matériel de haute technologie et où l'ennemi se mettait sur son trente et un en prévision de l'épreuve de force), nos collègues des ONG restaient campés sur leurs positions fondées sur les droits de la personne, lesquelles leur interdisaient ne serait-ce que d'envisager le recours à la force mortelle et érigeaient la neutralité en principe sacré.

Joe Culligan, colonel canadien à la retraite qui, à ma demande, agissait comme scribe minutieux de l'IES, a produit une succession de versions préliminaires des principales conclusions de la conférence et des résultats de quelques groupes de travail multidisciplinaires réunis au Centre pour le maintien de la paix Pearson de l'Université Carleton d'Ottawa, avec la participation d'organismes comme l'UNICEF, Search for Common Ground et War Child, de diplomates rompus aux usages de l'ONU, de militaires, d'humanitaires, de représentants du milieu policier, d'universitaires et d'autres spécialistes. L'engagement et l'intérêt pour nos travaux n'ont jamais fait défaut : beaucoup étaient sincèrement convaincus que nous avions mis au jour des idées capitales, susceptibles de remédier au problème des enfants soldats. Mais cette approche davantage fondée sur la sécurité suscitait en eux un profond malaise. Pour ma part, j'ai soutenu avec véhémence que les programmes de DDRR étaient essentiels pour les enfants soldats déjà pris dans des conflits – et ils n'allaient pas s'interrompre en attendant que nous nous organisions –, mais que nous devions faire un pas de plus et empêcher en amont l'utilisation des enfants à des fins militaires.

Compte tenu des efforts qu'il fallait déployer pour élaborer une formule, un format, une méthode, un instrument, voire une simple liste de choses à faire et à ne pas faire, nous tournions en rond, emportés par le tourbillon des consultations. Un de mes vieux amis et collègues, le major Ken Nette (à la retraite), a eu l'idée de concevoir un ensemble d'outils d'ordres divers pour régler les problèmes. Le coffre à outils que nous mettrions au point aurait ainsi différents tiroirs portant diverses étiquettes : « définir le mandat d'une mission » de façon à faire des enfants soldats une priorité, « soutenir les hauts dirigeants de la mission » dans le cas des déploiements de l'ONU, « aider les troupes sur le terrain » et les doter des outils pratiques dont elles ont besoin pour faire face aux enfants soldats, et mener à bien les tâches opérationnelles définies par le quartier général de la mission. Le niveau tactique de la boîte à outils ou de la trousse les aiderait à déterminer à qui s'adresser, notamment pour obtenir des renseignements, de même qu'à créer des liens avec les autres acteurs de la région et à comprendre leur place dans le processus visant à neutraliser les enfants soldats et à empêcher leur recrutement.

Lorsque les premières versions de la trousse ont commencé à circuler, la pagaille a repris de plus belle. Certains étaient d'avis que nous devions nous en tenir aux aspects pratico-pratiques du travail sur le terrain en évitant d'aborder les mandats et les stratégies de haut niveau, tandis que d'autres étaient non moins convaincus que nous devions nous écarter des aspects pratico-pratiques et inciter plutôt les dirigeants politiques et l'ONU à prendre des mesures draconiennes contre la notion même de recours aux enfants soldats.

Dire que ces incessantes tergiversations ont mis à mal mon enthousiasme serait un grossier euphémisme. Pendant un certain temps, j'ai eu l'impression de faire du sur-place ; tout ce que j'espérais, c'était surnager assez longtemps pour éviter de me noyer et d'entraîner toute l'entreprise avec moi. Le jeu de guerre devait bientôt débuter à Accra, au Ghana, et nous entendions y faire l'essai de la trousse que nous avions mise au point. Les débats s'enlisaient, et je me disais que nous risquions de n'avoir plus rien de substantiel à étudier.

\* \* \*

Et il ne faut pas oublier non plus nos incessantes difficultés de financement. J'étais sûr d'avoir en main un projet humanitaire inattaquable, intimement lié aux problèmes de sécurité d'un certain nombre de pays en développement. Mais je me suis rendu compte que les donateurs, en règle générale, ne souhaitaient pas investir dans un projet à très long terme, disséminé aux quatre coins du globe et aux résultats encore incertains. Pour cette raison, nous étions toujours à court d'argent et la collecte de fonds est devenue l'aspect le plus nécessaire et le moins agréable de mon travail. Au fil des ans, j'avais versé à l'IES (de même qu'à ma propre fondation, qui vient en aide aux orphelins rwandais ainsi qu'aux enfants canadiens) une bonne partie des droits d'auteur de mon premier livre, *J'ai serré la main du diable*. J'y ai également englouti les honoraires des conférences que je prononçais. En 2007, Sandra Melone et Search for Common Ground ont monté une importante campagne de financement, dans le cadre de laquelle Ishmael Beah et moi avons pris la parole lors de manifestations tenues en Amérique du Nord et en Grande-Bretagne, avec un succès plutôt limité. Nous avons récolté des dizaines de milliers de dollars, ce dont nous étions reconnaissants, mais il nous en fallait des centaines de milliers pour passer à l'étape des essais sur le terrain. L'absence de fonds limitait la portée de nos recherches et nous ralentissait : par moments, nous n'avions pas assez d'argent pour nous offrir du papier et des téléphones, et encore moins pour rémunérer un effectif minimal composé de deux employés essentiels qui, en contrepartie de semaines de soixante heures en moyenne, touchaient un salaire de misère[4].

---

4.  Dans ces circonstances, il était très difficile de retenir des employés et de leur offrir le salaire qu'ils méritaient sans acculer l'organisme à la faillite. En 2007, Nicole Dial nous a quittés pour occuper un poste humanitaire dans une ONG en Afghanistan. Trois mois plus tard, elle et deux de ses collègues ont été tuées par les talibans. Quel terrible et insensé gaspillage de vies ! Quelle terrible récompense pour avoir voulu aider son prochain !

La question des enfants soldats était passionnante et, chaque fois qu'Ishmael Beah et moi évoquions nos expériences respectives et la situation sur le terrain, les donateurs nous manifestaient de l'empathie. Mais nous travaillions à un projet qui n'avait toujours pas de solution ferme à proposer. Je n'avais pas de « remède miracle » à mettre sur la table pour fournir aux donateurs l'assurance que, pour peu qu'ils financent mes travaux, je « guérirais » le monde du mal que représentent les enfants soldats. Pour cette raison, les dollars arrivaient au compte-gouttes, et nous étions prisonniers d'un cycle : nous devions soumettre des demandes de financement à toutes sortes de fondations et de donateurs éventuels et, pour ce faire, détourner les membres de notre personnel des recherches nécessaires à l'atteinte de nos objectifs. L'engagement des employés et des bénévoles n'a jamais fait défaut, mais, compte tenu des maigres ressources dont nous disposions, ils avaient de la difficulté à déployer des efforts soutenus. Au fil des ans, les mouvements de personnel ont été nombreux. Pendant ce temps-là, le nombre d'enfants soldats morts au combat continuait d'augmenter, surtout en Afrique, où nous étions empêtrés dans un dédale de mots, d'ego, de chicanes incessantes et de contraintes budgétaires, sans savoir à quel moment nous pourrions entreprendre la troisième phase, soit celle des essais d'un an sur le terrain.

Par esprit de contradiction, j'ai persévéré. Franchement, j'étais « en maudit » : malgré mes antécédents, je n'arrivais pas à convaincre les forces militaires ou policières, chez moi et à l'étranger, de s'engager avec sérieux à résoudre ce problème. Aux yeux de la plupart de leurs représentants, la solution sautait aux yeux : les enfants soldats faisaient partie des forces belligérantes et, à ce titre, devaient être traités de la même façon que les autres menaces. Je savais que c'était trop simpliste et je me suis promis de tout faire pour éviter que de plus en plus de femmes et d'hommes en uniforme soient contraints d'affronter les dilemmes éthiques, moraux et juridiques que soulève le fait de devoir tuer des enfants au nom de la sécurité de la région où ils sont en mission.

* * *

Cela tient du miracle que nous ayons réussi à mener à bien la deuxième phase – les solutions issues de jeux de rôles tenus dans le cadre de l'exercice de simulation d'une semaine mené au Kofi Annan Centre d'Accra, au Ghana, en juillet 2007. Le mérite en revient au soutien extrêmement novateur assuré par le groupe responsable de l'exercice au Centre pour le maintien de la paix Pearson, à Ottawa.

J'ai réuni un groupe multidisciplinaire dont les membres prendraient part au jeu de guerre (les non-militaires préféraient l'expression « exercice de simulation »), que nous avons baptisé « Enfant prodigue ». Cinquante participants venus des quatre coins de l'Amérique du Nord et du continent africain ont accepté de se prêter à un exercice de simulation de notre invention ayant pour cadre Fontinalis (pays fictif, en implosion, en proie à l'effondrement social et à la guerre civile, dont les caractéristiques avaient été définies, au fil des ans, au centre opérationnel du Centre pour le maintien de la paix Pearson à Cornwallis, en Nouvelle-Écosse). La désintégration politique de Fontinalis et son effondrement économique et social faisaient du pays un terreau fertile pour le recrutement d'enfants. Trois équipes d'une quinzaine de personnes avaient pour tâche de mettre au point des moyens fondés sur la collaboration pour prévenir le recrutement et l'enlèvement d'enfants.

Nous nous sommes butés à de nombreux obstacles. Alors que les militaires, habitués à l'idée des jeux de rôles – plusieurs situations d'entraînement ne sont ni plus ni moins que des jeux de rôles –, n'ont eu aucune difficulté à adopter les paramètres « irréels » de Fontinalis comme point de départ de l'exercice, les représentants des ONG, ainsi que je l'ai vite compris, étaient plutôt tournés vers l'expérience pratique; ils ont davantage l'habitude d'affronter des situations réelles dans des lieux réels et de bricoler des solutions adaptées aux circonstances. Comme les ex-enfants soldats d'ailleurs, ils ont eu du mal à s'abandonner au jeu de rôles et, pour cette raison, les séances ont parfois été désordonnées. Certains membres de l'équipe révélaient leur malaise en ne se présentant pas aux séances et d'autres s'endormaient sur leur chaise. Et tous étaient toujours prêts à se disputer, preuve des divisions persistantes entre les camps.

L'usage de la force a soulevé les passions. Nigel Fisher, fort d'une expérience du terrain incomparable et d'une connaissance du QG international, l'a exprimé sans ménagement : « Le principal obstacle, c'est [la déconnexion entre] les principes humanitaires et l'usage de la force. Tant et aussi longtemps que nous n'aurons pas trouvé un terrain d'entente à ce propos, le problème va se perpétuer. » Les membres des ONG étaient tout simplement incapables d'accepter l'usage de la force comme recours possible, et les représentants des forces de sécurité, parfaitement conscients de ce que ressent toute personne mise en joue par un AK-47, que l'arme soit tenue par un enfant ou non, ne pouvaient pas y renoncer.

Dans *Killing in War*, Jeff McMahan plaide en faveur de l'adoption d'une règle morale prescrivant le recours à une force minimale contre les enfants soldats (laquelle fait déjà partie des règles d'engagement de toutes les missions), mais il fait aussi une observation importante :

> Les combattants justes […] ont peut-être l'obligation morale de faire preuve de retenue, même s'ils s'exposent ainsi à des risques plus grands. […] Lorsque les enfants soldats sont visiblement très jeunes […] les combattants justes devraient se montrer miséricordieux, même s'ils doivent pour ce faire courir des risques supplémentaires, afin de donner une chance de vivre à ces enfants qui ont déjà subi des torts considérables […]. Je soupçonne qu'un commandant gagnerait le respect de ses troupes en leur donnant l'ordre de courir des risques supplé-mentaires pour repousser, mettre hors de combat, sou-mettre ou capturer des enfants soldats tout en épargnant leur vie.

Il reste encore beaucoup à faire pour convaincre les forces militaires du monde entier du bien-fondé d'une telle position.

Je suis un humaniste passionné. J'aspire à la paix univer-selle et je m'emploie de toutes mes forces à la faire advenir, mais, en tant qu'ex-militaire, je comprends que ma volonté de protéger et de préserver les droits humains doit être pondérée par cette triste réalité : il est parfois nécessaire de faire usage d'une force mortelle. J'ai eu beau soutenir que nous devions malgré tout nous abstenir de recourir à la force mortelle contre les enfants soldats, quelles que soient les circonstances, Phil Lancaster (qui avait une expérience des enfants soldats beau-coup plus grande que la plupart d'entre nous) m'a au bout du compte convaincu que nous devions parfois, *in extremis*, envi-sager la plus horrible des solutions : recourir à la force contre certains enfants pour éviter la mort, les mutilations et les atrocités au plus grand nombre. Du même coup, nous contrecarrerions les plans des commandants adultes qui recrutent et exploitent les enfants. (Des années plus tard, cet argument, qui revient souvent dans le travail que j'effectue au sein de l'IES, demeure très controversé.)

Alors que les ONG adhèrent volontiers au principe du recours à des armes non mortelles contre les enfants soldats – balles en caoutchouc, gaz lacrymogène, etc. –, les soldats chevronnés ne voient pas cette éventualité d'un bon œil, non pas parce qu'ils veulent tuer des enfants, évidemment, mais bien parce qu'ils sont conscients qu'il est difficile d'équiper les missions d'armes non mortelles efficaces, d'imposer leur utilisation et de faire face au risque accru que de telles armes peuvent faire courir à nos soldats. Les commandants qui obligent des enfants à se battre ne sont pas des imbéciles : ils s'intéressent de près aux règles d'engagement des missions et, s'ils se rendent compte que les soldats ont pour mandat d'utiliser des armes non mortelles contre les enfants, ils s'assureront d'en placer suffisamment aux premiers rangs pour protéger leurs combattants adultes.

Après une semaine de jeux de rôles et de discussions officieuses, nous avons essentiellement corroboré l'une de mes principales thèses : sur le terrain, on constate un manque fondamental de coopération, de coordination et, plus encore, de collaboration. Cette lacune critique affectait même les missions de l'ONU les plus récentes, pourtant « intégrées », du moins sur papier. Sur le terrain, des travailleurs des ONG, des représentants des forces de sécurité et des membres du personnel politique se montraient disposés à travailler ensemble de façon officieuse, et il arrivait que la collaboration soit un succès. Mais tout dépendait de la personnalité des individus en question. En cas de crise, chacun réintégrait son ghetto et en revenait aux méthodes de communication traditionnelles de sa discipline.

J'ai également compris que la plupart des acteurs déployés dans les zones de conflit et plongés jusqu'au cou dans les problèmes liés aux enfants soldats avaient le sentiment de détenir déjà les solutions. Ils n'étaient pas vraiment convaincus de la nécessité de créer de nouveaux outils et d'adopter une approche novatrice et transdisciplinaire pour régler les conflits ; en revanche, ils étaient toujours prêts à confirmer que les forces militaires posaient un problème. Selon eux, si on améliorait la formation et l'entraînement des militaires et des policiers afin de les sensibiliser aux besoins des enfants soldats, ces deux corps professionnels seraient en mesure de protéger adéquatement les efforts de DDRR des travailleurs humanitaires. Ceux-ci pourraient alors s'employer à leur aise à régler les problèmes sociaux des enfants démobilisés.

Je savais que c'était une conception limitée, inefficace et respectueuse du *statu quo*. Au terme de l'exercice ghanéen, j'ai toutefois douté de ma capacité à abolir les barrières entre militaires et humanitaires. Mes doutes ont été attisés par le fait suivant : en mars 2005, pendant que je m'efforçais de mettre sur pied l'IES, j'ai été nommé au Sénat canadien. Mes devoirs de sénateur m'empêchaient de me consacrer aux réflexions stratégiques que le projet exigeait au jour le jour. J'avais l'impression que l'IES faisait du sur-place parce que je n'avais pas assez de temps pour bien peser les propositions, les options et les axes de recherche, et faire avancer la cause. Les frustrations découlant d'un débat interminable minaient ma capacité à déceler les lacunes des processus et à trouver des moyens de les combler.

\* \* \*

Je résiste à la tentation de faire le récit détaillé des hauts et des bas qu'a connus l'IES depuis sa création ; il n'est pas indispensable de rendre compte de tous les écueils pour expliquer où nous en sommes aujourd'hui.

Au moment où j'étais prêt à jeter l'éponge, faute de temps, d'argent et de consensus, un groupe de travail de l'OTAN a rendu public un rapport intitulé *Child Soldiers as the Opposing Force* (« Les enfants soldats comme force adverse »). L'équipe de l'IES et moi-même, qui avions exploré toutes les voies possibles et imaginables pour nous retrouver trop souvent à la case départ, ou presque, avons été ravis de constater que les auteurs du rapport recommandaient l'élaboration d'une doctrine militaire axée sur le phénomène des enfants soldats et soulignaient qu'une doctrine efficace supposait une approche globale associant tous les acteurs de la région à la recherche de la solution, notant au passage que « l'application isolée des recommandations ne donnerait pas de bons résultats ». Mais c'est dans les dernières pages du rapport qu'on trouvait la véritable validation de l'IES :

> En 2007, on a été témoin d'une coopération de ce genre lorsqu'un groupe de spécialistes s'est réuni au Kofi Annan International Peace Operations Centre d'Accra, au Ghana, dans le cadre de l'exercice ENFANT PRODIGUE. Le groupe se composait de travailleurs humanitaires, de spécialistes de la protection de l'enfance, de policiers et de soldats professionnels, d'avocats, d'experts des questions politiques de l'ONU et de médiateurs d'ONG [ils ont oublié de mentionner les ex-enfants soldats et quelques-uns de leurs commandants]. L'exercice a été organisé par le sénateur canadien, l'honorable Roméo Dallaire, lieutenant-général (à la retraite).

Les membres du personnel de l'IES auraient pu écrire la suite du rapport :

> Pour être efficace dans les opérations, le personnel militaire doit comprendre tous les aspects du phénomène des enfants soldats et se sentir concerné par chacun d'eux. Les échanges de coups de feu ne sont qu'un des aspects du problème. La prévention du recrutement ou de l'enlèvement, l'accueil et le traitement des détenus ou des déserteurs, la démobilisation, le désarmement et la réintégration sociale sont des aspects tout aussi importants. L'armée et d'autres organismes ont un rôle essentiel à jouer. C'est ce qu'on appelle l'approche globale.

À propos de la formation et du soutien, les recommandations se poursuivaient ainsi :

> Des communications étroites et régulières entre organisations, y compris les ONG, sont indispensables à une meilleure compréhension des compétences de chacun et permettent de définir des champs de coopération et des objectifs communs ainsi que d'éviter les dédoublements. À cet égard, il faut combiner les efforts des divers centres d'opérations pour le maintien de la paix.

Après le stimulant fourni par le rapport de l'OTAN, suivi d'autres réunions et d'une vérification par une équipe d'universitaires, je me suis rendu compte que notre absence de progrès s'expliquait par le fait que nous courions trop de lièvres à la fois et que nous avions perdu de vue notre atout principal : nous occupions un créneau auquel personne d'autre ne s'intéressait vraiment, soit la dimension sécuritaire du problème.

L'IES était idéalement placée pour faire passer à l'avant-plan cet aspect de la problématique et aussi pour aider les militaires à mieux comprendre la complexité de l'enjeu et à admettre que certaines façons de faire et de penser devaient changer radicalement.

Dans cette optique, nous continuerions d'avoir comme but premier de bonifier et de mettre régulièrement à jour notre guide de campagne pratique destiné aux missions, aux niveaux opérationnel et tactique. Mais nous nous engagerions aussi à créer un climat propice au changement et au financement, grâce auquel l'initiative pourrait vraiment éclore et devenir un mouvement faisant appel aux jeunes du monde. Qui mieux que des jeunes ayant eu plus de chance pouvait réagir au malheur des enfants forcés de s'armer d'un fusil ? Au niveau stratégique, j'exercerais des pressions aux plus hauts échelons politiques, militaires et humanitaires afin de faire progresser le plus rapidement possible la cause des enfants soldats. Nous appuierions ces efforts sur des recherches opérationnelles constantes qui resteraient centrées sur le terrain.

Un événement a confirmé cette orientation repensée : l'arrivée fortuite au sein du projet (en voie de se transformer en mouvement) de Shelly Whitman, professeure à l'Université Dalhousie et spécialiste des enfants affectés par la guerre et des questions internationales, qui nous a été présentée par le directeur de l'IES à l'époque, le brigadier-général à la retraite Greg Mitchell. Shelly a bientôt été suivie par son patron, le directeur du Centre d'études de la politique étrangère de l'Université Dalhousie, David Black. Son engagement auprès de nous a lui-même été soutenu par toute la hiérarchie universitaire, du doyen jusqu'au président, et c'est ainsi que l'Initiative Enfants soldats s'est trouvé un foyer permanent à Dalhousie. Voilà l'étoile du Nord dont nous avions besoin pour faire entrer le projet dans sa nouvelle incarnation, le sortir de l'impasse et faire de lui la force dynamique dont je rêvais.

Une nouvelle aventure sur le continent africain a permis de faire un premier pas en ce sens. En novembre 2009, nous avons organisé un atelier de haut niveau à Gaborone, au Botswana, sur les enfants soldats et les forces de sécurité. Parmi les participants, on trouvait des représentants des armées du Botswana, de la Zambie, du Zimbabwe, du Mozambique, de l'Afrique du Sud, de la Gambie, de l'Angola et de la RDC. Le ministre de la Défense du Botswana a prononcé une allocution dans laquelle il a évoqué le risque que les enfants soldats représentaient pour la fragile stabilité de cette région du monde.

L'atelier, où les participants ont notamment abordé les dispositions législatives internationales sur les droits des enfants, la dynamique des sexes dans les conflits et les négociations pour la libération des enfants combattants, en plus d'entendre des témoignages d'enfants soldats, a été marquant dans la mesure où il a incité les forces de défense de cette sous-région de l'Afrique australe à se mobiliser dans ce dossier et a ouvert la voie à la tenue d'exercices similaires, avec les militaires et les policiers, dans d'autres régions du continent. La plupart des participants ont raconté avoir vécu des rencontres avec des enfants soldats, sans jamais avoir été formés pour relever ce défi particulier. Dans certains des pays représentés, les enfants soldats n'étaient pas considérés comme un problème, mais tous les participants étaient conscients de l'importance vitale que revêtait l'engagement général: les maux de votre voisin sont aussi les vôtres. Les conflits éclatent sans avertissement, les frontières sont poreuses et les troubles risquent d'atterrir chez vous: il est dans l'intérêt de tous de favoriser la recherche de solutions efficaces. Cette séance s'est révélée extrêmement encourageante.

* * *

Au cours de la dernière année, grosso modo, nous avons aussi été témoins, plus près de chez nous, d'un nouveau phénomène causé par un changement radical des attitudes et des concepts opérationnels : l'institution militaire en général et l'Armée canadienne en particulier commencent à cautionner les principes de règlement des conflits qui ont été le moteur de l'IES. Elles comprennent que, dans de nombreux cas, l'usage de la force ne constitue pas nécessairement la première ni la meilleure solution, ni pour les forces armées ni pour leurs maîtres politiques. À l'origine de ce profond changement, on trouve les leçons tirées d'opérations bien réelles menées dans des zones de conflit comme l'Irak et l'Afghanistan.

Il y a quelque temps, le lieutenant-général Andrew Leslie, qui a commandé les forces de l'OTAN en Afghanistan et qui a récemment terminé quatre années à la tête de l'Armée canadienne, a exprimé exactement ce que je propose, mais en termes militaires. Il a déclaré que, dans le cadre complexe et multidisciplinaire des déploiements militaires d'aujourd'hui, il est essentiel d'intégrer les principes de règlement des conflits à la formation et à la pratique. Cité dans un article sur la préparation aux opérations anti-insurrectionnelles publié dans le numéro de novembre-décembre 2009 du magazine *Vanguard*, il a recommandé que, à la première occasion, « tous les organismes, civils et militaires, participent à des entraînements conjoints ». Il a ajouté qu'il fallait adopter une « approche plus globale [des missions], laquelle requiert une plus grande sensibilisation aux renseignements et [au] milieu socioculturel du théâtre des opérations. Les commandants doivent comprendre l'ensemble du contexte, ses systèmes et sa culture générale. »

Dans un article plus récent de *Vanguard* (« Complex Solution », signé par Chris Thatcher, dans le numéro de mai-juin 2010), on cite les propos suivants du secrétaire à la Défense des États-Unis, Robert Gates :

> Une meilleure collaboration au sein des opérations incite les nations à réévaluer l'institutionnalisation possible du concept [de collaboration]. À première vue, c'est simple et évident : il s'agit d'intégrer les efforts des divers acteurs dans les zones de conflit, aux niveaux national et international, pour obtenir des résultats concertés, coordonnés et plus efficaces [...] mais les tentatives d'intégration des rôles des divers intervenants – les militaires, les diplomates et les organismes d'aide, pour n'en citer que quelques-uns – restent pour une large part sporadiques en raison de l'absence d'efforts à long terme visant l'institutionnalisation des mécanismes de coordination.

Gates ajoute que la dimension controversée de l'« approche globale » a trait aux rapports avec les ONG, qui, dans bien des cas, ont besoin de la neutralité pour fonctionner.

C'est précisément ce que l'IES s'efforce d'accomplir : élaborer une nouvelle base doctrinale et un nouveau lexique de verbes d'action permettant de jeter des ponts entre les divers acteurs afin qu'ils se sentent libres d'échanger de l'information en toute franchise ; favoriser l'intégration de leurs efforts afin de produire des plans cohésifs qui seront ensuite mis en œuvre sur le terrain grâce à une allocation prioritaire des ressources ; réduire la disponibilité des armes légères et, à terme, mettre fin au recrutement des enfants comme instruments de guerre.

Encouragés, voire ravis par cette validation des objectifs de l'IES par les militaires, nous lançons un mouvement humanitaire mondial visant à mettre fin aux sévices délibérément infligés aux enfants par des adultes. Nous cherchons ainsi à consolider les gains obtenus et à inciter nos dirigeants à trouver la volonté politique de poursuivre la lutte. En obtenant l'adhésion des leaders mondiaux, nous finirons, je crois, par réussir ce que les Lloyd Axworthy de ce monde ont accompli dans le dossier des mines antipersonnel dans les années 1990. Il fut une époque où elles faisaient partie des armes de guerre disponibles. Le mouvement international, soutenu par les citoyens et les médias du monde entier, a donné lieu à une interdiction : elles sont désormais complètement exclues des inventaires ou des arsenaux de la plupart des nations.

Nous travaillons à faire advenir le jour où l'exploitation des enfants provoquera la même réaction. Ce que nous avons réussi à accomplir pour un bout de métal, nous pourrons sûrement l'accomplir pour les êtres les plus vulnérables de nos sociétés.

* * *

L'Initiative Enfants soldats continue de multiplier les démarches pour trouver des solutions créatives au problème. Au fil des ans, il est apparu clairement que l'IES a été et demeure un ajout positif et valable à l'éventail de moyens grâce auxquels nous réussirons un jour à mettre fin aux conflits nés du choc de nos différences. Un projet ayant pour objectif d'éliminer le recours aux enfants soldats fera beaucoup pour prévenir les conflits en amont. Et je tiens à ce que l'IES reste totalement engagée sur cet aspect de la question.

J'ai enfin le sentiment que le projet a assez de maturité pour commencer à aller sur le terrain et participer à la création des conditions nécessaires au changement. Au moment où j'écris ces lignes, on s'emploie à la définition des détails pratiques – le « comment », en somme. La directrice du mouvement, Shelly Whitman, et Tanya Zayed, jeune membre du personnel, sont actuellement en RDC, où elles recueillent des données essentielles auprès de tous les acteurs engagés dans un conflit qui continue de causer énormément de souffrance et de destruction humaines. Oui, nous sommes à présent actifs sur le terrain, engagés dans la troisième phase, celle des essais et du renforcement des capacités dont nous rêvions lors de notre première conférence à Winnipeg.

Le voyage m'a laissé quelques cicatrices, mais ma détermination reste inébranlable, et je sais que je connais mieux aujourd'hui les méthodes des diverses disciplines présentes sur le terrain, que j'ai une meilleure idée des moyens à prendre pour atteindre l'objectif final : l'élimination du recours aux enfants comme instruments de guerre. Je crois fermement que les personnes que le problème préoccupe peuvent unir leurs efforts, défier les normes et contester les idées reçues. Nous pouvons changer les choses, à condition de nous ouvrir à la connaissance des autres et de nous donner comme objectif commun d'assurer la protection des enfants. Je me crois encore capable de faire avancer les choses, et je vais continuer de travailler en ce sens pour le bien des enfants soldats du monde entier. Dans mon esprit, il ne fait aucun doute que vous pouvez contribuer au changement, vous aussi.

La lutte contre le mal, l'ignorance, l'intransigeance à première vue implacable et l'entêtement pur et simple sera longue. Oui, il faudra se battre ; oui, il faudra peut-être quarante ou cinquante ans pour en finir avec l'utilisation des enfants soldats comme système d'armes, mais qu'importe ! Il s'agit d'améliorer le sort de l'humanité et de protéger nos jeunes, et la lutte vaut largement d'être menée.

**10**

## CE QUE VOUS POUVEZ FAIRE

*À mesure que le monde devient plus petit,*
*notre humanité commune se révélera.*
Barack Obama, discours inaugural, 2009

E lle s'est battue comme une soldate, mais elle est morte comme une enfant. Et le soldat professionnel, qui a pour mandat de protéger la population et qui se trouve face à cet ennemi si particulier qu'est un enfant armé, est lui aussi, en dernière analyse, une victime de la guerre. Il a beau se dire qu'il a agi conformément à sa mission et qu'il a apporté une certaine stabilité à un pays en proie au chaos, l'acte qu'il commet ronge et détruit le casque bleu adulte aussi sûrement qu'il anéantit l'enfant. Parce qu'un tel affrontement ne devrait jamais avoir lieu – parce qu'il devrait être inconcevable –, le soldat adulte est mal équipé pour le vivre. Et pourtant, depuis vingt ans déjà, des soldats adultes se mesurent à répétition, dans de nombreuses zones de conflit du monde, à des enfants combattants.

Sur ce plan, la préparation officielle des casques bleus demeure déficiente. Les dirigeants politiques ont beau élaborer des protocoles et faire adopter des lois condamnant ceux qui recrutent et déploient des enfants soldats, ils ne traduisent pas les criminels en justice. Même l'existence de la Cour pénale internationale ne semble en rien décourager les commandants dévoyés. Les organismes se préoccupent des conséquences de la situation, mais ils en négligent les causes. Pourquoi en est-il ainsi ? Il s'agit certes d'un problème politique, social et sécuritaire complexe, mais le recours aux enfants soldats n'est pas une pratique subtile ou secrète dont les spécialistes peuvent se dire ignorants. Au contraire, il s'agit d'un crime contre l'humanité de la dernière brutalité, d'un crime qui vise, de la façon la plus éhontée et la plus provocante qui soit, les êtres les plus démunis. Combien de milliers d'enfants seront encore recrutés, violés, blessés ou tués avant que nous nous décidions à intervenir ?

Et le sentiment d'urgence ? Et l'indignation générale ? Et la volonté d'agir ?

Peut-être est-ce à moi qu'il incombe de montrer la voie. J'ai décrit l'Initiative Enfants soldats et les effets bénéfiques que j'espère générer avec l'aide des universitaires, des ONG, des anciens enfants soldats, des militaires, des policiers et des donateurs qui se sont ralliés à la cause. Et peut-être allez-vous passer à l'action, vous aussi.

Au cours de l'histoire, certaines personnes ont franchi des obstacles en principe insurmontables pour faire avancer de manière décisive les droits de la personne. Elles ont fait preuve de la force, de l'éloquence et du charisme nécessaires pour inciter leurs concitoyens (et, en dernière instance, les autorités) à oser des actes révolutionnaires. Il nous faudra peut-être justement un révolutionnaire de ce genre pour mettre fin à l'impunité des adultes qui exploitent les enfants soldats, pour en finir avec cette pratique et avec toute possibilité d'y recourir. Il nous faut un mouvement, et non pas seulement un élan unique, pour créer et garder vivace un marathon de l'espoir.

J'ai été témoin de la destruction d'enfants recrutés comme soldats : destruction de ceux qui tombent au combat, bien sûr, destruction aussi de l'âme de ceux qu'on a contraints à commettre des atrocités. Au Rwanda, j'ai vu des enfants soldats à l'œuvre et rencontré leurs commandants adultes, et j'ai été impuissant à les arrêter. J'ai été envahi par une rage qui, presque deux décennies après les faits, ne s'est nullement apaisée. Malgré tous mes efforts, je n'ai pas pu mobiliser une action concertée contre le recours aux enfants soldats, et encore moins éliminer cette pratique. Mais cette incapacité ne m'a en rien découragé de rechercher sans cesse des moyens de m'attaquer au mal, et j'espère encore parvenir à l'éradiquer. Je cherche encore le code que nous devrons décrypter pour sensibiliser les gens du monde entier à ce crime contre les êtres les plus vulnérables et obliger nos gouvernements et nos dirigeants à agir.

Et vous ? Maintenant que vous êtes au courant des sévices horribles infligés à ces enfants, quel rôle pouvez-vous jouer dans la quête de solutions ? Allez-vous invoquer les prétextes usuels : la distance entre nous et ces enfants, si différents de nous ? Ou allez-vous reconnaître que ces enfants sont exactement comme celui que vous avez été, il n'y a peut-être pas si longtemps, exactement comme ceux qui vous sont chers. Naguère, ces enfants soldats vivaient en sécurité chez leurs parents, jouaient dans la cour d'école et apprenaient leurs leçons dans la salle de classe, exploraient la liberté magique de leur esprit. Qu'est-ce que la distance, de nos jours ? Les zones de conflit du globe, où vivent de trop nombreuses personnes, ne sont qu'à quelques heures d'avion, à quelques secondes sur Internet.

Je me plais à penser que nous allons réaliser ensemble un voyage ancien, vous et moi – un voyage qui a pour point de départ les promesses faites aux autres êtres humains de la planète. Dans *Freedom's Battle: The Origins of Humanitarian Intervention*, Gary J. Bass rappelle le caractère intemporel de cette promesse : « Les prémisses de base remontent à Thucydide qui, horrifié par les sanglantes guerres civiles d'antan, souhaitait que perdurent "les lois, qui leur garantissent à eux-mêmes comme aux autres le salut dans les circonstances critiques". »

Tous les êtres humains n'adhèrent pas à ces lois, ni même n'y croient. Chaque jour, des « réalistes » prudents, pragmatiques, prétendent que nous n'avons pas à intervenir, qu'aider les États en déliquescence serait une tâche au-dessus de nos forces, que c'est leur sauvagerie innée qui pousse les commandants militaires à faire tuer des civils innocents par des enfants. Une telle sauvagerie, à les croire, n'a rien à voir avec « nous », et nous n'en sommes nullement responsables.

Moi, je crois que vous êtes comme moi : désormais, vous êtes au courant de la terrible réalité de ces enfants, et vous ne pourrez plus faire comme si vous l'ignoriez. Cette histoire vous touche, et vous ne pourrez plus vous montrer distant, impassible, détaché ou indifférent. Nous comprenons, vous et moi, qu'aucun humain n'est moins humain que les autres. Et vous êtes devenu l'ami de la petite soldate que j'ai décrite de mon mieux, l'ami de tous les garçons et de toutes les filles qu'elle représente. Notre responsabilité envers eux, c'est notre responsabilité envers l'humanité tout entière.

Je reste d'un optimisme inébranlable. Après toutes les horreurs que j'ai vues, j'espère et j'agis encore. Partagez-vous mon espoir ? Agirez-vous à votre tour ? J'ai le sentiment que oui — surtout si vous êtes de la génération qui a atteint sa majorité depuis le début du millénaire. Bien que j'encourage les lecteurs plus âgés à « écouter aux portes », les remarques qui suivent sont destinées aux jeunes.

Votre génération semble animée par autre chose qu'un espoir passif. Vous cherchez non seulement à éviter le désespoir, mais aussi à comprendre vos obligations. Vous avez les outils nécessaires, vous croyez que l'heure a sonné, vous voyez l'avenir s'ouvrir devant vous et vous voulez le façonner. Loin de vous contenter d'espérer le changement, vous allez le précipiter. Vous « avez du chien », aurait dit mon père.

* * *

Depuis les vingt dernières années, marquées par d'innombrables violations des droits de la personne et surtout des droits des enfants, au Rwanda, au Congo, au Soudan et dans d'autres zones de conflit, nous avons été témoins, partout autour de nous, de révolutions dans notre manière de nous connecter au monde et de le percevoir. En cette époque révolutionnaire, étourdissante, nous sentons se modifier en profondeur notre capacité, en tant que civilisation, à éliminer le mal et à obliger les auteurs de crimes contre l'humanité à répondre de leurs actes.

Révolutions dans les droits de la personne, dans la sensibilisation des populations du globe et enfin dans les technologies de la communication : autant de changements qui ont créé un climat propice aux actes concrets. Nous avons donc l'occasion, vous et moi, de chercher une nouvelle voie, loin des sentiers jonchés de cadavres empruntés à maintes reprises par les vieux régimes qui ont usé de la force et abusé des innocents pour prendre le pouvoir et le garder.

Pour mieux appréhender cette position révolutionnaire, rappelons-nous un instant notre passé brutal et le *statu quo* qui semble parfois, encore aujourd'hui, freiner tout changement positif.

Il y a à peine trois cents ans, en Occident, les êtres étaient sous le joug de Dieu, du roi, du maître. La plupart ne pouvaient pas voter, et peu possédaient des biens immobiliers. Les rares voix qui s'élevaient pour contester l'autorité étaient brutalement étouffées. Guère de droits, essentiellement la soumission et les obligations. Pas d'égalité, essentiellement la servitude et la tyrannie. Guère de progrès, essentiellement l'acceptation du système en place. À défaut d'empêcher la montée des grandes puissances coloniales et l'assujettissement de millions de personnes considérées comme dépourvues de « raison », les concepts de raison, d'éducation, d'égalité, de liberté, de progrès et de droits, qui ont pris leur essor à l'époque des Lumières, ont donné aux subalternes les armes idéologiques qui allaient leur permettre de briser leurs chaînes.

La lente évolution des concepts des Lumières a eu ceci de particulièrement significatif qu'elle a abouti à l'idée de réalisation de soi. Malgré la polarisation internationale, l'unité établie à la suite des guerres mondiales et la création de l'ONU (ou peut-être à cause d'elles), le concept d'individualité a atteint un point culminant dans les années 1960. Partout dans le monde occidental, des jeunes sont descendus dans la rue et ont revendiqué leurs droits civils et individuels. Et puis « un petit pas » a permis de préciser le sens de ce concept : il y a un peu plus de quarante ans, un être humain a marché pour la première fois sur la Lune. Les astronautes ont photographié notre planète depuis l'espace, et nous avons eu sous les yeux la preuve de notre existence collective. Notre géographie, notre culture, notre égalité, notre humanité personnelle font de nous des individus uniques, mais elles nous rapprochent également : nous sommes des êtres humains. Tous autant que nous sommes.

Elle n'est plus un mystère absolu, la planète Terre. Ce qui, naguère, paraissait étranger est, nous le savons désormais, familier, intime, intégré à nous. Bien que beaucoup, aux prises avec un avenir complexe et incertain, s'accrochent avec l'énergie du désespoir aux vieilles idées sources de discorde, personne ne peut légitimement se prétendre membre, adepte ou praticien de la seule foi véritable, de la race supérieure, de la meilleure culture. Avec l'image de la Terre bleue et verte qui flotte dans nos têtes, nul ne peut déclarer que les autres comptent moins que « nous », qu'ils n'ont pas le même statut que nous, ne sont pas aussi importants que nous, sont en dernière analyse moins humains que nous.

Vous, enfants nés au cours des dernières décennies du XX$^e$ siècle, faites partie d'une génération qui sera en mesure d'échapper à cette vision étroite de l'« Autre » (terme forgé par le philosophe européen blanc, Hegel, il y a plus de deux cents ans, pour désigner les personnes qui sont différentes, c'est-à-dire non blanches et non européennes). Ce n'est qu'à la fin du XX$^e$ siècle que nous avons collectivement commencé à lutter contre l'assujettissement de l'Autre. Emmanuel Levinas, philosophe français contemporain (cité par Ryszard Kapuściński dans son livre intitulé *Cet Autre*, définit l'autre comme un « être unique que nous devons remarquer mais aussi inclure dans notre vécu, et dont nous devons assumer la responsabilité ».

Comme le promet son titre, Kapuściński s'emploie à expliquer le nouveau rapport à l'Autre qui caractérise notre ère :

Pendant cinq siècles, l'Europe a dominé le monde, politiquement et économiquement, mais aussi culturellement. Elle a imposé une croyance, des lois, des échelles de valeur, des modèles de comportement, des langues. Nos relations avec l'Autre ont toujours été [...] dominatrices, apodictiques, paternalistes. L'existence d'un ordre aussi durable – il a prévalu pendant cinq siècles –, inégal et injuste entre les deux parties a instauré des habitudes nombreuses et puissantes. [...] On assiste à la naissance d'un nouveau monde, plus mouvant et ouvert que jamais [...]. Cette atmosphère prodémocratique encourage forte-ment la mobilité des hommes. Le monde n'en a jamais connu de pareille dans son histoire. Des hommes de races et de cultures les plus variées se rencontrent sur une planète de plus en plus peuplée. Traditionnelle-ment, le terme « Autre » renvoyait à un non-Européen, les relations deviennent désormais multiformes et multi-latérales, les possibilités sont infinies, elles embrassent toutes les races et les cultures [...].

Votre génération adhère avec ferveur à cette philoso-phie démocratique. Bon nombre d'entre vous voient déjà le monde comme un tout, et non comme une courtepointe de nations, où « Nous » s'oppose à « Eux ». De façon instinctive, vous comprenez que nous sommes tous l'Autre de quelqu'un et que, pour cette raison même, nous sommes tous pareils. Les grandes idées comme les droits de la personne et la pro-tection de l'environnement sont dans l'air que vous respirez ; votre génération semble saisir le sens de ces idées et avoir conscience de l'utilisation qu'elle peut en faire et de l'influence qu'elle peut avoir sur l'avenir. Vous ne vous laissez pas arrêter par les paramètres qui limitaient l'action de vos parents : les notions d'État-nation, de souveraineté, d'immensité de la pla-nète. Vous vous rendez compte qu'un grand pourcentage des représentants de l'humanité vit dans des conditions inhu-maines, et cette idée vous rend mal à l'aise parce que les lieux considérés jadis comme « lointains » sont pour vous bien réels, à portée de main, et que les personnes qui y vivent sont vos pairs. Cette connaissance n'est pas pour vous métaphorique ; elle est au contraire viscérale, ne serait-ce qu'en raison de la possibilité que vous avez d'aller en ligne et de communiquer directement avec ces gens si vous le voulez.

L'idée que la technologie nous permet désormais d'entrer en communication avec tous les habitants de la planète me plonge dans l'émerveillement. Bien sûr, certains régimes gaspillent beaucoup de matière grise et de ressources pour empêcher leurs citoyens de participer à la culture Internet, mais les mesures de contrôle qu'ils prennent sont sans cesse déjouées. Le potentiel d'une telle révolution vous paraît peut-être banal, mais il est à mes yeux stupéfiant. Pendant que certains d'entre nous cherchent encore à maîtriser la dactylographie, vous êtes les maîtres de l'ère de l'information. Cette situation vous impose en même temps la responsabilité de mettre les avantages de cette révolution technologique au service de l'humanité. Vous devez exploiter la puissance de la révolution de l'information pour diffuser des connaissances et des expériences dans le monde entier. Et vous devez prendre le temps d'écouter les idées des autres.

Pensez-y un peu. Vous avez la possibilité de réunir quelques-uns de vos pairs et de recueillir les fonds nécessaires à l'envoi d'un petit ordinateur bon marché fonctionnant à l'énergie solaire dans une école du Congo. C'est un exemple parmi beaucoup d'autres. Si, une fois par semaine, les élèves de votre classe ou les membres de votre groupe de jeunes rencontraient par voie électronique une classe ou un groupe en Afrique, imaginez les effets sur la croissance, la compréhension et la recherche de solutions.

Nourri et développé correctement, ce réseau mondial de communication pourrait favoriser l'avènement d'un mouvement capable d'influencer tous les êtres humains, aujourd'hui comme demain. Un tel mouvement, qui aurait comme grand objectif le respect des droits de la personne et de la justice aux quatre coins du monde, ferait comprendre que tous les humains sont égaux, que tous les humains sont humains, qu'aucun humain n'est plus humain que les autres.

En tirant profit des avancées philosophiques et technologiques qui s'offrent aux particuliers comme à l'humanité tout entière, nous devrions être en mesure de mettre fin aux fléaux que sont les conflits et les abus de pouvoir. Avec les moyens de communication sans frontières et les réseaux sociaux qui se font jour à un rythme affolant, nous pourrions établir un centre virtuel de femmes et d'hommes engagés pour sensibiliser la population au problème des enfants soldats, orienter les actions et établir des liens directs avec les jeunes dans les zones de conflit. Un mouvement mondial virtuel nous permettrait de suivre les victimes à la trace, d'entrer en communication avec elles et de cibler les auteurs de crimes, mais aussi d'influencer les dirigeants politiques du monde industrialisé, qui ont le pouvoir de prendre les décisions courageuses et d'intervenir dans les zones de conflit. La puissance des liens créés à la base a contribué à l'élection de Barack Obama, dont la campagne a donné naissance à une coalition d'électeurs unis par téléphone cellulaire, BlackBerry et ordinateur portatif. Dans ce cas, l'organisation et la communication se sont bel et bien traduites en votes. La question de savoir si la présidence de Barack Obama est aussi révolutionnaire qu'on l'avait espéré reste ouverte, mais son élection constitue un merveilleux exemple de l'usage qu'on peut faire des nouvelles voies de communication comme moyen de motiver et d'inspirer une nouvelle génération d'électeurs.

Comme je l'ai montré dans mon livre, je m'efforce de mettre au point des réponses nouvelles. Désormais, la question n'est plus simplement celle des moyens à employer pour supprimer le recours aux enfants soldats ; c'est celle de notre engagement même. Nous devons décider si nous allons enfin entreprendre une mission, vous et moi, mus par notre empathie pour la vie humaine sous toutes ces formes, où que ce soit dans le monde.

* * *

Depuis que l'humanité a commencé à consigner ses pensées pour la postérité, les récits d'avidité, de brutalité et de destruction de l'innocence ont été si nombreux que trop de représentants de la race humaine – trop de dirigeants politiques, trop de faiseurs d'opinion – sont fermement convaincus qu'une âpre lutte pour la survie fait partie, chez l'humain, de l'état de nature. Aujourd'hui encore, les architectes du génocide rwandais, dans le box des accusés du tribunal international d'Arusha où ils répondent à des accusations de crimes contre l'humanité, soutiennent que leur projet de destruction systématique d'une autre ethnie était justifié par les besoins en matière de sécurité et de débouchés de leur peuple, que sa sérénité d'esprit et la paix de son âme, dans le contexte de décennies d'oppression, étaient à ce prix. Bref, c'était le « nous contre eux » poussé à des paroxysmes de mal proprement inimaginables. Dans l'espoir pervers d'instaurer la paix pour les leurs et motivés par la peur et l'insécurité, ils ont tué et mutilé des centaines de milliers de personnes en utilisant comme instrument leurs propres jeunes, les jeunes de la génération future.

Parallèlement au discours dicté par la peur et purement égoïste du « nous contre eux », une autre idée s'est toujours imposée. On lui a donné de multiples noms : responsabilité sociale, altruisme, règle d'or, *ubuntu* (concept africain qui, selon l'archevêque Desmond Tutu, désigne l'essence de l'être humain, le fait que nul ne peut exister seul, que l'humiliation et le rabaissement des autres vous humilient et vous rabaissent, vous aussi). Ces idées poussent les humains à regarder au-delà d'eux-mêmes, à assumer personnellement la responsabilité du bien commun, à respecter l'obligation morale qu'ils ont vis-à-vis de leur voisin, à contribuer au projet qui consiste à protéger la paix et l'humanité de tous les êtres humains.

Il y a plus de deux mille ans, Aristote a écrit que les êtres humains ne donnent pas le meilleur d'eux-mêmes seuls et que les vertus humaines ne peuvent être mises en pratique par les ermites. Cette idée me ravit, même si, en l'occurrence, le philosophe parlait de la collaboration entre États de petite taille. Au siècle dernier, Mahatma Gandhi a formulé le conseil suivant : « Vous devez être le changement que vous voulez voir dans ce monde. » Aujourd'hui, on retrouve cette phrase sur les murs des résidences universitaires du monde entier. Gandhi était conscient des limites des gestes individuels (« tout ce que vous ferez sera insignifiant »), mais il croyait fermement que ces limites ne devaient pas servir d'excuse (« mais il est très important que vous le fassiez quand même »). Martin Luther King Jr., leader de la lutte pour les droits civiques, a dit rêver qu'« un jour, notre nation se lèvera pour vivre véritablement son credo : "Nous tenons pour vérité évidente que tous les hommes ont été créés égaux" ». Magnifique rêve pour son pays, lequel s'est d'une certaine façon réalisé quarante ans plus tard avec l'élection de Barack Obama.

Des particuliers qui n'avaient ni pouvoir, ni fortune, ni influence, ni relations, ni même les outils technologiques que vous avez aujourd'hui au bout des doigts ont écouté leur passion et changé le monde. Le changement radical peut être foudroyant ou exiger l'engagement de toute une vie.

Dans les années 1960, une importante révolution mijotait aux États-Unis. Des Noirs américains se battaient pour leurs droits. Aux Jeux olympiques de Mexico, en 1968, de nombreux athlètes afro-américains ont voulu attirer l'attention du monde sur la pauvreté démesurée et l'injustice dont ils étaient victimes dans leur pays. Des athlètes et des leaders communautaires, pour la plupart afro-américains, se sont réunis au sein du Projet olympique pour les droits humains dans l'intention d'organiser le boycott des Jeux par tous les athlètes noirs américains. Ils ont échoué. Malgré la ferveur dont bénéficiait le mouvement pour les droits civiques dans les rues, les protestations sont restées lettre morte sur la scène de l'olympisme mondial. Les coureurs Tommie Smith et John Carlos ont décidé de renverser cette situation. Après avoir terminé respectivement premier et troisième à l'épreuve du 200 mètres, ils sont montés sur le podium sans chaussures – pour symboliser leur pauvreté – et ont brandi un poing ganté de noir en signe de fierté et de provocation. Ce simple geste a ébranlé la planète et attiré l'attention du monde entier sur l'injustice criante dont l'Amérique noire était victime.

Comment un simple geste a-t-il pu avoir une telle résonance? Pas de terrorisme, pas de destruction de vies humaines ou d'infrastructures, pas d'auto-immolation par le feu ou la dynamite. Par ce symbole puissant, ces hommes ont réussi sans effort à détourner l'attention de leurs prouesses athlétiques vers la cause qu'ils défendaient.

Leurs poings brandis ont eu l'effet d'une bombe atomique sur les leaders politiques et socio-économiques. Ce simple geste de protestation dénonçant l'exploitation de millions d'humains et l'injustice qui entachait leur vie de tous les jours a contribué à l'abrogation des lois iniques et abusives qui les privaient de leur pleine humanité. Imaginez que nous puissions trouver à notre tour le moment opportun et harnacher cette formidable énergie pour en finir avec le recours aux enfants soldats. Quelles formes ces actions symboliques devraient-elles prendre ?

Évidemment, le changement est rarement instantané. Sur une période plus longue mais de façon tout aussi révolutionnaire, un autre homme a contribué à transformer le monde en défiant les autorités et en refusant le *statu quo*. Rolihlahla Mandela est né en 1918 dans un petit village d'Afrique du Sud, à une époque où l'apartheid – mot afrikaans signifiant « séparation » – obligeait les Sud-Africains noirs à vivre à l'écart des Sud-Africains blancs et les privait de leurs droits humains fondamentaux. Rolihlahla a été le premier membre de sa famille à aller à l'école, où on lui a donné son prénom anglais, Nelson. Malgré la lourde oppression de l'apartheid, Mandela, dès son plus jeune âge, s'est employé avec ceux qui pensaient comme lui à renverser le *statu quo* raciste. Son premier collège l'a suspendu parce qu'il avait participé à un boycott. Ce geste de protestation fut le premier jalon de la lutte qu'il mènera pendant toute sa vie pour l'égalité des Noirs d'Afrique du Sud.

Mandela a contribué à la fondation de la Ligue jeunesse du Congrès national africain et a tenté de convaincre l'organisation-mère de radicaliser sa lutte contre l'apartheid. Même après avoir été arrêté et jugé une première fois, Mandela a tenté de suivre les règles et d'instaurer le changement par la voie pacifique. Mais, à chacun de ses pas, il était victime de l'apartheid ; il était continuellement banni, arrêté, emprisonné, traitement qui a eu pour effet de le radicaliser. « Lorsque j'ai été banni pour la première fois, dit-il, j'ai obéi aux lois et aux règlements de mes persécuteurs. Mais je n'avais désormais que du mépris pour ces restrictions. [...] Laisser mon adversaire circonscrire mes activités constituait une forme de défaite, et j'ai résolu de ne pas être mon propre geôlier. »

Au début des années 1960, le Parti national a interdit le
Congrès national africain et Mandela a pris la difficile décision de changer de tactique et de promouvoir des actes de sabo-
tage et de violence contre des cibles gouvernementales et militaires. Dans son autobiographie, intitulée *Un long chemin vers
la liberté*, Mandela écrit : « Je ne l'ai pas fait avec témérité ou
parce que j'avais un quelconque amour de la violence. Je l'ai
fait après avoir analysé calmement et simplement la situation politique qui est apparue après de nombreuses années
de tyrannie, d'exploitation et d'oppression de mon peuple par
les Blancs. » Arrêté et jugé de nouveau pour subversion et tra-
hison, Mandela a clos sa défense avec la déclaration suivante :
« Au cours de ma vie, je me suis entièrement consacré à la lutte
du peuple africain. J'ai lutté contre la domination blanche et
j'ai lutté contre la domination noire. Mon idéal le plus cher
a été celui d'une société libre et démocratique dans laquelle
tous vivaient en harmonie et avec des chances égales. J'espère
vivre assez longtemps pour l'atteindre. Mais si cela est nécessaire, c'est un idéal pour lequel je suis prêt à mourir. » Malgré
son plaidoyer passionné et le soutien massif de la population
noire d'Afrique du Sud, Mandela a été condamné à une peine
d'emprisonnement à vie et a passé les vingt-sept années suivantes derrière les barreaux.

Mais sa résolution, qui n'a jamais fléchi, même en prison,
a lentement donné naissance, au fil des décennies, au mouvement qui allait le faire libérer et mettre un terme à l'apartheid. Même après sa libération en 1990, Mandela a continué
de soutenir qu'il était malheureusement nécessaire de recourir
à l'action violente pour combattre la violence de l'apartheid.
On l'a souvent confondu avec un terroriste, mais il est resté
déterminé à faire advenir la justice dans son pays. En 1993,
il a obtenu le prix Nobel de la paix. En 1994, les premières

élections multiraciales d'Afrique du Sud ont eu lieu, et Nelson Mandela, à l'âge de soixante-quinze ans, est devenu le premier président noir du pays.

À l'instar de Mandela, de nombreux révolutionnaires – qu'on pense à Aung San Suu Kyi aujourd'hui, ou même à Dian Fossey, assassinée en raison de la campagne qu'elle menait pour assurer la protection des gorilles dans la région des Grands Lacs – paient cher leurs convictions et leur volonté de partager leurs croyances avec autrui. Pourquoi vouloir se placer à l'avant de la meute et tenter d'infléchir sa direction, la pousser à se surpasser ? Quelle personne logique et responsable accepte d'être tournée en dérision et soumise à des contre-interrogatoires impitoyables, à des agressions physiques, à des peines d'emprisonnement, au risque aussi de faire souffrir les membres de sa famille, ses amis et ses alliés ? Quel est le déclencheur de ses actions ? Qu'est-ce donc qui la motive ?

Dans son livre primé de 2009 intitulé *Murder Without Borders* (« Meurtre sans frontières »), le journaliste Terry Gould s'intéresse aux raisons qui poussent des reporters locaux ordinaires œuvrant dans des lieux dangereux et corrompus à continuer de faire leur travail malgré les menaces de mort qui pèsent sur eux. Pour chacun des journalistes dont il brosse le portrait, en Colombie, aux Philippines, au Bangladesh, en Russie et en Irak, les motivations sont en un sens personnelles : le courage, l'obstination, la culpabilité, la bravade et, dans un cas seulement, la sainteté. Mais c'étaient de simples humains, des gens comme vous et moi, fermement persuadés que la vie dans leur ville devait être juste, que les criminels et les grands bonzes ne devaient pas bénéficier de l'impunité et que l'organisation sociale devait permettre aux pauvres et à leurs enfants de mener une vie aussi sûre et épanouissante que celle des

riches. S'ils se sont sacrifiés, ce n'est pas parce qu'ils possédaient une qualité unique. Simplement, ils tenaient à ce que
leurs voisins bénéficient de conditions justes.

Chaque fois que je me sens vaciller, je songe aux personnes
que j'ai rencontrées au Rwanda avant le génocide. Pleinement
humaines, débordant de vie, elles méritaient amplement de
vivre. Je relis un passage écrit par Elie Wiesel et publié dans
une anthologie intitulée *What Does It Mean to Be Human?* :
« Aux sans-abri, aux pauvres, aux mendiants, aux victimes du
sida ou de la maladie d'Alzheimer, aux vieux et aux humbles,
aux détenus dans leurs prisons et aux errants dans leurs rêves,
nous avons l'obligation sacrée de tendre la main et de dire :
"Malgré tout ce qui nous sépare, nous avons notre humanité
en commun." » Je me remémore aussi ce vieux dicton, attribué
à un auteur anonyme : « On nous dit de ne jamais traverser un
pont avant de l'avoir atteint, mais le monde appartient à des
gens qui ont "traversé des ponts" en imagination avant tout
le monde. »

Les révolutionnaires comme Gandhi et Mandela ont utilisé
les outils qui s'offraient à eux pour surmonter les obstacles que
représentaient le racisme, le sexisme, la politique nationale et
l'apathie internationale. À leur façon, ils ont contribué à transformer le monde, et nous sommes leurs héritiers, vous et moi.

\* \* \*

Comme on peut désormais se renseigner sans mal sur l'état
du monde, est-il même concevable que, à l'avenir, l'un d'entre
nous puisse choisir d'abandonner d'autres humains au sort
brutal qui les attend ? Pas uniquement en faisant comme s'ils
n'existaient pas, mais aussi en agissant comme si nous seuls
comptions vraiment, comme si nous pouvions nous détacher

du reste de l'humanité et vivre en simples spectateurs, tel l'ermite qui se coupe de la souffrance de ses semblables. Est-il concevable que, chacun dans notre coin, nous observions, avec des degrés d'intérêt divers, l'humanité qui s'agite devant nous ?

Je sais que l'isolationnisme constitue une option pour certains. Autour de moi, je remarque de nombreuses preuves de détachement. Pour me brancher sur le monde, je n'ai qu'à cliquer sur la souris de mon ordinateur ; mais je peux tout aussi aisément me débrancher. Au nom de quoi faudrait-il s'engager, se laisser perturber par les sévices que des êtres humains font subir à leurs semblables, vouloir jouer un rôle dans le film mettant en vedette la race humaine ?

Lorsque le spectacle qui s'offre à eux leur déplaît, les habitants du monde industrialisé n'ont qu'à bouger le pouce ou l'index pour changer d'image. Avoir le monde au bout de ses doigts peut conduire à la perdition aussi facilement qu'à l'engagement. Je constate que les possibilités de communication instantanée et anonyme offertes par le Web sont utilisées pour fomenter la stupidité, l'ignorance et la haine ou pour entraîner les internautes dans la futilité intellectuelle : on leur sert jusqu'à plus soif des potins de vedettes, on conforte l'ignorance ou pis encore. Une bonne partie d'Internet a été colonisée par du matériel illégal, la pornographie adulte et infantile notamment. Celle-ci constitue une forme d'exploitation des enfants qu'on peut facilement répandre aux quatre coins de la planète, d'où l'avènement d'une communauté virtuelle de pédophiles. Dans leur chambre à coucher, des jeunes du monde industrialisé s'imprègnent de la haine que véhiculent les vidéos mettant en scène des décapitations, se font recruter pour une cause qui a peu à voir avec leur réalité et tout à voir avec une perversion du sens inné des jeunes pour la justice et de leur penchant pour l'action.

Si bon nombre de vos pairs se laissent entraîner dans les allées les plus sombres du Web, c'est parce que nous, les adultes – enseignants, parents, leaders communautaires –, n'avons pas réussi à les convaincre de l'existence d'une autre voie, à leur prouver qu'ils étaient nécessaires et désirés et que le monde leur offre d'innombrables façons de se dépasser au nom de l'humanité plutôt qu'au nom de la haine. C'est à nous, les adultes, qu'il incombe de vous montrer qu'on peut se laisser galvaniser par l'empathie, la compassion, le courage, la détermination et l'altruisme tout autant que par la négativité, l'étroitesse d'esprit et l'égoïsme. Changer le monde pour le plus grand bien de l'humanité représente une tâche intimidante, certes, mais aussi infiniment stimulante.

Mais je vois pourquoi l'anti-espoir et l'anti-idéalisme fleurissent autour de moi. Si nos représentants élus esquivent la responsabilité collective qui leur échoit d'intervenir dans un certain nombre de conflits et de catastrophes humanitaires, malgré les preuves irréfutables qui leur sont soumises, et choisissent de ne s'engager que si l'intérêt national semble en jeu, au nom de quoi un simple particulier devrait-il avoir le sentiment de pouvoir infléchir le cours des choses ?

En 1994, des États-nations du monde entier ont décidé qu'il y aurait une seule et unique raison d'intervenir dans le génocide rwandais : la protection des vies humaines en danger. Et comme elles n'avaient rien à y gagner, hormis sauver du massacre un million de Noirs africains, les puissances de l'époque en sont arrivées à la conclusion suivante : l'enjeu ne valait pas qu'elles risquent la vie de leurs militaires. Au Conseil de sécurité de l'ONU, la voix dominante a été celle des États-Unis, pays qui, en 1993, avait retiré ses troupes de l'opération de maintien de la paix en Somalie après la mort de dix-huit de ses soldats dans un raid visant la capture d'un seigneur de la guerre à

Mogadiscio. Selon le président Bill Clinton et son administration, aucun Américain n'aurait accepté que des soldats meurent dans le cadre d'une mission aux visées purement humanitaires, logique que Clinton a d'ailleurs fait enchâsser dans la proposition présidentielle 25 : dorénavant, les États-Unis ne participeraient à des missions où du sang risquait d'être versé que si elles servaient les intérêts stratégiques ou nationaux des États-Unis. Le Rwanda n'avait rien à offrir aux Américains : le pays n'avait ni ressources ni valeur stratégique. À l'époque du génocide, un militaire américain a eu le culot de me dire qu'il n'y avait rien au Rwanda, sinon des êtres humains, et qu'ils étaient trop nombreux.

Lorsque le génocide a débuté, les États-Unis ont informé le Conseil de sécurité qu'ils s'opposeraient à toute tentative de maintien de la MINUAR, la mission de maintien de la paix que je commandais. Nous protégions trente mille Rwandais qui, sans nous, auraient été aussitôt massacrés, mais les États-Unis prônaient l'abandon de la MINUAR et le retrait de tous les casques bleus : le conflit risquait de faire des victimes non rwandaises et une intervention n'aurait en rien servi l'intérêt national américain. Quelques personnes, notamment la regrettée Alison Des Forges de Human Rights Watch, ont tenté de faire renverser cette décision ; on lui a répondu qu'aux États-Unis les citoyens rwandais ne représentaient pas une entité politique d'un poids suffisant pour justifier un changement de la politique.

Bien sûr, décider de ne pas intervenir est une ligne de ·conduite, tout autant que choisir de se jeter dans la mêlée. Les gouvernements ont tendance à prendre prétexte de l'apathie des citoyens : « nous » serions indifférents, « nous » ne serions pas disposés à courir de tels risques. Selon mon expérience, on en revient au paradoxe de l'œuf et de la poule. Dans *Peace-*

*making in International Conflict*, I. William Zartman et J. Lewis
Rasmussen (directeurs de publication) écrivent :

> L'absence d'une légitimité et d'un intérêt clairement
> définis se traduit par une absence d'engagement col-
> lectif. Les doutes et les arguments martelés par les diri-
> geants mondiaux alimentent les réactions derrière les-
> quelles ils s'abritent. Pourtant, de nombreux sondages
> ont montré que, pour des raisons à la fois de moralité
> et d'intérêt, le public est largement favorable à la ges-
> tion et au règlement des conflits internationaux, aux
> conditions suivantes : les dirigeants doivent avoir un
> plan, l'expliquer avec confiance et l'exécuter avec réso-
> lution. [...] Un engagement en faveur de tels objectifs
> permet aux dirigeants d'utiliser le conflit pour faire la
> preuve de leur fermeté et aux parties d'entamer des acti-
> vités productives. Il s'agit d'un appel au courage et à la
> compassion, d'une défense implacable des intérêts les
> plus élémentaires dans des conditions périlleuses, d'une
> contribution à la réconciliation locale et au leadership
> mondial.

Lorsqu'une violation massive des droits de la personne
constitue l'enjeu principal d'un conflit, le public ne se laisse
pas facilement convaincre de la nécessité d'intervenir, surtout
lorsque la vie de nos soldats est en jeu et que la mission risque
de s'éterniser. Nos gouvernements (comme la plupart des particuliers) ne semblent enclins à réagir que s'ils se sentent eux-
mêmes menacés. Nous devons donc montrer que les violations des droits de la personne qui surviennent ailleurs ont
aussi une incidence sur nous. Et nous aurons beau nous voiler
les yeux, c'est la plus stricte vérité. Strobe Talbott, président

de la Brookings Institution, écrit : « L'inhumanité, lorsqu'elle est systématisée par des régimes dictatoriaux et génocidaires, est plus qu'une insulte à nos valeurs humaines communes. Elle fait peser, dans la réalité, de graves menaces sur la sécurité. » Gareth Evans, président sortant de l'International Crisis Group, l'affirme encore plus crûment : « Les États qui ne peuvent pas ou ne veulent pas mettre un terme aux atrocités commises sur leur territoire sont aussi ceux qui ne pourront pas ou ne voudront pas lutter contre le terrorisme, la prolifération des armes, le narcotrafic et la traite des êtres humains, la propagation des pandémies et d'autres risques mondiaux. » Comme nous en avons de plus en plus de preuves, les fléaux qui figurent dans la liste d'Evans ne connaissent pas de frontières.

Malgré les changements qui se font jour partout sous nos yeux, nous avons tendance à considérer nos « vérités » politiques comme immuables et intemporelles. Pendant environ trois siècles, la souveraineté nationale a eu la préséance sur les autres lois et principes de l'humanité. Protégés par le respect puissant, fondamental et durable que la communauté internationale voue au principe de l'autonomie des États-nations – lequel est d'ailleurs enchâssé dans la Charte de l'ONU –, des dirigeants mondiaux ont librement maltraité leur population à l'intérieur de leurs frontières, tandis que les autres pays s'inclinaient. Mais, ainsi que le soutient Gary J. Bass dans *Freedom's Battle*, l'idée même de souveraineté nationale est née de la réaction des Européens devant les conséquences dévastatrices de la guerre de Trente Ans, au cours de laquelle « peut-être quarante pour cent de la population d'Europe centrale a péri au nom de versions rivales de la vérité universelle ». En d'autres termes, l'idée d'État-nation est dans une large mesure une réaction à l'annihilation de très nombreux citoyens ; dans les faits, elle avait pour but de mieux les protéger.

Vers la fin du xxᵉ siècle, cependant, la notion de souveraineté nationale n'a plus été en mesure de contenir notre indignation. Le génocide du Rwanda et d'autres crimes contre l'humanité tout aussi atroces ont montré que la nature de la guerre avait changé : les conflits armés à l'intérieur d'un pays (faisant une majorité de victimes chez les civils) et non plus entre les nations constituaient la nouvelle norme. Et il est apparu clairement que nous devions mettre au point une nouvelle doctrine pour mobiliser la volonté politique des États-nations et les pousser à empêcher d'autres violations massives des droits de la personne et d'autres carnages de l'ampleur de ceux qu'ont connus le Cambodge, le Rwanda, le Timor oriental, le Kosovo, la Bosnie, le Congo et le Darfour.

En réaction, un groupe international, financé principalement par le Canada et dirigé par Gareth Evans, a mené sur les liens entre la souveraineté, les violations massives des droits de la personne et les retombées internationales de celles-ci une étude qui a fait date. (J'ai été invité à faire part de mes idées à ce groupe.) Ces travaux d'une durée d'un an, dont les résultats ont été rendus publics en 2001, ont donné naissance à un concept révolutionnaire : les nations ont la « responsabilité de protéger » l'humanité qui souffre, partout sur la planète.

Selon la doctrine de la responsabilité de protéger (R2P pour *responsibility to protect*), aucun État souverain ni autorité ne peut délibérément violer les droits humains de ses citoyens et déclarer qu'aucun autre État n'a le droit d'intervenir. Dans une telle situation ou dans l'hypothèse où un gouvernement serait impuissant à mettre un terme à des violations massives des droits de civils innocents, la communauté internationale a la responsabilité de protéger ces derniers en vertu d'un mandat de l'ONU. En d'autres termes, la protection des citoyens a la préséance sur la souveraineté des États-nations. Lorsque des innocents sont victimes de mauvais traitements, nous n'avons pas, selon cette doctrine, le choix d'agir ou non. Nous avons envers l'humanité la responsabilité fondamentale d'intervenir *in extremis*, y compris par la force.

Le principe de la responsabilité de protéger, adopté lors du Sommet mondial de l'ONU tenu à New York en 2005, demeure controversé. Au début, les petits pays en développement craignaient – en invoquant les leçons de l'histoire – que les grandes puissances abusent d'une telle doctrine et les envahissent à leur gré afin de déposer les régimes dictatoriaux ou même voyous. Et, ainsi que je l'ai mentionné à propos du génocide rwandais, les puissances mondiales se montraient réticentes à l'idée d'adopter le principe, qui risquait de les entraîner dans la quasi-totalité des régions du monde en proie à des troubles et où elles n'avaient aucun intérêt, sinon celui de préserver des vies humaines. Les attitudes, les réflexes et les prétextes anciens ont la vie dure, surtout à un moment où les dirigeants de la mission de l'OTAN en Afghanistan et de la coalition pilotée par les États-Unis en Irak cherchent le moyen de se retirer de façon responsable de ces zones de conflit où les grandes puissances ont jugé qu'il était dans leur intérêt national d'intervenir.

Parallèlement aux travaux que je consacrais à l'élimination du recours aux enfants soldats, j'ai été nommé par le Secrétaire général de l'ONU, Kofi Annan, au Comité consultatif pour la prévention du génocide, des atrocités massives et des violations des droits humains, créé pour aider l'ONU, ses agences et ses États membres à adopter une approche préventive du génocide. Le fait que nous ayons adopté une telle doctrine ne signifie toutefois pas que nous sachions l'appliquer ou l'arrimer à d'autres initiatives radicales de la dernière décennie, comme la Cour pénale internationale, qui s'est employée à définir la jurisprudence relative aux crimes contre l'humanité et a même porté des accusations contre des chefs d'État. En ce qui concerne l'usage qu'il convient de faire de ces nouveaux instruments internationaux, ainsi que les ressources nécessaires à leur bon fonctionnement, nous avons encore beaucoup à apprendre.

Par exemple, l'inculpation pour génocide du président du Soudan, Omar Al-Bachir, en 2008, avait pour but de mettre un terme au massacre lent mais continu au Darfour. Mais dès le dépôt des accusations par la Cour pénale internationale, Al-Bachir a expulsé un grand nombre d'ONG étrangères et d'organismes d'aide humanitaire, privant ainsi des millions de ses commettants de leur unique moyen de survie. Ce geste aurait dû à lui seul entraîner le dépôt de nouvelles accusations, mais où faut-il arrêter l'escalade ?

Glen Pearson, député canadien qui entretient de profonds liens humanitaires avec le Soudan, traite de cette question dans *A Land of Designs: The Saga of Darfur and Human Intentions* : « Avant toute intervention de la part d'une nation ou d'un groupe de nations, écrit-il, on doit procéder à une évaluation humanitaire complète et compétente afin de déterminer les effets sur les citoyens du pays concerné. » Chaque inculpation, chaque condamnation, poursuit-il, « entraîne d'énormes représailles ; le procès d'une ou de quelques personnes en condamne parfois des milliers d'autres. Aucune décision susceptible d'entraîner la privation de centaines de milliers, voire de millions de personnes ne pourra être considérée comme juste si ses auteurs n'ont pas au préalable pris des mesures pour assurer la protection pleine et entière de ceux qui auront à subir les terribles conséquences d'un choix aussi complexe ». Si nous entendons traduire le président du Soudan en justice, nous devons être prêts à intervenir pour éviter que les Soudanais fassent les frais de notre initiative. Qui, cependant, est disposé à arrêter un président en exercice, lui et les cinquante-deux membres de son gouvernement, sans oublier sa police et son armée, pour décapiter un régime diabolique et mettre un terme à un génocide vieux de sept ans déjà?

Avec des collègues de l'Université Concordia de Montréal, j'ai justement consacré des recherches opérationnelles à la question de la volonté d'intervenir au nom du principe de R2P. J'avais le sentiment de devoir apporter au Comité consultatif pour la prévention du génocide de l'ONU des réflexions et des pistes de solution rigoureuses, en plus des connaissances que j'avais acquises sur le terrain au Rwanda. J'ai donc invité Frank Chalk, de l'Institut montréalais d'études sur le génocide et les droits de la personne de Concordia, à élaborer de façon stratégique un projet relatif à la volonté d'intervenir (W2I pour *will to intervene*) dans les crises humanitaires internationales. Ce qui nous est apparu clairement, ainsi que nous l'avons écrit dans notre rapport de 2010, c'est que nous ne pouvons pas attendre que nos dirigeants réagissent: « Lorsque le leadership fait défaut au sommet, la société civile a l'obligation d'exercer de fortes pressions sur les gouvernements pour qu'ils élargissent la notion d'"intérêt national". »

C'est notre responsabilité tout autant que celle de nos dirigeants. Pour l'essentiel, nous continuons d'observer le monde de façon passive et nous laissons nos élus répondre en ne répondant pas. Face à une destruction aussi manifeste de la vie humaine et des droits de la personne que le recours aux enfants soldats, l'inaction est en fait une forme d'action. En gardant le silence, nous, citoyens, laissons nos élites politiques s'en tirer avec l'inaction, même si elles ont entériné le principe de la responsabilité de protéger. Je pense que nos gouvernements s'accrochent à leur statut souverain et laissent les autres faire de même pour éviter d'être un jour eux-mêmes accusés de crimes contre l'humanité par d'autres États membres de l'ONU.

À cause de cette peur, nous sommes témoins d'actions immorales de la part des pays qui tolèrent le recours aux enfants soldats et d'autres violations des droits humains à l'intérieur de leurs frontières ; de plus, nous nous rendons complices d'une inaction immorale en restant sur les lignes de touche ou en nous contentant de gestes symboliques, par exemple l'octroi de quelques centaines de millions de dollars, pour nous laver les mains de ces problèmes complexes.

De toute évidence, nous devons nous engager personnellement : il faut obliger les décideurs de notre pays à appliquer activement la doctrine de la responsabilité de protéger qu'ils ont officiellement adoptée. Il s'agit d'un instrument extrêmement puissant qui permettra aux populations, aux jurys citoyens et aux ONG du monde de faire pression sur les décideurs politiques afin qu'ils prennent les mesures qu'ils se sont engagés, devant l'organe mondial international, à prendre en notre nom. Cet instrument répond à un besoin criant, et c'est grâce à lui qu'on pourra empêcher que des millions d'êtres humains soient exploités, mutilés, violés, tués, massacrés, déplacés de leur foyer et transformés en réfugiés jusqu'à la fin de leurs jours, sans le moindre espoir d'avenir pour leurs enfants.

Certains imputent à tort à l'ONU la responsabilité de l'inaction et des échecs internationaux. Mais l'ONU n'est efficace que dans la mesure où ses États membres lui permettent de l'être en approuvant des mandats robustes, en fournissant des chefs de mission (civils et militaires) progressistes et polyvalents, en accordant en amont un financement suffisant et en garantissant, pour toute la durée de leur mandat, le soutien logistique nécessaire aux missions sur le terrain. L'efficacité de l'action est tributaire de la volonté politique des États souverains et de leur respect de la volonté des citoyens. En fin de compte, les échecs sont attribuables non pas à l'ONU, mais bien aux États membres souverains dont les citoyens ont opté pour l'inaction.

À propos des actions individuelles, nous devons trouver le moyen de forcer les politiciens à agir. Pour mobiliser la volonté politique de faire quelque chose ici, chez nous, nous devons mettre au point des méthodes novatrices pour décrire les effets que le conflit à l'étranger aura sur nos vies, ce qui aura pour effet de rendre la prise de risques plus facile à comprendre et à accepter. Nous devons aider les politiciens (qui, en dernière analyse, ont à prendre les difficiles décisions touchant l'investissement des ressources et la vie des soldats, des diplomates, des humanitaires et des policiers) à prévoir des objectifs précis, des moyens raisonnables de les réaliser et une voie de sortie clairement définie au cas où la situation s'envenimerait. Plus l'intervention semblera gérable et limitée, plus nos élus se montreront disposés à s'engager. Ce sont eux qui assument les conséquences électorales de décisions impopulaires et qui, pour rester en place, doivent prendre des mesures pragmatiques et tactiques à court terme. À nous de les aider à le faire.

*  *  *

Au moment d'entreprendre votre croisade en faveur de l'élimination du recours aux enfants soldats et de l'acceptation par les gouvernants de la responsabilité de protéger, vous devez avoir en tête deux objectifs : être un leader et influer sur les leaders. Dans un cas comme dans l'autre, les moyens sont nombreux. Cela dit, les isoloirs et les médias constituent deux points de départ essentiels.

Chez moi, au Canada, les personnes âgées de dix-huit à trente ans représentent environ trente-cinq pour cent de la population. À l'examen de la répartition des suffrages, on remarque cependant que seulement quinze pour cent d'entre eux exercent leur droit de vote. Ils passent ainsi à côté de l'occasion d'utiliser cet outil politique pacifique pour façonner la grande démocratie dans laquelle nous vivons. Quel gaspillage! S'ils se mobilisaient autour d'enjeux clés et votaient, les jeunes auraient besoin d'une seule élection pour transformer le visage de la politique canadienne. Pourquoi? Parce que ce sont eux qui, au pays, détiennent la balance du pouvoir. Chaque jeune représente un vote tout neuf, jamais comptabilisé. Il est tragique que les jeunes électeurs canadiens de dix-huit à trente ans n'aient jamais relevé le défi démocratique qui consiste à influer sur la voie dans laquelle le pays (et l'humanité) devrait s'engager. Aux États-Unis, en Grande-Bretagne et dans le reste de l'Europe, la situation est sensiblement la même.

Ne venez surtout pas me dire qu'on ne vous écoute pas. Le problème, c'est que vous ne vous exprimez pas. Vous avez été nombreux à descendre dans les rues de Toronto pour protester contre la réunion du G-20 et dans celles de Copenhague pour dénoncer la conférence sur le changement climatique, mais, dans l'ensemble, votre génération laisse les leaders politiques se tirer d'affaire trop facilement en ne les forçant pas à définir une vision de l'avenir du pays. D'après mes observations, vous ne revendiquez pas de façon constante la place qui vous revient de droit. L'élite politique profite de la non-participation de la vaste majorité d'entre nous; au bout du compte, elle est davantage influencée par les médias que par les citoyens.

Vous avez laissé les médias traditionnels (la télévision, la radio, les journaux, les magazines) parler à votre place et vous dire quoi penser plutôt que de leur imposer votre propre vision. Les gouvernements sont fortement soumis à l'influence des médias et, dans une large mesure, fondent leurs priorités sur la couverture médiatique. Vous devez contraindre les médias à rendre compte des priorités des jeunes.

Grâce au pouvoir des urnes, au façonnement des priorités des médias, à l'engagement militant et au talonnement constant des dirigeants politiques, l'opinion publique a le pouvoir de se cristalliser et de former un front solide capable d'influencer la politique gouvernementale et de stimuler l'action et le leadership politiques. Sans vos voix et votre esprit d'initiative, on ne réussira jamais à mobiliser la volonté politique d'intervenir dans les conflits les plus âpres et les plus inextricables de la planète.

Comme l'a un jour déclaré le grand philosophe américain Yogi Berra : « L'avenir n'est plus ce qu'il était. » Il avait raison. J'apporterais cependant la nuance suivante : l'avenir est beaucoup plus proche qu'avant.

Quand j'ai terminé mes études au collège militaire, un très haut gradé m'a demandé à quoi je voulais employer ma carrière. J'ai aussitôt compris qu'il était entre nous question d'un avenir lointain, d'un horizon d'une vingtaine d'années. Il était entendu que je bénéficierais d'une longue et exigeante période d'apprentissage que je mettrais à profit pour faire mes preuves, acquérir de l'expérience, perfectionner mes compétences et acquérir les connaissances dont j'aurais besoin pour être un atout en évolution au sein de l'organisation et de la collectivité.

Pour les jeunes d'aujourd'hui, nés dans un monde grand ouvert et illimité, cette progression lente et prévisible ne va plus de soi. Votre avenir est plutôt dans trois, quatre ou cinq ans, car nous ne vivons pas à une époque d'évolution ni même de changement ou de réforme. Nous en sommes à l'ère des révolutions. Il n'y a plus rien de statique ni de stable. Tout se transforme sans cesse et l'avenir sera là si vite que vous vous demanderez comment vous avez pu être laissés derrière.

Au cours des décennies à venir, vous devrez consacrer plus de temps et d'efforts intellectuels pour simplement suivre le mouvement et survivre, à plus forte raison pour maîtriser et diriger. Le défi qui se présente à vous consiste donc à être des leaders dans une ère de changement perpétuel et rapide. Vous devez vous donner une vision capable d'inciter les autres à exploiter leur plein potentiel au lieu de se contenter de survivre sur les lignes de touche (il n'y a d'ailleurs plus de lignes de touche). Et vous devez le faire tout en sachant que l'élimination d'une forme d'exploitation horrible telle que le recours à des enfants comme fantassins de guerres civiles sales exigera peut-être des décennies d'efforts incessants.

Vous devez avoir pour but d'être des leaders et vous avez en main de nombreux outils que ne possédaient pas les révolutionnaires du passé. Vous ne disposez pas de vingt années pour réfléchir à vos priorités, à vos rêves et à vos passions dans le confort de votre milieu. Tout change et vous devez participer à ce changement pour éviter qu'il se fasse à votre détriment ou à celui du reste de l'humanité.

L'avenir qui vous attend est très proche, et en plus vous avez le pouvoir de l'infléchir. En matière d'information, Internet semble offrir des possibilités sans limites, et vous donnez l'impression de croire à une avancée, elle aussi sans limites, vers la connaissance et la conscience du monde, de l'humanité, de la pensée, de la recherche et du développement, ainsi que des réalisations, bonnes et mauvaises.

Songez un moment à la dernière révolution de la communication, celle que vos parents ont connue et que vous considérez comme allant de soi. Je veux parler de la télévision, qui a fait entrer les guerres, les famines et les catastrophes naturelles dans les salons. Dans *L'Honneur du guerrier*, Michael Ignatieff décrit l'impact de la télévision sur la théorie et la pratique de l'humanitarisme :

> La télévision est [...] l'instrument d'un nouveau genre de politique. Depuis 1945, l'opulence et l'idéalisme ont rendu possible l'apparition d'une multitude de groupes de pression ou de bienfaisance privés et non gouvernementaux [...] La télévision constitue un outil principal pour leurs campagnes de collecte de fonds et de mobilisation des consciences au nom d'êtres humains en danger et de leurs habitats menacés partout dans le monde. C'est une politique [...] qui prend comme objet l'espèce humaine elle-même plutôt que les différents groupes raciaux, religieux, ethniques ou nationaux. Il s'agit là d'une « politique de l'espèce » qui s'évertue à sauver l'espèce humaine d'elle-même [...]. Cette politique a tenté de faire naître une opinion publique mondiale pour veiller aux droits de ceux qui n'ont pas les moyens de se protéger eux-mêmes. En utilisant la télévision, plusieurs de ces organisations internationales ont réussi à forcer des gouvernements à prêter une certaine attention aux coûts, en termes d'image publique, de leurs actes de répression dans leur pays.

Cela dit, comme le souligne encore Ignatieff, « la moralité de la télévision est celle du correspondant de guerre, du vétéran qui, après avoir entendu les sempiternelles justifications de la cruauté présentées par la gauche et par la droite, apprend en fin de compte à ne prêter attention qu'aux victimes ». Mais ce n'est pas la moralité des correspondants qui régit la programmation. Lorsque la communauté internationale a dans les faits abandonné la MINUAR, je me suis tourné vers les journalistes, leurs caméras et leurs magnétophones, et je les ai aidés de mon mieux à filmer et à consigner les événements du génocide en cours, à envoyer les bandes à leurs producteurs à Londres, Paris, New York et Toronto. Si les gens voient ce qui se passe, me suis-je dit, mes appels à l'aide remonteront peut-être jusqu'aux élites politiques, qui ne pourront plus ignorer le massacre. Mes soldats ont risqué leur vie pour faire sortir ces bandes du pays, mais les documents vidéo et audio ont fini pour la plupart sur le sol des salles de montage, relégués dans l'ombre par d'autres informations jugées plus actuelles et plus susceptibles d'intéresser l'auditoire. La censure des cotes d'écoute au service du profit, en somme.

Internet et les médias sociaux n'obéissent pas à la même logique mercantile, et les patrons de presse ne peuvent pas les empêcher de faire circuler librement les informations sous prétexte qu'elles n'intéressent personne. À l'ère des médias sociaux et de YouTube, c'est vous qui décidez de ce que vous souhaitez diffuser et des moyens à prendre pour faire avancer votre cause.

En cette nouvelle ère de connectivité mondiale, le danger tient à la surcharge. Au moment où des méga-entreprises de haute technologie comme Google font des progrès dans la numérisation de tous les documents écrits et imprimés, de la fiction aux ouvrages scientifiques les plus pointus, l'accès à l'information est illimité. Vous avez aussi la possibilité d'aller en ligne et d'observer en temps réel les moindres recoins de la planète ; vous pouvez même savoir ce que les gens qui se trouvent à l'autre bout du monde boivent au bar. Il y a des inconvénients, bien sûr, mais les avantages sont phénoménaux : nous entrons dans une ère où le mal ne peut plus se cacher et où les possibilités de mise en valeur du bien sont illimitées.

Les règles anciennes concernant les limites et les frontières, qui ont longtemps eu pour effet de compartimenter l'humanité, ont volé en éclats, en dépit des tentatives désespérées des nostalgiques qui s'accrochent à elles. Vous rendez-vous compte qu'il n'y a pratiquement plus de limites, sauf celles que nous nous imposons à nous-mêmes, à titre personnel ou collectif, plus rien qui nous empêche d'exercer une influence sur toute l'humanité, d'amorcer et de soutenir des réformes, où que nous vivions ou travaillions ? Forts de tels outils, nous pouvons tenter de nous affranchir des contraintes qui ont si aisément lancé notre espèce sur la voie du mal, du conflit et de la cupidité, exprimer et concrétiser notre désir de vie meilleure et de sérénité pour nous-mêmes et pour les autres habitants de la planète.

Prenez conscience de l'énorme potentiel que cette nouvelle donne vous confère, de l'influence que vous pouvez exercer. Vous serez en mesure de faire bouger les choses plus rapidement, d'imposer des changements de paradigme que vos parents n'auraient même pas pu imaginer. En fait, cette révolution est d'une intensité et d'une ampleur telles que le mot « changement » n'en donne qu'une pâle idée. Pour exprimer ce potentiel illimité, nous aurions besoin d'un nouveau lexique, de nouveaux mots et de verbes d'action capables de nous guider. Ne laissez rien vous retenir, même pas les limites de la langue.

Allez de l'avant, inventez, créez, soyez une nouvelle génération de femmes et d'hommes polyvalents et déterminés à faire que tous les représentants de la race humaine puissent vivre dans la paix et la sérénité sur notre planète vulnérable. Attaquez-vous avec courage et énergie aux vestiges du passé qui mettent en péril l'exercice de l'humanisme universel. Je veux parler d'inventions comme celle des enfants soldats :

menace insidieuse contre l'humanité que vous pouvez vous donner pour but d'éliminer.

Vous avez la possibilité d'établir un mécanisme mondial de reddition de comptes qui ne laisserait aux gouvernants d'autre choix que d'éliminer le recours aux enfants soldats. Il s'agit d'un objectif aussi tangible que l'était celui de l'abolition de l'esclavage ou l'affirmation des droits humains, d'un objectif à portée de main. Vous avez non seulement la possibilité de changer les choses, mais aussi la responsabilité éthique de le faire. Votre génération doit être une génération de militants. J'ai déjà formulé quelques suggestions, mais le plus important, c'est que vous mettiez au point vos propres solutions. Vous connaissez la nature du problème, vous avez les bons outils en main et vous avez la volonté d'agir. Vous avez parcouru plus de la moitié du chemin.

En cette période de changement fulgurant, ne perdez jamais vos objectifs de vue. Méfiez-vous des fluctuations de l'opinion publique mondiale. Elle se laisse facilement et rapidement distraire. Pendant que je me trouvais plongé au cœur du génocide rwandais en 1994, les yeux de monde ont délaissé l'Afrique pour se tourner vers la poursuite en voiture d'une vedette américaine. Soyez prêts.

\* \* \*

Il arrive parfois que les gens s'enlisent dans l'inaction parce que leurs ambitions sont démesurées. Ils n'agiront, se disent-ils, que lorsqu'ils auront trouvé le but de toute leur vie. Pour ma part, je suis convaincu que la découverte d'une raison d'être passe forcément par l'action. Ne vous demandez pas : « Qu'est-ce que je veux faire de ma vie ? » Posez-vous plutôt la question suivante : « Si j'avais une ou deux années à consacrer à une cause, laquelle choisirais-je ? » Les grands de ce monde – Gandhi, King, Mandela – ont travaillé toute leur vie adulte à faire advenir des changements « impossibles ». Or, le monde dans lequel vous vivez est beaucoup plus rapide et beaucoup plus petit, si bien que l'impossible semble nettement plus plausible. Pas la peine d'attendre l'âge adulte pour être un leader. (En fait, ce sont les adultes qui sont responsables de l'apparition des enfants soldats.) Votre action peut être modeste. Elle ne doit pas forcément être coûteuse. Elle n'exige pas nécessairement du temps et des efforts démesurés. Elle peut être libre, gratuite et ponctuelle. Rien ne vous oblige même à quitter votre fauteuil.

Comme je l'ai déjà indiqué, nous avons honteusement cédé aux médias la responsabilité démocratique qui nous incombe de guider les politiciens. Ce sont les médias qui décident de la pertinence de telle ou telle question ; ce sont eux qui choisissent les enjeux. Que pouvez-vous faire pour changer cette situation ? Eh bien, les médias s'intéressent aux sujets brûlants, aux préoccupations des gens. Montrons-leur que le sort des enfants d'Afrique nous passionne.

Imaginons que, tous les jours de ce mois-ci, vous envoyiez un courriel au bureau local de tel ou tel média pour demander des informations sur la situation des enfants soldats en Ouganda. À la fin du mois, le bureau en question aura reçu trente courriels. Si tous les habitants du pays faisaient de même, le média serait submergé sous 996 380 880 courriels. Si les Français, les Japonais et les Australiens se mettaient de la partie, 7 291 402 320 courriels seraient envoyés en un seul mois, et les médias occidentaux commenceraient sûrement à parler des enfants soldats ougandais.

Vous jugez la proposition naïve ? C'est vrai. On m'a déjà adressé ce reproche. Mais j'espère que vous êtes vous aussi un peu naïfs, un peu sensibles et un peu optimistes. Ce sont ces qualités qui font de nous des êtres humains, capables d'espérer, d'avoir le souci des autres et d'agir – non pas par avidité ou pour des motifs politiques, mais bien au nom de l'humanité.

\* \* \*

Je ne vous demande pas d'agir seul. Je vous invite plutôt à vous associer à moi, à vous joindre à l'Initiative Enfants soldats et à d'autres regroupements qui trouvent des moyens de faire appliquer et respecter sur le terrain les conventions et les lois relatives aux droits de la personne, de faire traduire en justice ceux qui utilisent et exploitent les enfants soldats. Ce ne sera pas facile et nous ne changerons pas les choses du jour au lendemain. Même si nous vivons à une époque où tout s'accélère, il faudra sans doute beaucoup de temps et d'efforts concertés pour forcer les dirigeants politiques à renoncer au *statu quo*. Cependant, nos efforts seront bons, justes et éthiquement responsables. Protester, contester, déranger, débattre : autant de gestes caractéristiques d'une société évoluée et démocratique. Quel effet vous aurez aussi sur les plus vieux si vous trouvez le moyen de faire entendre votre voix ! Ne vous laissez pas tirailler entre la culpabilité et l'engagement. Engagez-vous dans la lutte pour mettre un terme aux conflits créés par les adultes qui forcent les enfants à faire leur sale et répréhensible boulot. Aidez-moi à éliminer le recours aux enfants soldats.

Lorsque je dirigeais la Mission internationale de maintien de la paix au Rwanda, les plus hautes instances de l'ONU m'ont donné l'ordre de ne pas intervenir, de me contenter d'observer la situation. C'était un ordre licite, mais j'ai refusé d'y obéir parce qu'il était immoral. J'ai désobéi sans hésiter parce que je savais que, dans le cas contraire, j'aurais condamné à une mort certaine les trente mille hommes, femmes et enfants, membres des deux camps, que nous défendions contre les *génocidaires**. Pendant les premiers jours du génocide, des troupes se sont retirées sans en avoir reçu l'ordre et les deux mille personnes qu'elles protégeaient ont été massacrées dans les heures suivantes. J'ai tout simplement refusé que les trente mille personnes que je protégeais s'ajoutent aux huit cent mille qui ont été mutilées, violées, traumatisées par les atrocités indescriptibles infligées à leurs amis et à leurs familles et finalement massacrées.

Je souligne une fois de plus que bon nombre de ces *génocidaires** étaient des enfants, forcés d'agir au mépris de leurs références morales et de leurs sentiments instinctifs. Des milliers de jeunes endoctrinés, drogués et victimes d'une hystérie de masse créée et entretenue par des adultes. Des adultes aidés et soutenus par les États-nations du monde, qui ont refusé de prêter assistance aux Rwandais en mettant fin à cette catastrophe humaine. Des adultes qui ont implacablement poursuivi leur objectif : exterminer tous les humains qu'ils considéraient comme « différents » d'eux, comme une menace pour eux. Des adultes qui ont décidé que le meilleur instrument pour y parvenir était les enfants, qu'ils ont encouragés à infliger des blessures physiques et psychologiques de façon créative, énergique, résolue et efficace.

Je me battrai tant et aussi longtemps que durera le recours aux enfants soldats. Je vous demande de m'accompagner dans cette mission. L'humanité de ces enfants est aussi réelle et valable que la vôtre, et je suis sûr que vous ne les laisserez pas tomber. Quel que soit le moyen d'action que vous choisirez, n'oubliez jamais que tous les humains sont humains, que nul d'entre nous n'est plus humain que les autres. Le défi est là et il n'attend que vous. Devenez militant : informez les autres, influencez la politique gouvernementale et l'opinion publique, soutenez les efforts d'une ONG, aidez l'humanité à aller au-delà du mal qu'elle fait.

Le moment est venu d'agir, et c'est à vous qu'il incombe de le faire. Allez vous engager sur le terrain. Allez respirer, goûter, sentir, voir, entendre et pleurer avec vos pairs, si nombreux à être affamés d'amour et à attendre impatiemment d'être tirés des griffes du conflit, eux qui espèrent renouer un jour avec le monde intérieur de l'enfance, eux qui espèrent aussi qu'on les aidera à devenir des adultes responsables, les mères et les pères d'une nouvelle génération d'enfants vivant heureux et en sécurité. Puis revenez dans votre propre foyer sûr et heureux, transfiguré après avoir vu de vos yeux l'impact sur vos pairs de leur utilisation comme instruments de conflit par des adultes dévoyés, et faites vôtre, avec passion, la cause de l'avancement des droits de la personne pour tous.

Faites valoir vos arguments nouvellement approfondis auprès des élites politiques de votre nation et rappelez-leur inlassablement la lourde responsabilité qui leur incombe de protéger, d'aider et d'intervenir.

*Peux ce que veux, allons-y*\*.

**L'action internationale dans le domaine de la protection des enfants et des enfants soldats**

Depuis quelques années, la communauté internationale s'intéresse beaucoup plus aux enfants affectés par les conflits armés et aux enfants soldats, en grande partie en raison du rapport révolutionnaire que Graça Machel a présenté à l'ONU en 1996. Les normes juridiques ont été sensiblement améliorées, et l'intérêt que suscite la question des enfants affectés par la guerre sur la scène internationale continue de croître, comme en témoigne le tableau suivant. J'espère sincèrement que cette tendance se poursuivra et surtout que les lois et les protocoles internationaux seront appliqués de manière à mettre un terme à l'impunité des coupables et à éliminer complètement le recours aux enfants soldats.

| | |
|---|---|
| 26 juin 1945 | **Charte des Nations unies** |
| 10 déc. 1948 | **Déclaration universelle des droits de l'homme** |
| 12 août 1949 | **Conventions de Genève (en particulier la Convention IV relative à la protection des personnes civiles en temps de guerre)** Prise en compte particulière des enfants de moins de quinze ans en temps de guerre (p. ex. protection des orphelins, nourriture adéquate et espace |

de jeux pour les détenus). Aucune référence aux enfants actifs dans les combats.

20 nov. 1959        **Déclaration des droits de l'enfant des Nations unies**
Passages pertinents : « L'enfant doit bénéficier d'une protection spéciale. »

« L'intérêt supérieur de l'enfant doit être la consi-dération déterminante. »

« L'enfant doit être protégé contre toute forme de négligence, de cruauté et d'exploitation. »

« L'enfant ne doit pas être admis à l'emploi avant d'avoir atteint un âge minimum appro-prié ; il ne doit en aucun cas être astreint ou auto-risé à prendre une occupation ou un emploi qui nuise à sa santé ou à son éducation, ou qui entrave son développement physique, mental ou moral. »

8 juin 1977        **Protocole additionnel aux conventions de Genève du 12 août 1949 relatif à la protection des victimes des conflits armés internationaux**
Passage pertinent : « Les Parties au conflit pren-dront toutes les mesures possibles dans la pra-tique pour que les enfants de moins de quinze ans ne participent pas directement aux hosti-lités, notamment en s'abstenant de les recruter dans leurs forces armées. »

20 nov. 1989    **Convention relative aux droits de l'enfant des Nations unies**
Passage pertinent : « Les États parties prennent toutes les mesures possibles dans la pratique pour veiller à ce que les personnes n'ayant pas atteint l'âge de quinze ans ne participent pas directement aux hostilités. »

11 juillet 1990    **Charte africaine des droits et du bien-être de l'enfant adoptée par l'Organisation de l'Unité africaine (aujourd'hui l'Union africaine)**
Remarque : la Charte n'est entrée en vigueur que le 29 novembre 1999.
Passages pertinents : « Aux termes de la présente Charte, on entend par enfant tout être humain âgé de moins de 18 ans. »

« Les États parties à la présente Charte prennent toutes les mesures nécessaires pour veiller à ce qu'aucun enfant ne prenne directement part aux hostilités et en particulier, à ce qu'aucun enfant ne soit enrôlé sous les drapeaux. »

29 sept. 1990    **Sommet mondial pour les enfants des Nations unies**
Document produit : « Plan d'action pour l'application de la déclaration mondiale en faveur de la survie, de la protection et du développement de l'enfant »

Les enfants ont besoin d'une protection spéciale dans les situations de conflit armé.

2 déc. 1993    L'Assemblée générale des Nations unies recommande au Secrétaire général de nommer un expert indépendant pour étudier l'impact des conflits armés sur les enfants.

26 août 1996    *L'Impact des conflits armés sur les enfants*: rapport de Graça Machel à l'Assemblée générale de l'ONU
Passages pertinents : « Recommandations spécifiques concernant l'enfant soldat :

a) [...] une campagne mondiale qui [...] tendrait à éliminer la conscription d'enfants de moins de 18 ans. Les médias devraient eux aussi être encouragés à dénoncer l'utilisation qui est faite des enfants comme combattants et à militer en faveur de leur démobilisation ;

b) Les organes des Nations Unies, les institutions spécialisées et institutions de la société civile internationale devraient [...] encourager la démobilisation immédiate des militaires n'ayant pas atteint l'âge minimum ;

c) Tous les accords de paix devraient comporter des dispositions spécifiques concernant la démobilisation et la réinsertion sociale des enfants soldats ;

d) Les États devraient [...] porter à 18 ans l'âge minimum du recrutement et de la participation aux forces armées. »

20 févr. 1997

**Résolution de l'Assemblée générale sur les enfants et les conflits armés et sur les droits des enfants**

Passage pertinent : « Demande aux États et autres parties à un conflit armé de prendre conscience du fait que les enfants réfugiés ou en exode interne risquent tout particulièrement d'être enrôlés dans les forces armées. »

Recommande aussi au Secrétaire général de désigner un représentant spécial chargé d'étudier l'impact des conflits armés sur les enfants.

27 avril 1997

**Symposium du Cap**

Document produit : « Principes et meilleures pratiques du Cap en ce qui concerne le recrutement d'enfants dans les forces armées et la démobilisation et la réinsertion sociale des enfants soldats en Afrique »

Passages pertinents : « Il faudrait repousser à 18 ans l'âge légal minimum de participation de toute personne aux hostilités et de recrutement sous quelque forme que ce soit dans une force armée ou un groupe armé. »

« Ceux qui recrutent des enfants qui n'ont pas l'âge légal devraient être poursuivis en justice. »

« Une cour pénale internationale permanente, dont la juridiction couvrirait notamment le recrutement illicite d'enfants, devrait être créée. »

| | |
|---|---|
| 19 août 1997 | **Le Secrétaire général de l'ONU nomme un représentant spécial pour les enfants et les conflits armés, Olara Otunnu.** |
| 12 mars 1998 | **Rapport sur les droits des enfants du représentant spécial du Secrétaire général pour les enfants et les conflits armés à la Commission des droits de l'homme** |
| Mai 1998 | **De grandes ONG internationales forment la Coalition pour mettre fin à l'utilisation des enfants soldats.** |
| 29 juin 1998 | **La question des enfants et des conflits armés est, pour la première fois, officiellement inscrite à l'ordre du jour du Conseil de sécurité, qui tient un débat et publie une déclaration du président à ce sujet.** |

Passages pertinents : « Le Conseil de sécurité condamne énergiquement le fait de prendre pour cible les enfants dans des situations de conflit armé, notamment les assassinats et les mutilations, les violences sexuelles, les enlèvements et le déplacement forcé, le recrutement et l'utilisation d'enfants dans les conflits armés en violation du droit international [...] et enjoint à toutes les parties concernées de mettre fin à de telles pratiques. »

« Le Conseil de sécurité exhorte toutes les parties concernées à s'acquitter scrupuleusement de leurs obligations en vertu du droit international, en particulier des conventions de Genève du 12 août 1949, ainsi que des obligations qui leur sont applicables en vertu des Protocoles additionnels de 1977 s'y rapportant et de la Convention des Nations Unies relative aux droits de l'enfant de 1989. »

17 juillet 1998    **Statut de Rome – Statut de la Cour pénale internationale (CPI)**
**On fait de la CPI non pas un organe de l'ONU, mais bien une organisation indépendante dotée d'un budget indépendant.**
Remarque : le Statut n'est entré en vigueur que le 1er juillet 2002.
Passage pertinent : « Le fait de procéder à la conscription ou à l'enrôlement d'enfants de moins de 15 ans dans les forces armées nationales ou de les faire participer activement à des hostilités [est un crime de guerre]. »

12 oct. 1998    **Protection des enfants touchés par les conflits armés : rapport du représentant spécial du Secrétaire général chargé d'étudier l'impact des conflits armés sur les enfants**

9 déc. 1998    **Résolution de l'Assemblée générale sur les enfants et les conflits armés et les droits des enfants**

17 juin 1999    **Convention 182 concernant l'interdiction des pires formes de travail des enfants et l'action immédiate en vue de leur élimination de l'Organisation internationale du Travail (OIT)**

Passages pertinents : « Aux fins de la présente convention, le terme "enfant" s'applique à l'ensemble des personnes de moins de 18 ans. »

« Aux fins de la présente convention, l'expression "les pires formes de travail des enfants" comprend :

a) le recrutement forcé ou obligatoire des enfants en vue de leur utilisation dans des conflits armés. »

[Remarque de Human Rights Watch : En juin 1999, on a fait du recours aux enfants soldats une question relative au travail des enfants : en effet, la Conférence internationale du Travail a inclus dans une nouvelle convention sur les pires formes de travail des enfants la prohibition du recrutement forcé des enfants pour fins de participation à des conflits armés. Des syndicats et un important regroupement de gouvernements, y compris ceux du Canada, du Danemark, de la France, de l'Italie, du Mexique, de la Norvège, de l'Espagne, de l'Uruguay et de tous les États africains, ont défendu une prohibition généralisée de toute participation d'enfants de moins de dix-huit ans à des conflits armés. Cependant, les États-Unis, soutenus par la Grande-Bretagne et les Pays-Bas, ont organisé une campagne énergique – et finalement couronnée de succès – en faveur d'une prohibition beaucoup plus restreinte du « recrutement forcé ou obligatoire des enfants en vue de leur utilisation dans des conflits armés ».]

7 juillet 1999 **Accord de paix de Lomé signé en Sierra Leone (contient un article spécifique sur les combattants enfants)**

Passage pertinent : « Le gouvernement accorde une attention particulière à la question des enfants soldats. En conséquence, il mobilise, au sein du pays et auprès de la communauté internationale, et en particulier du Bureau du représentant spécial de l'ONU pour les enfants et les conflits armés, de l'UNICEF et d'autres organismes, les ressources nécessaires pour répondre aux besoins particuliers de ces enfants dans les mécanismes existants de désarmement, de démobilisation et de réintégration. »

25 août 1999 **Résolution 1261 du Conseil de sécurité sur les enfants et les conflits armés**

Passages pertinents : « Le Conseil de sécurité se déclare vivement préoccupé par l'étendue et la gravité des dommages causés par les conflits armés aux enfants, de même que par les conséquences qui en résultent à long terme pour la paix, la sécurité et le développement durables. »

« Le Conseil de sécurité a conscience de l'incidence néfaste que la prolifération des armes, en particulier les armes légères, a sur la sécurité des civils, y compris les réfugiés et les autres groupes vulnérables, notamment les enfants. »

1er oct. 1999 **Protection des enfants touchés par les conflits armés : rapport du représentant spécial du**

Secrétaire général chargé d'étudier l'impact des conflits armés sur les enfants à l'Assemblée générale de l'ONU

29 nov. 1999    **Charte africaine des droits et du bien-être de l'enfant**
Passages pertinents : « Aux termes de la présente Charte, on entend par "enfant" tout être humain âgé de moins de 18 ans. »

« Les États parties à la présente Charte prennent toutes les mesures nécessaires pour veiller à ce qu'aucun enfant ne prenne directement part aux hostilités et en particulier, à ce qu'aucun enfant ne soit enrôlé sous les drapeaux. »

17 déc. 1999    **Résolution de l'Assemblée générale sur les enfants et les conflits armés et sur les droits des enfants**

9 févr. 2000    **Rapport sur les droits des enfants du représentant spécial du Secrétaire général pour les enfants et les conflits armés à la Commission des droits de l'homme**

23 mars 2000    **L'Assemblée paritaire de la Convention conclue entre les États d'Afrique, des Caraïbes et du Pacifique et l'Union européenne adopte une résolution contre l'utilisation des enfants soldats.**

25 mai 2000    **L'Assemblée générale adopte le Protocole facultatif à la Convention relative aux droits de l'en-**

fant, concernant l'implication d'enfants dans les conflits armés.

Remarque : le protocole facultatif n'est entré en vigueur que le 12 février 2002.

Passage pertinent : « Éviter que des enfants de moins de 18 ans ne prennent part aux hostilités. »

19 juillet 2000 **Premier rapport du Secrétaire général au Conseil de sécurité des Nations unies sur les enfants et les conflits armés**

11 août 2000 **Résolution 1314 du Conseil de sécurité sur les enfants et les conflits armés**

Passage pertinent : « Note que les pratiques consistant à prendre délibérément pour cible des populations civiles ou autres personnes protégées, y compris les enfants, et à commettre des violations systématiques, flagrantes et généralisées du droit international humanitaire et du droit relatif aux droits de l'homme, y compris aux droits de l'enfant, dans les situations de conflit armé peuvent constituer une menace contre la paix et la sécurité internationales et, à cet égard, réaffirme qu'il est prêt à examiner de telles situations et, au besoin, à adopter les mesures appropriées. »

Sept. 2000 *Traduire les engagements en actions concrètes :* **rapport final de la Conférence internationale sur les enfants touchés par la guerre, tenue à Winnipeg**

Passages pertinents : « Il faut demander instamment la ratification universelle et sans réserve de la Convention n° 182 de l'OIT et du Protocole facultatif, et en outre, que soit fixé à 18 ans l'âge minimum pour toutes formes de recrutement militaire. »

« Il importe d'assurer l'amnistie générale des enfants ayant participé au conflit. S'il est utile que les témoignages fournis dans le contexte des commissions de vérité et de réconciliation qui se déroulent à l'échelle communautaire fassent état des actes de violence commis par les enfants, on ne doit toutefois pas les criminaliser. »

« Les gouvernements doivent s'efforcer d'éliminer les fournitures et l'utilisation des armes légères, grenades et autres munitions dans les zones de conflit où les crimes contre l'humanité sont couramment commis ; les cas de violence à l'égard des enfants sont souvent l'indication la plus évidente de tels crimes. »

« La démobilisation et la réinsertion des filles soldates doivent faire l'objet d'une attention particulière. »

« Il faudrait cesser de produire et d'acheter des armes jouets pour les enfants afin de favoriser l'édification d'une culture de la paix (viser les fabricants de jouets qui incitent à la destruction). »

| 3 oct. 2000 | **Protection des enfants touchés par les conflits armés : rapport du représentant spécial du Secrétaire général chargé d'étudier l'impact des conflits armés sur les enfants à l'Assemblée générale de l'ONU** |
| --- | --- |
| 4 déc. 2000 | **Résolution de l'Assemblée générale sur les enfants et les conflits armés et sur les droits des enfants** |
| 26 janv. 2001 | **Session extraordinaire de l'Assemblée générale sur le suivi du Sommet mondial pour les enfants : *Étude Machel 1996-2000. Étude critique des progrès accomplis et des obstacles soulevés quant à l'amélioration de la protection accordée aux enfants touchés par la guerre*** Passages pertinents : « Malgré ces progrès remarquables, des enfants sont encore enrôlés. Il est même malheureusement possible que des enfants aient été recrutés de façon beaucoup plus délibérée au cours de récents conflits, non simplement parce qu'ils étaient sur place ou qu'ils coûtent relativement peu mais parce qu'ils sont plus faciles à conditionner à la violence et donc plus désireux que les adultes de commettre des atrocités. » |

« Le Conseil de sécurité a le devoir d'amener sans tarder la communauté internationale à adopter les recommandations de la présente étude et à supprimer l'impunité pour les crimes de guerre commis contre des enfants. La protection des enfants ne devrait pas faire l'objet de négociations.

Ceux qui financent, accréditent et soutiennent les guerres doivent être condamnés et rendre des comptes. On doit chérir les enfants, en prendre soin et leur épargner les effets pernicieux de la guerre. Les enfants ne peuvent pas attendre.»

7 sept. 2001    **Rapport du Secrétaire général sur les enfants et les conflits armés au Conseil de sécurité des Nations unies**

9 oct. 2001    **Protection des enfants touchés par les conflits armés : rapport du représentant spécial du Secrétaire général chargé d'étudier l'impact des conflits armés sur les enfants à l'Assemblée générale de l'ONU**

20 nov. 2001    **Résolution 1379 du Conseil de sécurité sur les enfants et les conflits armés**
Passage pertinent : « Prie en outre le Secrétaire général d'annexer à son rapport la liste des parties à des conflits armés qui recrutent ou utilisent des enfants en violation des dispositions internationales qui les protègent.»

19 déc. 2001    **Résolution de l'Assemblée générale sur les enfants et les conflits armés et sur les droits des enfants**

16 janv. 2002    **Établissement du Tribunal spécial pour la Sierra Leone**
Mandat : juger ceux qui portent la responsabilité des plus graves violations du droit humanitaire et des

lois de la Sierra Leone, commises sur le territoire du pays depuis le 30 novembre 1996. Voir « 20 juin 2007 » : première inculpation internationale pour des infractions relatives aux enfants soldats.

7 févr. 2002     **Rapport sur les droits des enfants du représentant spécial du Secrétaire général pour les enfants et les conflits armés à la Commission des droits de l'homme**

7 mai 2002     **Déclaration du président du Conseil de sécurité sur les enfants et les conflits armés**

8-10 mai 2002     **Session extraordinaire sur les enfants.**
Document produit : « Un monde digne des enfants »
Passages pertinents : « Les enfants doivent être protégés contre les horreurs des conflits armés. »

« Mettre un terme au recrutement et à l'utilisation d'enfants dans les conflits armés, en contravention du droit international, et assurer leur démobilisation et leur désarmement effectif et appliquer des mesures efficaces pour assurer leur réadaptation physique et psychologique et leur réinsertion sociale. »

« S'assurer que tous les personnels civils, militaires et policiers participant aux opérations de maintien de la paix reçoivent une formation théorique et pratique adéquate en matière de droits et de protection des enfants ainsi qu'en matière de droit international humanitaire. »

« Lutter contre le trafic d'armes légères ; protéger les enfants du danger que représentent les
mines terrestres, les munitions non explosées et
autre matériel de guerre dont ils peuvent être victimes ; et fournir une assistance aux enfants victimes de ces engins pendant et après les conflits
armés. »

24 sept. 2002     **Protection des enfants touchés par les conflits
armés : rapport du représentant spécial du
Secrétaire général chargé d'étudier l'impact
des conflits armés sur les enfants à l'Assemblée
générale de l'ONU**

26 nov. 2002     **Rapport du Secrétaire général sur les enfants
et les conflits armés au Conseil de sécurité des
Nations unies**

2003     **Publication :** *Manuel pratique pour le Protocole
facultatif relatif à l'implication d'enfants dans
les conflits armés*
Remarque : lecture indispensable pour tous les
jeunes.

2003     **Publication :** *Enfants et conflits armés – Normes
d'action internationales* **(Réseau de sécurité
humaine, représentant spécial du Secrétaire
général des Nations unies pour les enfants et
les conflits armés)**

30 janv. 2003     **Résolution 1460 du Conseil de sécurité sur les
enfants et les conflits armés**

Passage pertinent : « Notant que la conscription et l'enrôlement d'enfants de moins de 15 ans dans les forces armées nationales et le fait de les faire participer activement à des hostilités sont classés au nombre des crimes de guerre par le Statut de Rome de la Cour pénale internationale, qui vient d'entrer en vigueur. »

19 févr. 2003   **Résolution de l'Assemblée générale sur les enfants et les conflits armés et sur les droits des enfants**

3 mars 2003   **Rapport sur les droits des enfants du représentant spécial du Secrétaire général pour les enfants et les conflits armés à la Commission des droits de l'homme**

7 mars 2003   **Le Tribunal spécial pour la Sierra Leone accuse notamment l'ex-président du Liberia, Charles Taylor, d'avoir recruté des enfants soldats.**
C'est la première fois qu'un ex-chef d'État est inculpé pour crimes de guerre.

25 juin 2003   **Déclaration et programme d'action de Vienne**
Passage pertinent : « Il conviendrait de renforcer les mécanismes et programmes nationaux et internationaux de défense et de protection des enfants, en particulier [...] des enfants mêlés à des conflits armés. »

29 août 2003   **Protection des enfants touchés par les conflits armés : rapport du représentant spécial du**

Secrétaire général chargé d'étudier l'impact des conflits armés sur les enfants à l'Assemblée générale de l'ONU

10 nov. 2003    **Rapport du Secrétaire général sur les enfants et les conflits armés au Conseil de sécurité des Nations unies**

9 mars 2004    **Résolution de l'Assemblée générale sur les enfants et les conflits armés et sur les droits des enfants**

22 avril 2004    **Résolution 1539 du Conseil de sécurité sur les enfants et les conflits armés**
Passages pertinents : « Prie le Secrétaire général [...] de mettre au point d'urgence [...] un plan d'action pour un mécanisme systématique et global de surveillance et de communication de l'information [...] afin de disposer en temps voulu d'informations objectives, exactes et fiables sur le recrutement et l'utilisation d'enfants soldats [...] et sur d'autres violations et sévices commis contre les enfants touchés par les conflits armés. »

« Restant profondément préoccupé par l'absence de progrès sur le terrain, où les belligérants continuent de violer impunément les dispositions pertinentes du droit international relatives aux droits et à la protection des enfants dans les conflits armés. »

« Condamne énergiquement le recrutement et l'utilisation d'enfants soldats par les parties aux conflits armés. »

« Prend note avec une vive inquiétude de la persistance du recrutement et de l'utilisation des enfants, par les parties mentionnées dans le rapport du Secrétaire général, dans les situations de conflit armé à l'ordre du jour du Conseil, en violation du droit international applicable relatif aux droits et à la protection des enfants et, à cet égard : a) Demande à ces parties de préparer, dans les trois mois, des plans d'action concrets et à délais pour arrêter le recrutement et l'utilisation d'enfants en violation des obligations internationales qui leur sont applicables, en collaboration étroite avec les missions de maintien de la paix et les équipes de pays de l'Organisation des Nations unies, conformément à leurs mandats respectifs. »

3 juin 2004

**Début des procès instruits par le tribunal spécial pour la Sierra Leone**
Pour la première fois, une cour internationale affirme que le recrutement et l'utilisation d'enfants soldats relèvent de sa compétence et constituent un crime de guerre contraire au droit international et rejette une motion préliminaire voulant que le crime n'entraîne qu'une responsabilité pénale particulière.

8 oct. 2004

**Protection des enfants touchés par les conflits armés : rapport du représentant spécial du**

Secrétaire général chargé d'étudier l'impact des conflits armés sur les enfants à l'Assemblée générale de l'ONU

9 févr. 2005   **Rapport annuel du Secrétaire général au Conseil de sécurité des Nations unies, y compris sur les enfants et les conflits armés**

15 févr. 2005   **Rapport sur les droits des enfants du représentant spécial du Secrétaire général pour les enfants et les conflits armés à la Commission des droits de l'homme**

23 févr. 2005   Déclaration du président du Conseil de sécurité sur les enfants et les conflits armés

8 juillet 2005   **La CPI délivre un mandat d'arrêt contre Joseph Kony, chef de l'Armée de résistance du Seigneur (LRA), et d'autres commandants de la LRA pour crimes de guerre, y compris le recrutement forcé et l'utilisation d'enfants soldats pendant les hostilités.**

Juillet 2005   **Le Conseil de sécurité établit le Groupe de travail du Conseil de sécurité sur les enfants dans les conflits armés.**
Examine les rapports nationaux et négocie avec ceux qui se rendent coupables du crime de guerre qui consiste à recruter et à utiliser des enfants soldats ou adopter de sévères mesures contre eux.

Voir le mandat du Groupe de travail sous « 3 mai 2006 ».

Voir aussi les messages adressés par le Groupe de travail à des particuliers ou à des groupes armés, p. ex. celui du 20 juillet 2007.

| | |
|---|---|
| 26 juillet 2005 | **Résolution 1612 du Conseil de sécurité sur les enfants et les conflits armés**<br>Passages pertinents : « Gravement préoccupé par les liens avérés qui existent entre l'emploi d'enfants soldats en violation du droit international applicable et le trafic illicite d'armes légères et soulignant la nécessité pour tous les États de prendre des mesures pour prévenir et faire cesser ce trafic. »<br><br>« Prie le Secrétaire général d'instituer sans tarder le mécanisme susmentionné de surveillance et de communication de l'information. » |
| 31 juillet 2005 | **Fin du mandat d'Olara Otunnu comme représentant spécial** |
| 7 sept. 2005 | **Protection des enfants touchés par les conflits armés : rapport du représentant spécial du Secrétaire général chargé d'étudier l'impact des conflits armés sur les enfants à l'Assemblée générale de l'ONU** |
| 9 déc. 2005 | **Résolution de l'Assemblée générale sur les enfants et les conflits armés et sur les droits des enfants** |

| 2006 | **Examen stratégique décennal de l'étude Machel : *Les Enfants et les conflits dans un monde en mutation* ; suivi de l'étude historique *L'Impact des conflits armés sur les enfants*** |

Parmi les recommandations, on retrouve :

« Mettre un terme à l'impunité en cas de violations des droits des enfants. »

« Faire de la sécurité des enfants une priorité. »

« Intégrer les droits de l'enfant dans les activités de rétablissement et de consolidation de la paix et de prévention. »

Voir « 13 août 2007 », date à laquelle l'examen a été soumis à l'Assemblée générale des Nations unies.

7 févr. 2006    **Radhika Coomaraswamy est nommée représentante spéciale du Secrétaire général sur les enfants et les conflits armés.**

3 mai 2006    **Mandat du Groupe de travail du Conseil de sécurité sur les enfants et les conflits armés**

Passage pertinent : « Le Groupe de travail examine les informations relatives au respect des engagements pris et aux progrès accomplis pour ce qui est de faire cesser le recrutement et l'utilisation d'enfants, ainsi que les autres violations commises à l'encontre d'enfants. »

13 juin 2006    Rapport du Secrétaire général sur les enfants et les conflits armés en République démocratique du Congo

10 juillet 2006    Rapport sur les activités du Groupe de travail du Conseil de sécurité sur les enfants et les conflits armés depuis l'adoption de la résolution 1612 le 26 juillet 2005

24 juillet 2006    Déclaration du président du Conseil de sécurité sur les enfants et les conflits armés

17 août 2006    Rapport de la représentante spéciale du Secrétaire général pour les enfants et les conflits armés à l'Assemblée générale des Nations unies

17 août 2006    Rapport du Secrétaire général sur les enfants et le conflit armé au Soudan

8 sept. 2006    Groupe de travail du Conseil de sécurité : TOOLKIT et Conclusions concernant les parties au conflit armé en République démocratique du Congo

25 oct. 2006    Rapport du Secrétaire général sur les enfants et le conflit armé en Côte d'Ivoire

26 oct. 2006    Rapport annuel du Secrétaire général au Conseil de sécurité des Nations unies, y compris sur les enfants et les conflits armés

| | |
|---|---|
| 27 oct. 2006 | **Rapport du Secrétaire général sur les enfants et les conflits armés au Burundi** |
| 9 nov. 2006 | **Résolution de l'Assemblée générale sur les enfants et les conflits armés et sur les droits des enfants** |
| 28 nov. 2006 | **Déclaration du président du Conseil de sécurité sur les enfants et les conflits armés** |
| 1$^{er}$ déc. 2006 | **Conclusions du Groupe de travail du Conseil de sécurité sur les enfants et les conflits armés concernant les parties au conflit armé au Soudan** |
| 20 déc. 2006 | **Rapport du Secrétaire général sur les enfants dans les conflits armés au Népal** |
| 20 déc. 2006 | **Rapport du Secrétaire général sur les enfants dans les conflits armés au Sri Lanka** |
| 2007 | **Document issu de la conférence ci-dessus : « Les principes de Paris. Principes et lignes directrices sur les enfants associés aux forces armées ou aux groupes armés »** <br> Passages pertinents : « Un "enfant" est toute personne âgée de moins de 18 ans. » <br><br> « Le fait de mettre fin à l'impunité des personnes responsables du recrutement ou de l'utilisation illégale d'enfants dans les conflits armés et l'existence de mécanismes destinés à leur faire rendre des comptes peuvent constituer un outil de dissuasion efficace contre les violations de ce genre. » |

« Les enfants accusés d'avoir commis des crimes de droit international alors qu'ils étaient associés à des forces armées ou à des groupes armés doivent être considérés principalement comme les victimes d'atteintes au droit international, et non pas seulement comme les auteurs présumés d'infractions. »

« Les enfants ne devraient pas être poursuivis par une cour internationale ou un tribunal international. »

« On cherchera à appliquer au niveau national des procédures de substitution à la procédure judiciaire. »

« Si leur affaire donne lieu à une procédure judiciaire au niveau national, les enfants sont admis à bénéficier du niveau de garanties le plus élevé offert par le droit international et les normes correspondantes et aucun effort ne doit être épargné pour appliquer d'autres solutions que le placement de l'enfant en établissement. »

« Lorsqu'un grand nombre de personnes fait face à des procédures criminelles à la suite d'un conflit armé, les dossiers des enfants et des femmes détenues avec leurs nourrissons devraient être traités en priorité. »

5 févr. 2007    **Conférence internationale : « Libérons les enfants de la guerre »**

**Cinquante-huit gouvernements se réunissent à Paris pour s'engager à protéger les enfants contre leur utilisation et leur recrutement illégaux par des forces ou des groupes armés.**

Passage pertinent : « Même si nous avons évolué dans la bonne direction, aujourd'hui encore, dans plus d'une trentaine de situations jugées préoccupantes dans le monde, des enfants sont brutalisés et utilisés de manière impitoyable pour promouvoir les intérêts de certains adultes. On évalue à plus de 2 millions le nombre d'enfants tués par la guerre. Plus de 6 millions d'autres se retrouvent handicapés à vie. On estime le nombre d'enfants soldats à plus de 250 000. Des milliers de jeunes filles sont victimes de viols et d'autres formes de violence ou d'exploitation sexuelles. Le nombre de jeunes filles et garçons enlevés à leur foyer et à leur collectivité a atteint un niveau sans précédent. Les écoles et les hôpitaux qui devraient être des abris sûrs pour les enfants sont de plus en plus souvent les cibles de prédilection des groupes armés. » – Radhika Coomaraswamy

7 févr. 2007    **Rapport au Conseil des droits de l'homme du Bureau de la représentante spéciale du Secrétaire général pour les enfants et les conflits armés**

13 févr. 2007    **Conclusions du Groupe de travail du Conseil de sécurité concernant le Burundi**

13 févr. 2007    **Conclusions du Groupe de travail du Conseil de sécurité concernant la Côte d'Ivoire**

| | |
|---|---|
| 7 mai 2007 | **Rapport du Secrétaire général sur les enfants dans les conflits armés en Ouganda** |
| 7 mai 2007 | **Rapport du Secrétaire général sur les enfants dans les conflits armés en Somalie** |
| 15 juin 2007 | **Déclaration du président du Groupe de travail du Conseil de sécurité adressée aux dirigeants du Tamil Makkal Viduthalai Puligal et à sa branche militaire, la faction Karuna** |
| 15 juin 2007 | **Déclaration du président du Groupe de travail du Conseil de sécurité adressée aux chefs des Tigres de libération de l'Eelam Tamoul** |
| 15 juin 2007 | **Conclusions du Groupe de travail du Conseil de sécurité concernant le Sri Lanka** |
| 15 juin 2007 | **Conclusions du Groupe de travail du Conseil de sécurité concernant le Népal** |
| 20 juin 2007 | **Premiers jugements du Tribunal spécial sur la Sierra Leone** Alex Tamba Brima et deux autres leaders des milices du Conseil révolutionnaire des forces armées sont reconnus coupables sous onze chefs d'accusation, y compris la conscription ou l'enrôlement d'enfants de moins de quinze ans dans des forces ou des groupes armés ou le recours à ces derniers comme participants actifs à des hostilités. |

C'est la première fois qu'une cour internationale reconnaît des accusés coupables de crimes relatifs aux enfants soldats, ce qui constitue un important précédent.

28 juin 2007      **Rapport du Secrétaire général sur les enfants et les conflits armés en République démocratique du Congo**

3 juillet 2007    **Rapport du Secrétaire général sur les enfants et les conflits armés au Tchad**

10 juillet 2007   **Rapport annuel sur les activités du Groupe de travail du Conseil de sécurité sur les enfants et les conflits armés**

20 juillet 2007   **Déclaration du président du Groupe de travail du Conseil de sécurité adressée à toutes les parties au conflit en Somalie**

20 juillet 2007   **Message adressé au chef de la délégation de l'Armée de résistance du Seigneur aux pourparlers de paix de Juba par la voie d'une déclaration publique du président du Groupe de travail transmise par l'Envoyé spécial pour les zones touchées par ce groupe armé**

20 juillet 2007   **Conclusions du Groupe de travail du Conseil de sécurité concernant l'Ouganda**

20 juillet 2007   **Conclusions du Groupe de travail du Conseil de sécurité concernant la Somalie**

13 août 2007   **Rapport de la représentante spéciale du Secrétaire général pour les enfants et les conflits armés à l'Assemblée générale des Nations unies, y compris l'examen stratégique du rapport Machel, dix ans après**

Passages pertinents : « De nombreux conflits se prolongent au-delà de la période de l'enfance. Le présent rapport est centré sur les enfants mais l'analyse s'étend parfois aux jeunes, groupe que l'Assemblée générale a défini comme étant âgé de 15 à 24 ans. Nous devons reconnaître les capacités et l'activité des enfants et des jeunes et éviter de les considérer comme des êtres vulnérables ou comme des délinquants représentant une menace pour la sécurité. En outre, ce sont les adultes qui créent des environnements de conflit et de violence. »

« Si d'un point de vue normatif, on note des progrès importants en ce qui concerne le problème du recrutement ou de l'emploi d'enfants soldats au cours des 10 dernières années, un grand nombre de garçons et de filles continuent toutefois de servir en tant que combattants, cuisiniers, porteurs et messagers et à être utilisés à des fins sexuelles. Depuis 2002, le Secrétaire général maintient une liste des parties qui recrutent ou utilisent des enfants dans les situations de conflit armé dans 18 pays. Cette estimation représente le chiffre le plus bas ; en 2004, la Coalition pour mettre fin à l'utilisation des enfants soldats a identifié 43 pays où étaient "indiqués" des recrutements ou des emplois illégaux. »

« Au cours des années récentes, la communauté internationale a concentré son attention sur le fléau des enfants soldats et j'ai accordé la priorité à cette question afin de préserver l'élan considérable existant et de commencer d'en retirer des bénéfices réels pour l'application de normes internationales visant à faire cesser cette pratique. J'ai également accordé une attention prioritaire aux filles en situation de conflit car, alors que leur sort, leur situation et leurs expériences sont souvent les plus désespérants, ces filles sont marginalisées et stigmatisées en raison des violences qu'elles ont subies. »

« J'ai également été vivement préoccupée de l'ampleur des violences sexuelles commises dans la partie est du pays [la RDC] et de l'impunité dont bénéficient ces crimes. J'ai visité l'hôpital de Panzi et parlé à de nombreuses filles qui avaient subi des viols multiples et des humiliations. »

« Des viols ou autres actes de violence sexuelle graves continuent d'être commis de manière généralisée dans presque toutes les situations de conflit, lesquels peuvent prendre la forme d'esclavage sexuel, de prostitution forcée, de mutilation sexuelle ou d'autres formes de brutalité. En République démocratique du Congo, le climat d'impunité a entraîné une violence sexuelle rampante, les enfants représentent un taux alarmant de 33 % des victimes. »

« Les attaques contre des écoles ou des hôpitaux, y compris l'occupation, le bombardement ou la destruction d'installations, de même que la maltraitance des personnes, ont considérablement augmenté au cours des dernières années. Ces attaques non seulement portent un préjudice direct aux personnes visées, mais limitent sévèrement l'accès des autres personnes aux services de base. »

« Un certain nombre d'autres problèmes liés aux conflits, ne figurant pas parmi les six violations graves, ont un impact important sur la vie des enfants. On a souligné que la détention illégale était une violation exigeant plus d'attention. »

« Trop souvent, les efforts de réintégration attirent maladroitement l'attention sur les anciens enfants soldats, ce qui perpétue leur stigmatisation. De même, fournir des prestations en espèces aux enfants qui retournent dans leur communauté peut être perçu comme une récompense de leur participation à des violences. Dans la mesure du possible, les efforts de réintégration devraient viser l'ensemble des enfants touchés plutôt que certains groupes. Ainsi, en République démocratique du Congo et en Sierra Leone, une approche judicieuse a consisté à fournir du matériel scolaire aux écoles acceptant des enfants démobilisés, ce qui a été bénéfique pour l'ensemble des élèves. »

| | |
|---|---|
| 29 août 2007 | Rapport du Secrétaire général sur les enfants et le conflit armé au Soudan |
| 30 août 2007 | Rapport du Secrétaire général sur les enfants et le conflit armé en Côte d'Ivoire |
| 24 sept. 2007 | Conclusions du Groupe de travail du Conseil de sécurité concernant le Tchad |
| 1er oct. 2007 | Déclaration sur les enfants et les conflits armés à la conférence ministérielle |
| 25 oct. 2007 | Conclusions du Groupe de travail du Conseil de sécurité concernant la République démocratique du Congo |
| 16 nov. 2007 | Rapport du Secrétaire général sur les enfants et les conflits armés au Myanmar |
| 28 nov. 2007 | Rapport du Secrétaire général sur les enfants et le conflit armé au Burundi |
| 21 déc. 2007 | Rapport annuel du Secrétaire général au Conseil de sécurité des Nations unies, y compris sur les enfants et les conflits armés |
| 21 déc. 2007 | Rapport du Secrétaire général sur les enfants et le conflit armé au Sri Lanka |
| 1er févr. 2008 | Conclusions du Groupe de travail du Conseil de sécurité concernant la Côte d'Ivoire |

12 févr. 2008    Déclaration du président du Conseil de sécurité
sur les enfants et les conflits armés

15 févr. 2008    Conclusions du Groupe de travail du Conseil de
sécurité concernant les parties au conflit armé
au Burundi

20 févr. 2008    Conclusions du Groupe de travail du Conseil de
sécurité concernant les parties au conflit armé
au Soudan

22 févr. 2008    Résolution de l'Assemblée générale sur les enfants
et les conflits armés et sur les droits des enfants

25 mars 2008    Conclusions concernant les enfants et le conflit
armé en Côte d'Ivoire – Rectificatif

18 avril 2008    Rapport du Secrétaire général sur les enfants et
le conflit armé au Népal

24 avril 2008    Rapport du Secrétaire général sur les enfants et
les conflits armés aux Philippines

30 mai 2008    Rapport du Secrétaire général sur les enfants et
les conflits armés en Somalie

23 juin 2008    Rapport additionnel du Secrétaire général sur
les enfants et le conflit armé en Ouganda

27 juin 2008    Rapport au Conseil des droits de l'homme du
Bureau de la représentante spéciale du Secrétaire
général pour les enfants et les conflits armés

11 juillet 2008    **Rapport annuel sur les activités du Groupe de travail du Conseil de sécurité sur les enfants et les conflits armés**

17 juillet 2008    **Le Conseil de sécurité tient un débat public sur les enfants et les conflits armés.**
Adopte une déclaration présidentielle condamnant également les six violations des droits des enfants dans les conflits :

1. l'assassinat ou la mutilation d'enfants ;

2. le recrutement ou l'emploi d'enfants soldats par des groupes armés et des forces armées ;

3. le viol d'enfants ou autres actes graves de violence sexuelle ;

4. l'enlèvement ;

5. les attaques dirigées contre des écoles ou des hôpitaux ;

6. le refus d'autoriser l'accès des organismes humanitaires aux enfants.

17 juillet 2008    **Déclaration du président du Conseil de sécurité sur les enfants et les conflits armés**

25 juillet 2008    **Conclusions du Groupe de travail du Conseil de sécurité concernant les enfants et le conflit armé au Myanmar**

| | |
|---|---|
| 6 août 2008 | Rapport de la représentante spéciale du Secrétaire général pour les enfants et les conflits armés à l'Assemblée générale des Nations unies |
| 7 août 2008 | Rapport du Secrétaire général sur les enfants et le conflit armé au Tchad |
| 3 oct. 2008 | Conclusions du Groupe de travail du Conseil de sécurité concernant les enfants et le conflit armé aux Philippines |
| 21 oct. 2008 | Conclusions du Groupe de travail du Conseil de sécurité concernant les enfants et le conflit armé au Sri Lanka |
| 10 nov. 2008 | Rapport du Secrétaire général sur les enfants et les conflits armés en République démocratique du Congo |
| 10 nov. 2008 | Rapport du Secrétaire général sur les enfants et les conflits armés en Afghanistan |
| 5 déc. 2008 | Conclusions du Groupe de travail du Conseil de sécurité concernant les enfants et le conflit armé au Népal |
| 5 déc. 2008 | Conclusions du Groupe de travail du Conseil de sécurité concernant les enfants et le conflit armé en Ouganda |

| | |
|---|---|
| 5 déc. 2008 | Conclusions du Groupe de travail du Conseil de sécurité concernant les enfants et le conflit armé en Somalie |
| 5 déc. 2008 | Conclusions du Groupe de travail du Conseil de sécurité concernant les enfants et le conflit armé au Tchad |
| 26 janv. 2009 | La CPI amorce le procès de Thomas Lubanga Dyilo, accusé d'avoir enrôlé et conscrit des enfants de moins de quinze ans comme soldats et de les avoir utilisés dans des combats actifs entre septembre 2002 et août 2003. |
| 3 févr. 2009 | Rapport du Secrétaire général sur les enfants et les conflits armés en République centrafricaine |
| 10 févr. 2009 | Rapport du Secrétaire général sur les enfants et le conflit armé au Soudan |
| 13 mars 2009 | Résolution de l'Assemblée générale sur les enfants et les conflits armés et les droits des enfants |
| 26 mars 2009 | Rapport annuel du Secrétaire général au Conseil de sécurité des Nations unies, y compris sur les enfants et les conflits armés |
| 29 avril 2009 | Déclaration du président du Conseil de sécurité sur les enfants et les conflits armés |
| 1er juin 2009 | Rapport du Secrétaire général sur les enfants et les conflits armés au Myanmar |

| | |
|---|---|
| 25 juin 2009 | Rapport du Secrétaire général sur les enfants et le conflit armé au Sri Lanka |
| 13 juillet 2009 | Conclusions du Groupe de travail du Conseil de sécurité concernant les enfants et les conflits armés en République démocratique du Congo |
| 13 juillet 2009 | Conclusions du Groupe de travail du Conseil de sécurité concernant les enfants et le conflit armé en République centrafricaine |
| 13 juillet 2009 | Conclusions du Groupe de travail du Conseil de sécurité concernant les enfants et le conflit armé en Afghanistan |
| 22 juillet 2009 | Rapport annuel sur les activités du Groupe de travail du Conseil de sécurité sur les enfants et les conflits armés |
| 30 juillet 2009 | Rapport au Conseil des droits de l'homme du bureau de la représentante spéciale du Secrétaire général pour les enfants et les conflits armés |
| 4 août 2009 | Résolution 1882 du Conseil de sécurité sur les enfants et les conflits armés<br>Passages pertinents : « Profondément préoccupé par l'absence de progrès sur le terrain dans certaines situations préoccupantes où les belligérants continuent de violer impunément les dispositions du droit international relatives aux droits et à la protection des enfants dans les conflits armés. » |

« Rappelant la responsabilité qu'ont tous les États de mettre fin à l'impunité et de poursuivre quiconque est responsable de génocide, de crimes contre l'humanité, de crimes de guerre et autres crimes odieux commis sur la personne d'enfants. »

« Se félicitant que plusieurs personnes qui auraient commis des crimes à l'encontre d'enfants dans des situations de conflit armé ont été traduites en justice par les systèmes judiciaires nationaux et les mécanismes judiciaires internationaux ainsi que les cours et tribunaux pénaux mixtes. »

« Condamne fermement toutes les violations du droit international applicable concernant le recrutement et l'emploi d'enfants par des parties à un conflit armé. »

« Se félicite des efforts déployés par le Département des opérations de maintien de la paix pour intégrer la protection des enfants dans les missions de maintien de la paix. »

| | |
|---|---|
| 6 août 2009 | **Rapport de la représentante spéciale du Secrétaire général pour les enfants et les conflits armés à l'Assemblée générale des Nations unies** |
| 28 août 2009 | **Rapport du Secrétaire général sur les enfants et le conflit armé en Colombie** |
| 10 sept. 2009 | **Rapport du Secrétaire général sur les enfants et le conflit armé au Burundi** |

| | |
|---|---|
| 15 sept. 2009 | Rapport du Secrétaire général sur les enfants et le conflit armé en Ouganda |
| 14 oct. 2009 | Publication du premier document de travail du Bureau du représentant spécial du Secrétaire général pour les enfants et les conflits armés |
| 28 oct. 2009 | Conclusions du Groupe de travail du Conseil de sécurité concernant les enfants et le conflit armé au Myanmar |
| 21 déc. 2009 | Conclusions du Groupe de travail du Conseil de sécurité concernant les enfants et le conflit armé au Burundi |
| 21 déc. 2009 | Conclusions du Groupe de travail du Conseil de sécurité concernant les enfants et le conflit armé au Soudan |
| 21 janv. 2010 | Rapport du Secrétaire général sur les enfants et les conflits armés aux Philippines |
| 3 mars 2010 | Résolution de l'Assemblée générale sur les enfants et les conflits armés et les droits des enfants |
| 13 avril 2010 | Rapport annuel du Secrétaire général au Conseil de sécurité des Nations unies, y compris sur les enfants et les conflits armés |
| 13 avril 2010 | Rapport du Secrétaire général sur les enfants et le conflit armé au Népal |

2 juin 2010    **Rapport transversal du Conseil de sécurité sur les enfants et les conflits armés**

Depuis plus de dix ans, l'impact de la guerre sur les enfants est au cœur des préoccupations du Conseil de sécurité. La sensibilisation à cette question est aujourd'hui beaucoup plus grande et certaines données laissent penser que l'inclusion des principes de la protection des enfants dans les décisions rendues par le Conseil relativement à des cas précis produit certains effets. Cependant, le Conseil se heurte toujours aux réticences de certains gouvernements. Et il est toujours aussi difficile d'exercer des pressions efficaces sur les acteurs non gouvernementaux qui recrutent des enfants soldats.

# LECTURES RECOMMANDÉES

Abani, Chris, *Song for Night: A Novella*, Akashic Books, 2007.

Alfredson, Lisa S., *Creating Human Rights: How Noncitizens Made Sex Persecution Matter to the World*, University of Pennsylvania Press, 2008.

Bass, Gary J., *Freedom's Battle: The Origins of Humanitarian Intervention*, Knopf, 2008.

Beah, Ishmael, *Le Chemin parcouru. Mémoires d'un enfant soldat*, traduit de l'anglais par Jacques Martinache, Presses de la Cité, coll. « Document », 2007.

Blaker, Lisa, *Heart of Darfur*, Hodder & Stoughton, 2008.

Boutwell, Jeffrey et Michael T. Klare, *Light Weapons and Civil Conflict: Controlling the Tools of Violence*, Rowman & Littlefield Publishers, 1999.

Boyden, Jo et Joanna de Berry (dir.), *Children and Youth on the Front Line: Ethnography, Armed Conflict and Displacement*, Berghahn Books, 2004.

Brett, Rachel et Irma Specht, *Young Soldiers: Why They Choose to Fight*, Lynne Rienner Publishers, 2004.

Briggs, Jimmie, *Innocents Lost: When Child Soldiers Go to War*, Basic Books, 2005.

Cameron, Sara, *La Paix pour les enfants*, traduit de l'anglais par Agnès Piganiol, Flammarion, 2002.

Commission pour l'Afrique, *Notre intérêt commun. Rapport de la Commission pour l'Afrique*, http://ocpa.irmo.hr/resources/docs/Commission_for_Africa_Report-fr.pdf, 2005.

Cook, Kathy, *Stolen Angels: The Kidnapped Girls of Uganda*, Penguin Canada, 2007.

Cooper, Robert, *La Fracture des nations. Ordre et chaos au xxi^e siècle*, traduit de l'anglais par Philippe Rouard, Denoël, coll. « Médiations », 2004.

Coulter, Chris, *Bush Wives and Girl Soldiers: Women's Lives through War and Peace in Sierra Leone*, Cornell University Press, 2009.

Dallaire, Roméo, *J'ai serré la main du diable. La faillite de l'humanité au Rwanda*, traduit de l'anglais par Jean-Louis Morgan, Libre Expression, 2003.

Denov, Myriam, *Child Soldiers: Sierra Leone's Revolutionary United Front*, Cambridge University Press, 2010.

Dongala, Emmanuel, *Johnny Chien Méchant*, Le Serpent à plumes, coll. « Fiction française », 2002.

Douglas, I., C. Gleichmann, M. Odenwald, K. Steenken et A. Wilkinson, *Disarmament, Demobilisation and Reintegration: A Practical Field and Classroom Guide*, German Technical Co-operation, The Norwegian Defence International Centre, Pearson Peacekeeping Centre/Centre Pearson pour le maintien de la paix, Swedish National Defence College, 2004.

Eggers, Dave, *Le Grand Quoi. Autobiographie de Valentino Achak Deng*, traduit de l'anglais par Samuel Todd, Gallimard, coll. « Du monde entier », 2009.

Filipović, Zlata, *Le Journal de Zlata*, traduit du serbo-croate par Alain Cappon, Pocket, 1995.

Franck, Frederick, Janis Roze et Richard Connolly (dir.), *What Does It Mean to Be Human? Reverence for Life Reaffirmed by Responses from around the World*, St. Martin's Press, 2000.

Gates, Scott et Simon Reich (dir.), *Child Soldiers in the Age of Fractured States*, University of Pittsburg Press, 2009.

Gow, Melanie, Kathy Vandergrift et Randini Wanduragala, *The Right to Peace: Children and Armed Conflict (Working paper No. 2)*, Vision mondiale internationale, 2000.

Honwana, Alcinda, *Child Soldiers in Africa*, University of Pennsylvania Press, 2005.

Ignatieff, Michael, *L'Honneur du guerrier. Guerre ethnique et conscience moderne*, traduit de l'anglais par Jude Des Chênes, Presses de l'Université Laval, coll. « Prisme », 2000.

Iweala, Uzodinma, *Bêtes sans patrie*, traduit de l'anglais par Alain Mabanckou, L'Olivier, 2008.

Jal, Emmanuel, *War Child: A Child Soldier's Story*, St. Martin's Press, 2009.

Kahn, Leora et Luis Moreno Ocampo, *Child Soldiers*, powerHouse Books, 2008.

Kamara, Mariatu, *Le Sang de la mangue*, traduit de l'anglais par Hélène Rioux, La courte échelle, 2009.

Kapuściński, Ryszard, *Cet Autre*, traduit du polonais par Véronique Patte, Plon, coll. « Feux croisés », 2009.

Keane, Fergal, *Season of Blood: A Rwandan Journey*, Penguin UK, 1997.

Keitetsi, China, *La Petite Fille à la Kalachnikov. Ma vie d'enfant soldat*, traduit de l'anglais par Danièle Fayer-Stern, GRIP, coll. « Les livres du GRIP », 2004.

Kuper, Jenny, *Military Training and Children in Armed Conflict: Law, Policy and Practice*, Martinus Nijhoff Publishers, 2005.

Kuperman, Alan J., *The Limits of Humanitarian Intervention: Genocide in Rwanda*, Brookings Institution Press, 2001.

Lebeau, Suzanne, *Le Bruit des os qui craquent*, Éditions Théâtrales, 2009.

London, Charles, *One Day the Soldiers Came: Voices of Children in War*, HarperCollins, 2007.

Louyot, Alain, *Les Enfants soldats*, Perrin, 2007.

Machel, Graça, *L'Impact des conflits armés sur les enfants*, http://
daccess-dds-ny.un.org/doc/UNDOC/GEN/N96/219/56/PDF/
N9621956.pdf?OpenElement.

Mandela, Nelson, *Un long chemin vers la liberté*, traduit de l'anglais par Jean Guiloineau, Fayard, 1995.

McDonnell, Faith et Grace Akallo, *Girl Soldier: A Story of Hope
for Northern Uganda's Children*, Chosen, 2007.

McKay, Sharon, *War Brothers*, Puffin Canada, 2008.

McKay, Susan et Dyan Mazurana, *Où sont les filles ? La vie des
filles enrôlées dans les forces et groupes armés pendant et après
un conflit : les cas du nord de l'Ouganda, de la Sierra Leone et du
Mozambique*, traduit de l'anglais par Claudine Vivier, Droits
et Démocratie, 2004.

McMahan, Jeff, *Killing in War*, Oxford University Press, 2009.

McRae, Rob et Don Hubert (dir.), *Human Security and the New
Diplomacy: Protecting People, Promoting Peace*, Carleton University Press, 2001.

Meharg, Sarah Jane (dir.), *Helping Hands and Loaded Arms: Navi-
gating the Military and Humanitarian Space*, McGill-Queen's
University Press, 2010.

Mensah, David, *Kwabena Kwabena: An African Boy's Journey of
Faith*, Essence Publishing, 1998.

Novak, David, *In Defense of Religious Liberty*, Intercollegiate Stu-
dies Institute, 2009.

Ramcharan, Bertrand, *The Quest for Protection: A Human Rights
Journey at the United Nations*, The Human Rights Observa-
tory, 2009.

Rosen, David M., *Armies of the Young: Child Soldiers in War and
Terrorism*, Rutgers University Press, 2005.

Saint-Exupéry, Antoine de, *Le Petit Prince*, Gallimard, 1946.

Shephard, Michelle, *Guantanamo's Child: The Untold Story of
Omar Khadr*, John Wiley & Sons, Canada, 2008.

Singer, P.W., *Children at War*, Pantheon, 2005.

Stratton, Allan, *Les Guerres de Chanda*, traduit de l'anglais par Sidonie Van Den Dries, Bayard Jeunesse, coll. « MilléZime », 2009.

Temmerman, Els de, *Les Enlèvements d'enfants dans le nord de l'Ouganda. Les filles d'Aboke*, s.t., L'Harmattan, coll. « Écrire l'Afrique », 2005.

Walters, Eric et Arian Bradbury, *When Elephants Fight: The Lives of Children in Conflict in Afghanistan, Bosnia, Sri Lanka, Sudan and Uganda*, Orca Book Publishers, 2008.

Wessells, Mike, *Child Soldiers: From Violence to Protection*, Harvard University Press, 2007.

Westley, Frances, Brenda Zimmerman et Michael Patton, *Getting to Maybe: How the World is Changed*, Random House Canada, 2006.

Zartman, I. William (dir.), *Peacemaking in International Conflict: Methods and Techniques*, United States Institute of Peace Press, 1996.

# SITES WEB RECOMMANDÉS

**Amnesty International (Amnistie internationale)**
http://www.amnesty.org/fr/children

**Child's Rights information Network**
http://www.crin.org/francais/index.asp

**Child Soldier Relief**
http://childsoldierrelief.org/

**Coalition pour mettre fin à l'utilisation des enfants soldats**
http://www.child-soldiers.org/fr/accueil

**Human Rights Watch**
http://www.hrw.org/fr

**Organisation internationale du travail (OIT)/Programme international pour l'élimination du travail des enfants (IPEC)**
http://www.ilo.org/ipec/areas/Armedconflict/lang--fr/index.htm

**Network of Young People Affected by War**
http://www.nypaw.org/

**Bureau du représentant spécial du Secrétaire général pour les enfants et les conflits armés**
http://www.un.org/children/conflict/french/index.html

**Save the Children**
http://www.savethechildren.org

**Child Soldiers Initiative (Initiative Enfants soldats)**
http://childsoldiersinitiative.org/

**UNICEF**
http://www.unicef.org/french/

**UN Child Soldiers World Map**
http://www.un.org/children/conflict/_media/worldmap/worldmap.html

**War Child International Network**
http://www.warchild.org/

**Watchlist on Children and Armed Conflict**
http://www.watchlist.org/

# REMERCIEMENTS

Il y a soixante-quinze ans, Antoine de Saint-Exupéry s'est écrasé dans le désert du Sahara, où il est resté prisonnier pendant des jours, en proie à une soif, à une faim, à une chaleur et à des hallucinations inimaginables. Il a raconté cette histoire dix ans plus tard, du point de vue de l'enfant qu'il avait été, de l'âme d'enfant qui subsiste en chacun de nous. *Le Petit Prince* a été publié au beau milieu de la Seconde Guerre mondiale. Un livre d'une tendre innocence pour une époque marquée par une impitoyable réalité.

Souvent, cette transformation humaine naturelle, ce passage de l'innocence à l'expérience, survient trop vite, trop tôt, trop cruellement. Il en va ainsi pour la métamorphose de l'enfant en enfant soldat.

Depuis mon retour du Rwanda, les horreurs dont j'ai été témoin ne m'ont jamais quitté. Je les porte en moi, même si j'ai tenté de mon mieux d'exorciser certains démons en relatant mon expérience dans *J'ai serré la main du diable*. Mais il restait une horreur que je n'étais pas disposé à laisser aller, une horreur si terrible qu'elle était inimaginable, inconcevable, même si elle représentait aussi une réalité constante, tangible. Une horreur qui persiste encore aujourd'hui, dans plusieurs régions du monde, et qui doit tout simplement être éradiquée: l'utilisation des enfants comme soldats.

Pour le soutien qu'ils m'ont assuré pendant l'écriture du présent livre, je suis reconnaissant aux personnes suivantes.

Antoine de Saint-Exupéry, créateur d'un personnage d'enfant qui incarne le véritable sens de l'enfance ; il rappelle à ses lecteurs les choses importantes que seuls les jeunes peuvent comprendre, exprimer et accomplir.

Ma famille : ma femme, mes enfants et ma première petite-fille – dans l'espoir que le sort des enfants soldats lui sera épargné, mais qu'elle n'oubliera jamais ceux qui ont moins de chance.

Anne Collins, de Random House Canada, mon éditrice, ma championne, mon amie, pour ses encouragements et sa patience, sans oublier son engagement envers le projet et le sentiment d'urgence que lui inspire cette cause.

Les membres de mon équipe de recherche : Brent Beardsley, pour sa force et ses profondes connaissances, Jessica Humphreys, pour son indéfectible empathie et sa belle plume, Tanya Zayed, pour le dévouement et le savoir-faire qu'elle a mis au service du livre, des enfants affectés par la guerre et de l'Initiative Enfants soldats.

Ishmael Beah qui, par son exemple de courage, en inspire d'autres.

Ceux et celles qui ont partagé avec moi des idées, des connaissances, des récits précieux et du soutien : le brigadier-général Greg Mitchell (à la retraite), David Hyman, Imran Ahmad, le colonel Joseph Culligan (à la retraite), Linda Dale, Scott Davies, Dickson Eyoh, Caroline Fahmy, Nigel Fisher, Phil Lancaster, Marion Laurence, Sandra Melone, Maria Minna, Michael Montgomery, Jacqueline O'Neil, Ajmal Pashtoonyar, Diana Rivington, Michael Shipler, Sarah Spencer, Zeph Gahamanyi, Leo Kabalisa, Ruth Kambali, Muhammad Kayihura, Franko Ntazinda, Solange Umwali et John Ruku-Rwabyoma.

Les organismes suivants, qui ont également partagé avec nous des idées, des connaissances et des récits précieux : les Forces canadiennes (colonel Jake Bell), le Centre d'études de la politique étrangère de l'Université Dalhousie (Shelly Whitman), la Police régionale d'Halifax (sergente Penny Hart), Invisible Children, McGill University-Harvard Humanitarian Initiative (Kirsten Johnson), The Network of Young People Affected by War (NYPAW), le Centre pour le maintien de la paix Pearson (Ken Nette, Ann Livingstone), Public Inc. (Adrian Bradbury), la School of Child and Youth Care de l'Université de Victoria (Sibylle Artz et Marie Hoskins), le Global College de l'Université de Winnipeg (Tom Faulkner) et Search for Common Ground.

Et pour leurs contributions, leur soutien et leurs mille gentillesses : Victor Amissi Sulubika, Kimberly Davis, Helga Holland, David Humphreys, David Hyman, Alana Kapell, Hélène Ladouceur, Casimir et Imogène Legrand, Findley Shepherd-Humphreys et Brock Shepherd, Alison Syme et l'équipe de Random House Canada, en particulier Scott Richardson, dessinateur-maquettiste du livre, Ben Weeks, artiste perspicace qui a illustré le monde de mon enfant soldat fictif, Stacey Cameron, correctrice, Scott Sellers, agent de publicité, Deirdre Molina, éditrice en chef et Carla Kean, directrice de production.

Enfin, mes remerciements vont à Serge Bernier, professeur associé du département d'histoire de l'UQAM et ami de longue date, qui a vérifié la version française, aux deux traducteurs, Lori Saint-Martin et Paul Gagné, qui ont fait un travail formidable dans un délai qui défie ma compréhension, et à toute l'équipe de Groupe Librex, avec laquelle je suis liée depuis maintenant sept ans. Vous avez toute ma reconnaissance pour votre rigueur, votre professionnalisme et votre soutien indéfectible.

# INDEX

Membre des Forces canadiennes pendant trente-sept ans, le lieutenant-général retraité Roméo Dallaire siège aujourd'hui au Sénat canadien. Dans son livre couronné par un Prix du Gouverneur général, *J'ai serré la main du diable*, il a dénoncé l'incapacité de la communauté internationale à mettre un terme au pire génocide du xx$^e$ siècle. On en a tiré un documentaire récompensé par un Emmy Award de même qu'un long métrage de fiction. L'ouvrage a également été cité comme preuve dans le cadre des procès pour crimes de guerre intentés contre les auteurs du génocide rwandais. L'honorable Roméo Dallaire a reçu de multiples honneurs et récompenses, en particulier le titre d'Officier de l'Ordre du Canada en 2002, celui de Grand Officier de l'Ordre national du Québec en 2005, le prix Aegis pour la prévention des génocides décerné par l'Aegis Trust (Royaume-Uni) et la médaille Pearson pour la paix, attribuée par l'Association canadienne pour les Nations unies, en 2005. Champion des droits de la personne, il s'occupe notamment de la prévention des génocides, de la non-prolifération des armes nucléaires et de l'Initiative Enfants soldats, qui s'efforce d'élaborer un cadre conceptuel pour l'élimination du recours aux enfants soldats.

www.romeodallaire.com
www.childsoldiersinitiative.org

Cet ouvrage a été composé en Performa 11,5/15
et achevé d'imprimer en octobre 2010 sur les presses de
Marquis imprimeur, Québec, Canada.

certifié        procédé        100 % post-        archives        énergie
                sans chlore    consommation       permanentes     biogaz

Imprimé sur du papier 100 % postconsommation, traité sans chlore,
accrédité Éco-Logo et fait à partir de biogaz.